VERLOSCHEN

THRILLER

CATHERINE SHEPHERD

1. Auflage 2021

Korrektorat: SW Korrekturen e.U. /
Mirjam Samira Volgmann
Lektorat: Gisa Marehn

Covergestaltung: Alex Saskalidis
Covermotiv: © alexan888 / shutterstock.com

Druck: Amazon Distribution GmbH,
Amazonstraße 1, 04347 Leipzig

www.catherine-shepherd.com
kontakt@catherine-shepherd.com

ISBN 978-3-944676-32-6

TITEL VON CATHERINE SHEPHERD

Zons-Thriller:

1. Der Puzzlemörder von Zons (Kafel Verlag April 2012)
2. Erntezeit (früher: Der Sichelmörder von Zons; Kafel Verlag März 2013)
3. Kalter Zwilling (Kafel Verlag Dezember 2013)
4. Auf den Flügeln der Angst (Kafel Verlag August 2014)
5. Tiefschwarze Melodie (Kafel Verlag Mai 2015)
6. Seelenblind (Kafel Verlag April 2016)
7. Tränentod (Kafel Verlag April 2017)
8. Knochenschrei (Kafel Verlag April 2018)
9. Sündenkammer (Kafel Verlag April 2019)
10. Todgeweiht (Kafel Verlag April 2020)
11. Stummes Opfer (Kafel Verlag April 2021)

Laura Kern-Thriller:

1. Krähenmutter (Piper Verlag Oktober 2016)
2. Engelsschlaf (Kafel Verlag Juli 2017)
3. Der Flüstermann (Kafel Verlag Juli 2018)

4. Der Blütenjäger (Kafel Verlag Juli 2019)
5. Der Behüter (Kafel Verlag Juli 2020)
6. Der böse Mann (Kafel Verlag Juli 2021)

Julia Schwarz-Thriller:

1. Mooresschwärze (Kafel Verlag Oktober 2016)
2. Nachtspiel (Kafel Verlag November 2017)
3. Winterkalt (Kafel Verlag November 2018)
4. Dunkle Botschaft (Kafel Verlag November 2019)
5. Artiges Mädchen (Kafel Verlag November 2020)
6. Verloschen (Kafel Verlag November 2021)

Übersetzungen:

1. Fatal Puzzle - Zons Crime (Titel der deutschen Originalausgabe: Der Puzzlemörder von Zons, AmazonCrossing Januar 2015)
2. The Reaper of Zons - Zons Crime (Titel der deutschen Originalausgabe: Erntezeit, AmazonCrossing Februar 2016)

Alle Verfehlungen werfen lange Schatten.

Agatha Christie

PROLOG

Ich starre den Kerl an, der zusammengesunken auf der Couch liegt. Eigentlich wirkt er ziemlich nett. Sein schwarzes Haar ist ein wenig zerzaust. Seine Mundwinkel sind leicht nach oben gezogen, so als würde er lächeln. Unter dem hellen Hemd zeichnet sich sein durchtrainierter Körper ab. Wäre ich ihm irgendwo auf der Straße begegnet, hätte ich ihm vielleicht sogar hinterhergeschaut oder ein Gespräch mit ihm angefangen. Wer weiß, was sich daraus entwickelt hätte. Der Mann seufzt leise, und ich suche ein Anzeichen in seinem Gesicht, das ihn verrät. Doch ich sehe ihm sein dunkles Geheimnis nicht an. Niemand sieht es. Nur gut, dass ich es kenne. Ich bin gewappnet. Jeder trägt eine düstere Seite in sich. Mal mehr, mal weniger ausgeprägt. Ich greife in die Tasche seines Jacketts und ziehe eine Lederbörse hervor. Das Leder ist glatt und feinporig. Es beinhaltet etliche Kreditkarten und über dreihundert Euro. Ich lächele zufrieden und stecke die Karten und das Geld ein. Dann betrachte ich das Foto, das rechts in einem kleinen Fach geschützt hinter Folie steckt. Der Mann grinst in die Kamera gemeinsam mit seiner Frau und einem hübschen blonden Mädchen. Was für eine Bilderbuchfamilie, denke ich und schiebe das Foto zurück. Das Portemonnaie brauche ich nicht, auch nicht seinen Ausweis oder den Führerschein. Ich merke mir nicht einmal seinen Namen. Beim Kennenlernen hat er mir einen falschen genannt. Das tun sie alle. Mir ist es egal.

Ich durchsuche die Außentaschen seines Jacketts und taste vorsichtig die Hose ab. Ein paar Münzen klimpern. Ich stoße auf weiches Papier, vermutlich ein Taschentuch, und lasse lieber die Finger davon. Der Mann scheint nichts Brauchbares mehr bei sich zu haben. Ich werfe einen letzten Blick auf sein Gesicht. Die Augen sind nach wie vor fest geschlossen. Das Lächeln auf seinen Lippen ist verschwunden. Er wird sicherlich noch ein oder zwei Stunden auf dem fleckigen Sofa in diesem Zimmer verbringen, in dem es aufdringlich nach Vanille riecht. Neben der Tür ist ein Raumduftspender angebracht. Die düstere Note nach Muff, Schweiß und Körperflüssigkeiten kann er trotzdem nicht übertünchen. Muss er eigentlich auch nicht, denn die Menschen, die hierherkommen, haben keine besonders hohen Erwartungen an diese Unterkunft. Seit Jahren hat sich der Besitzer nicht die Mühe gemacht, die vergilbten Wände neu zu streichen, Möbel oder die verwanzten Teppiche auszutauschen. Kein Wunder. Ich habe für das Zimmer nur zwanzig Euro bezahlt. Bei diesem Preis lohnt sich eine Renovierung sicherlich nicht. Wer hierher kommt, dem geht es einzig und allein um eine schnelle Nummer und um Anonymität. Was würde das kleine Mädchen auf dem Foto wohl denken, wenn es wüsste, was sein Vater hier treibt? Oder vielmehr, was er hier treiben wollte. Natürlich hat er mich nicht angerührt. Dafür habe ich rechtzeitig gesorgt. Die K.-o.-Tropfen in seinem Glas haben ihn innerhalb von zehn Minuten ruhiggestellt. Früher, als ich gedacht hatte. Letzte Woche hatte ich einen dicken Kerl an der Angel, der mehr als doppelt so lange durchgehalten hat. Ich spüre immer noch seine wurstigen Finger auf meiner Brust. Der Widerling hatte nicht mal fünfzig Euro dabei und für seine Kreditkarten gab es auch bloß einen Hungerlohn. Seit die Banken die Sicherheitsvorkehrungen verschärft haben, zahlt mir der Typ, der mir die Karten abkauft, weniger als die Hälfte. Der Job wird zunehmend schwerer, vor allem, weil Bargeld von Jahr zu Jahr rarer wird. Aber das kann mir letztendlich egal sein. Ich will sowieso aufhören. Ich mache das nur übergangsweise. Irgendwie muss ich schließlich überleben. Ich bin von zu Hause abgehauen, schon mit sechzehn. Die Wohnunterkunft, in die mich das Jugendamt anschließend gesteckt hat, war die Hölle. Ich musste da raus und dank des Internets habe ich es ein paar Jahre später geschafft. Zusammen mit Ivy. Sobald ich an sie denke, schießen mir die Tränen in die Augen. Ivy ist tot. Sie hat sich eine Spritze in den Arm gejagt und ist nicht mehr aufgewacht. Ich darf jetzt nicht heulen. Ich muss weg von hier, bevor der Kerl auf der Couch zu sich kommt. Hastig stecke ich die Gläser ein. Auch das hat Ivy mir beigebracht. Keine Spuren hinterlassen. Meine Nachlässigkeit hat mich bereits in den Knast gebracht. Das passiert mir nie wieder. Jeder Fingerabdruck wäre ein gefundenes Fressen für die Polizei. Sie haben mich beim Klauen erwischt. Ich hätte es fast geschafft, mit einem BMW abzuhauen. Aber ich war zu hektisch und nicht gut vorbereitet. Drei Ampeln später hielt mich eine Streife an. Ivy hat mir danach ein besseres Geschäftsmodell gezeigt. Ich drehe mich ein letztes Mal zu dem Typen um und verschwinde aus dem muffigen Zimmer.

Der Gang mit dem dunkelgrünen Teppich zieht sich schier endlos hin. Über meinem Kopf flackern Neonröhren, deren kaltes Licht die Wände in einen bläulichen Farbton taucht. Eine Gänsehaut breitet sich auf meinem Körper aus. Erst jetzt merke ich, wie müde ich bin. Ich denke an die dreihundert Euro, die ich erbeutet habe, und lächele. Das Geld reicht locker für den restlichen Monat. Ich werde keinen neuen Termin im Internet vereinbaren müssen. Männer suchen schnellen, unkomplizierten Sex und ich verspreche ihnen genau das. Sie treffen sich mit mir, ich betäube sie und räume ihre Taschen aus. Ich werde damit nicht reich, aber es genügt, um ein bisschen beiseitezulegen. Genug, um die Schule zu beenden und etwas zu lernen. Vielleicht eröffne ich irgendwann meinen eigenen Laden. Einen Friseursalon oder ein kleines Café. Ein eigenes Café, diese Idee gefällt mir.

Ich schiebe diese Gedanken kurz beiseite, weil ich an der Rezeption angekommen bin. Dem Kerl hinterm Tresen nicke ich freundlich zu. Er winkt zurück. Er kennt mich und weiß, dass mein Kunde wenig später folgen wird. Die meisten Männer beschweren sich nicht bei ihm. Es ist ihnen peinlich, mich anzuzeigen. Es fehlt ihnen ja nur ein bisschen Bargeld und die paar Karten. Das lässt sich verschmerzen und vor allem vor der Ehefrau verheimlichen. Mein Job ist eigentlich gar nicht so schlecht, denke ich, während ich die schwere Glastür aufdrücke und auf die Straße trete. Sofort lege ich die Oberarme um die Schultern. Eisiger Wind umfängt mich. Ich trage bloß einen dünnen Mantel. Rasch husche ich über die Straße, auf der um diese Uhrzeit nichts mehr los ist. Ich beschließe, die Abkürzung durch den Park zu nehmen. Das spart mir locker zehn Minuten ein. Mit den hochhackigen Pumps komme ich allerdings nicht sonderlich gut voran. Ich beschleunige meine Schritte, während die Baumkronen über mir schwanken. Der Mond erhellt den Weg, aber er wirft auch Schatten, die geisterhaft umhertanzen. Ich blicke mich um. Niemand folgt mir. Ich bin allein, zumindest soweit ich es sehen kann. Trotzdem fängt mein Herz an zu rasen. Ich laufe noch ein wenig schneller und beobachte unablässig die Umgebung. Immerhin ist mir inzwischen warm. Es treiben sich oft Obdachlose oder Drogensüchtige in diesem Park herum. Ich will keinem von ihnen begegnen. Die Hälfte der Strecke habe ich fast geschafft. Vor mir liegt der Brunnen, der den Mittelpunkt der Grünanlage bildet. Übermächtige steinerne Löwen ruhen sich am Rand des Wasserbeckens aus. Ihre Mäuler sind weit geöffnet. Im Sommer schießen Wasserstrahlen daraus hervor und landen plätschernd im Becken, aber im Winter ist der Brunnen nicht in Betrieb. Die Stille, die von ihm ausgeht, kommt mir plötzlich unheimlich vor. Der Wind ist ebenfalls verstummt und meine Anspannung nimmt zu. Ein Schatten löst sich von einem der Löwen. Ich blinzle und denke zunächst an einen Ast, der sich im Wind wiegt. Doch die Bäume bewegen sich überhaupt nicht. Die Luft steht beinahe still. Der Schatten allerdings nicht. Er kommt auf mich zu. Ich weiche abrupt nach links aus. Es fehlte gerade noch, dass mich ein Junkie wegen ein bisschen Kleingeld anschnorrt. Der Kerl bleibt stehen. Ich spüre, wie er mich anstarrt, und haste mit möglichst großem Abstand vorbei. Nichts wie weg von hier. Meine Füße schmerzen mittlerweile. Ich gönne ihnen keine Pause. Und dann höre ich Schritte. Seine Schritte, die unaufhörlich näher kommen. Ich beginne zu laufen und schaue mich hektisch um. Der Mann ist jetzt direkt hinter mir. Ich fühle seinen heißen Atem im Nacken.

»Hau ab!«, kreische ich. Doch schon schiebt sich seine kräftige Hand über meinen Mund. Ich verstumme und blicke hinauf in den Nachthimmel, während er mich zu sich herumreißt.

»Wir waren noch nicht fertig«, zischt er mir ins Ohr, und im selben Moment, in dem ich ihn wiedererkenne, versinkt alles um mich herum in eisiger Schwärze.

1

Julia lächelte und legte einen Arm um Florian.

»Du willst nur, dass ich dein Nachthemd trage«, neckte sie ihn und wollte aus dem Auto steigen. Doch Florian hielt ihre Hand fest.

»Ich möchte, dass du heute Nacht bei mir bleibst, und weißt du was? Ich nehme dich auch ohne dieses zugegebenermaßen sehr aufregende Stoffstück.« Er zog sie zu sich heran und gab ihr einen Kuss auf die Lippen. »Ich kann nämlich nicht genug von dir bekommen.«

»Du bist ein Schuft«, erwiderte Julia. »Ich bin fast den gesamten Tag im Autopsiesaal beschäftigt. Bist du sicher, dass du mich danach zu dir einlädst?«

Florian seufzte theatralisch. »Das ist kein Problem. Wenn es dir nichts ausmacht, dass ich die nächsten Stunden mit der Befragung von Serienkillern verbringe. Ich hoffe, das färbt nicht ab.« Er grinste frech und ließ sie los. »Wir sehen uns heute Abend.«

Julia stieg aus seinem Wagen und sah zu, wie er davonfuhr. Sie wandte sich ab und betrat das rechtsmedizinische Institut, das sie seit knapp einem Jahr leitete. Sie hatte die Position von ihrem früheren Chef Manfred Holsten übernommen, der sich inzwischen im Ruhestand befand. Glücklicherweise half er ab und an bei der Bewältigung des lästigen Verwaltungskrams aus. In diesem Institut gab es mehr Formulare und Berichte, als sie es sich je hätte vorstellen können.

Julia schritt eilig den langen Gang zu ihrem Büro entlang. Heute stand zum Glück nichts dergleichen an. Sie arbeitete lieber am Obduktionstisch und tat etwas in ihren Augen Sinnvolles. Zwar konnte sie kein Leben zurückholen, aber sie konnte meistens feststellen, warum jemand gestorben war. Den Angehörigen gab sie Antworten und der Polizei wertvolle Hinweise zur Ergreifung eines Täters. Julia stieß schwungvoll die Tür zum Vorzimmer ihres Büros auf und hielt sofort inne, als sie den warnenden Blick ihrer Sekretärin sah.

»Herr Möller wartet in Ihrem Büro. Er möchte Sie kurz sprechen«, flüsterte Kerstin Brandt und deutete mit einem Nicken auf die Tür.

Julia runzelte die Stirn. Christian Möller, ein junger Staatsanwalt, hatte erst vor ein paar Wochen bei der Staatsanwaltschaft Köln angefangen. Eigentlich hatte sie keine Zeit für ihn, doch sie sah sein blasses Gesicht durch den Türspalt. Er wirkte angespannt. Vermutlich hatte sein Chef, Oberstaatsanwalt Kreitz, ihn hergeschickt. Sie ahnte, um welchen Fall es ging.

»Guten Morgen, Herr Möller«, begrüßte sie ihn und nahm neben ihm am Besprechungstisch Platz.

»Herr Kreitz schickt mich wegen des Wolfsmann-Falls. Er möchte eine Kopie der kompletten Befunde und fragt, ob es nicht eindeutigere Anhaltspunkte für eine Vergewaltigung gibt.«

»Wolfsmann-Fall? So nennen Sie den Fall jetzt?« Julia schüttelte den Kopf. Wer hatte sich nur einen so reißerischen Namen ausgedacht? Sie betrachtete Christian Möller und überlegte, ob er auf diese Idee gekommen war.

Möller zuckte ein wenig hilflos mit den Achseln. »Der Täter trägt eine Wolfsmaske, wenn er die Frauen vergewaltigt. Wir dachten, Wolfsmann wäre ein passender Name für die Sonderkommission.«

Und für die Presse, fügte Julia in Gedanken hinzu, sagte jedoch nichts. Sie würde sich nicht in die Angelegenheiten der Staatsanwaltschaft einmischen. Schon gar nicht in die von Björn Kreitz. Der Oberstaatsanwalt war für seine Bissigkeit bekannt.

»Wie Sie wissen, arbeitet mein Kollege Doktor Neumann an diesem Fall. Ich bin natürlich im Bilde. Er hat einen sehr ausführlichen Bericht erstellt und sämtliche Befunde als Anlage beigefügt«, erklärte Julia.

»Herr Kreitz möchte, dass Sie sich den Fall ebenfalls anschauen. Er braucht etwas, was er dem Richter vorlegen kann. Wir haben endlich einen Verdächtigen. Aber der streitet alles ab, dabei ist die Beweislast erdrückend.«

Julia schob die Hornbrille den Nasenrücken hinauf und krauste die Stirn. »Wenn die Beweise so gut sind, dann brauchen Sie doch nichts weiter von mir. Im Übrigen hege ich keinerlei Zweifel an Doktor Neumanns Ergebnissen. Es bleibt dabei, dass die Vergewaltigungen nicht eindeutig nachzuweisen sind. Doktor Neumann hat weder Spermaspuren noch entsprechende Verletzungen im Vaginalbereich gefunden. Es tut mir leid, dass wir aus rechtsmedizinischer Sicht nicht mehr beitragen können. In diesem Fall müssen Sie wohl auf Zeugenaussagen und andere Beweise zurückgreifen. Sagen Sie mir gerne, ob Laborbefunde in den Berichten fehlen. Meine Sekretärin besorgt Ihnen die Unterlagen.«

Christian Möller senkte den Blick. Auf seinem Hals hatten sich rote Flecken gebildet.

»Das ist leider nicht befriedigend«, murmelte er ein wenig hilflos.

Als er wieder aufsah, bemerkte Julia, wie angespannt der junge Staatsanwalt war. Sie hob beschwichtigend die Hände.

»Hören Sie, ich habe die Fälle mit Doktor Neumann besprochen. Er hat bei keiner der drei Frauen eine Vergewaltigung bestätigen können. Wir vermuten, dass sie mit K.-o.-Tropfen ruhiggestellt wurden. Aber bedauerlicherweise konnten wir die Substanz weder im Blut noch im Urin oder in den Haaren feststellen. Im Blut und Urin ist sie höchstens zwölf Stunden nachweisbar und im Haar könnten wir im Grunde genommen nur einen regelmäßigen Konsum erkennen. Das ist hier jedoch nicht der Fall.«

»Ich kann mit dieser Antwort aber nicht zu Herrn Kreitz zurückkehren. Er hat mich extra zu Ihnen geschickt, damit wir etwas Brauchbares in die Hände bekommen.«

»Ich verstehe Ihr Anliegen«, antwortete Julia. »Wissen Sie was, Björn Kreitz soll mich gerne direkt einmal anrufen. Dann erkläre ich ihm die Einzelheiten persönlich. Einverstanden?«

Der junge Staatsanwalt nickte zögerlich, erhob sich schließlich und trottete aus ihrem Büro. Julia holte tief Luft. Sie würde dem Oberstaatsanwalt gehörig die Meinung sagen, wenn er sie anrief. Was dachte Björn Kreitz eigentlich, wie sie hier arbeiteten? Er konnte doch nicht die Kompetenz von Dr. Neumann infrage stellen. Sie seufzte. Der Oberstaatsanwalt hatte seinen Ruf nicht umsonst. Sie sollte sich nicht aufregen. Am Ende machte er vermutlich einen guten Job.

Sie sprang von ihrem Stuhl auf und lief ins Vorzimmer. »Lenja wartet bestimmt längst auf mich.« Sie nickte ihrer Sekretärin zu und eilte über den grauen Flur des rechtsmedizinischen Institutes zu den Autopsiesälen.

Lenja Nielsen, ihre Assistentin, stand in voller Montur an einem der Obduktionstische und öffnete den Reißverschluss eines Leichensackes. Ihre blonden Haare waren komplett unter einer blauen Plastikhaube verschwunden und die Hälfte des Gesichts mit einem Mund-Nasen-Schutz bedeckt. Als sie Julia bemerkte, hielt sie inne.

»Da bist du ja«, sagte sie mit leichtem finnischem Akzent. »Ich dachte, du bist noch beschäftigt und ich fange schon mal mit der äußeren Leichenschau an.«

Julia rollte mit den Augen und begrüßte Lenja mit einem Nicken. »Christian Möller, der neue Staatsanwalt, wollte mehr Details zu den Vergewaltigungsfällen haben, die Doktor Neumann betreut.« Sie betrachtete den fünfunddreißig Jahre alten Mann, der unter dem Reißverschluss zum Vorschein kam. »Was wissen wir über den

Todesfall?«, fragte sie, weil sie auf den ersten Blick keinerlei Verletzungen erkennen konnte.

Lenja entfernte den Leichensack, sodass der Tote nackt vor ihnen lag. »Er ist im Büro zusammengebrochen, vor den Augen seiner Kollegen. Der Mann war Rechtsanwalt. Die Angehörigen glauben an Mord. Die Polizei will deshalb Klarheit.«

»Mord?« Julia schüttelte den Kopf und betrachtete den schlanken Körper.

»Der zuständige Kriminalkommissar hat mir berichtet, dass es Streit in der Kanzlei gegeben hat. Der Verstorbene sollte zum Partner ernannt werden. Aber es gab wohl einen hitzköpfigen Mitstreiter, der ihm angeblich etwas in den Kaffee gekippt haben soll. Der Bericht vom Labor, in dem die Tasse untersucht wurde, liegt bereits vor. Es konnte jedoch kein Gift oder Ähnliches festgestellt werden.«

»Verstehe«, entgegnete Julia und inspizierte den Toten. Er schien äußerlich vollkommen unversehrt.

»Er wirkt ziemlich sportlich und ist schlank. Es ist eher unwahrscheinlich, dass er eines natürlichen Todes gestorben ist«, stellte Julia fest.

»Das stimmt. Ich nehme gleich einmal Blut ab und auch eine Haarprobe. Je schneller das im Labor landet, desto besser.« Lenja griff zu einer Spritze, hielt jedoch abrupt inne. Sie rieb sich die Stirn. »Ich glaube, ich habe gestern zu tief ins Glas geschaut«, sagte sie, und in diesem Augenblick bemerkte Julia, wie blass sie war.

»Willst du eine Pause machen?«, bot Julia an. »Ich werde mit dem Toten schon alleine fertig.«

Doch Lenja schüttelte den Kopf. »Nein, auf keinen Fall. Wer feiern kann, muss auch arbeiten können. Marcel stand gestern mit einer Flasche Champagner vor der Tür und das letzte Glas war wohl zu viel.«

Irgendetwas an Lenjas Tonfall ließ Julia aufhorchen. Ihre finnische Assistentin gehörte zu den geselligen Menschen, ganz im Gegensatz zu ihr. Lenja feierte gerne und genoss das Leben, insbesondere mit ihrem Freund Marcel. Mit dem Medizinstudenten wollte sie demnächst in eine gemeinsame Wohnung ziehen.

Lenja seufzte. »Ich glaube aber, Marcel hat irgendwie ein Problem mit Alkohol«, sprudelte es plötzlich aus ihr heraus.

»Und das denkst du nur wegen einer Flasche Champagner?« Julia dachte an die zahlreichen Alkoholiker, die bereits auf ihrem Obduktionstisch gelandet waren. Die meisten von ihnen hingen an hochprozentigeren Sachen.

»Ich weiß auch nicht«, murmelte Lenja, während sie der Leiche Blut entnahm. »Ist nur so ein Gefühl, weil wir keinen Abend mehr ohne Alkohol miteinander verbringen. Marcel betrinkt sich natürlich nicht bis zur Besinnungslosigkeit, bloß ohne zwei, drei Gläser wirkt er irgendwie ruhelos. Nach dem ersten Drink steigt seine Laune merklich.«

»Manche Medizinstudenten übertreiben es gerne«, sagte Julia und öffnete den Brustkorb des Leichnams. Sie durchtrennte jede einzelne Rippe, bis Lunge und Herz frei lagen. »Hast du mit ihm darüber gesprochen?«

Lenja zuckte mit den Achseln. »Ich habe bisher nicht den passenden Moment gefunden. Er ist ja auch kein richtiger Alkoholiker, aber er scheint so einen Hang zu haben.«

Julia begriff, was Lenja meinte. Es gab Menschen, die Versuchungen weniger gut standhalten konnten. Dass Lenja mit Marcel nicht über dieses Thema sprach, wunderte sie jedoch. Lenja nahm meist kein Blatt vor den Mund und trug das Herz sonst auf der Zunge.

»Schau dir die Herzkranzgefäße an«, sagte sie und deutete auf eine Koronararterie, die aus der Lungenschlagader entsprang und zum Herzen führte. »Das ist eine angeborene Fehlbildung, die nur sehr selten vorkommt.« Sie blickte zu Lenja. »Dieser Mann ist nicht vergiftet worden. Er ist am plötzlichen Herztod gestorben.«

Lenja betrachtete die Anomalie. »Wie konnte er mit diesem Herzfehler überhaupt so alt werden?«

»Das kommt in einigen Fällen vor. Diese Menschen entwickeln keine Symptome, aber wenn sie sich über längere Zeit körperlich zu sehr betätigen oder der Stress zu belastend wird, kann diese Fehlbildung zu einer Sauerstoff-Unterversorgung des Herzens führen. Manchmal endet es tödlich.«

»Er ist also wirklich einfach umgekippt?«

Julia nickte. »Um noch einmal auf dein Problem zurückzukommen. Entsorge doch alles an Alkohol aus deiner Wohnung. Er wird sicher nicht jedes Mal selbst etwas mitbringen. Dann siehst du, wie es läuft.«

Lenja stieß einen tiefen Seufzer aus. »Das ist es ja gerade. Genau das habe ich getan. Am nächsten Tag stand er prompt mit der nächsten Champagnerflasche vor der Tür.«

»Hattet ihr denn was zu feiern?« Julia musterte Lenja, die tiefunglücklich wirkte. In diesem Moment klingelte ihr Handy. Julia warf einen Blick aufs Display und streifte einen Handschuh ab, als sie Florians Namen sah.

»Julia?«, fragte Florian, und etwas in seiner Stimme ließ sie sofort aufhorchen. »Ich weiß, du steckst bestimmt im Stress, aber ich brauche dich hier. Du musst dir eine Tote ansehen. Es ist wirklich dringend.«

2

Das rechtsmedizinische Institut in Köln befand sich am Melatengürtel neben einem riesigen Friedhof. Julia fuhr von dort mit ihrem klapprigen Golf los, den sie seit Jahren austauschen wollte. Nach einer Weile bog sie in eine Straße ab, die in ein weitläufiges Gewerbegebiet führte. Sie steuerte an Schrott- und Gebrauchtwagenhändlern vorbei, die zahlreiche Sonderangebote anpriesen, und an halb verfallenen Fabrikhallen, die ihre besten Zeiten lange hinter sich hatten. Ein verwittertes Schild zeigte den Weg zu einer Kartonagenfabrik. Drei überdimensionierte rostige Tanks ragten wie Hochhäuser in den grauen Winterhimmel, dessen dicke Wolken heute nicht einen Sonnenstrahl hindurchließen. Die Temperaturen waren eisig. Die Heizung des Wagens kämpfte vergebens gegen die Kälte an. Nur gut, dass sie und Lenja gefütterte Wintermäntel trugen.

»Da vorne muss es sein«, sagte Lenja aufgeregt und rieb sich die Hände.

Julia hatte sie nicht im Institut zurücklassen wollen. Eigentlich war ihre Entscheidung beim derzeitigen Arbeitsanfall nicht sinnvoll, andererseits wirkte Lenja derartig unglücklich, dass sie vielleicht etwas Ablenkung gebrauchen konnte. Lenja liebte Außeneinsätze. Dr. Neumann hatte die Obduktion des verstorbenen Anwalts kurzfristig übernommen. Julia kannte die Zweifel, welche die Liebe mit sich brachte, nur allzu gut. Momentan schwebte sie zwar auf Wolke sieben, doch das konnte sich täglich ändern. Eine gemeinsame Wohnung mit Florian kam für sie immer noch nicht infrage, aber zumindest hatte sie mittlerweile einige persönliche Dinge bei ihm deponiert. Erstaunlicherweise fühlte es sich gut an, irgendwie richtig. Ein wenig begann sie, sich bei Florian zu Hause zu fühlen. Sie warf einen Seitenblick auf Lenja, die wie gebannt auf die Absperrbänder der Polizei starrte. Bis vor ein paar Wochen war ihre Assistentin Feuer und Flamme für Marcel gewesen. Doch irgendetwas musste in der Zwischenzeit passiert sein. Julia konnte sich kaum vorstellen, dass es ausschließlich an Marcels Alkoholkonsum lag. Das klang eher nach einem Vorwand, auch wenn es Lenja möglicherweise nicht bewusst war.

Sie parkte den Wagen auf dem Seitenstreifen vor einem rot-weiß gestreiften Absperrband. Das Gelände vor ihnen beherbergte Hunderte von aneinandergereihten Containern, die für wenig Geld als Lagerraum angemietet werden konnten. Das Areal wirkte fast wie eine kleine Stadt. Julia fragte sich, was die Leute in diesen Containern alles aufbewahrten. Sie selbst neigte nicht dazu, Dinge aufzuheben und zu sammeln. In ihrem Keller lagerten ein paar Werkzeuge und ein Fahrrad, mehr nicht.

Sie stiegen aus und wurden sofort von einer Polizistin in Empfang genommen.

»Sind Sie von der Rechtsmedizin?«, wollte die junge Frau wissen und ließ sich von ihnen die Ausweise zeigen.

»Gehen Sie bis zu den Containern und biegen Sie dann in der dritten Reihe ab. Die Tote wurde am Ende des Weges gefunden.«

Julia und Lenja marschierten schnurstracks in die genannte Richtung. Schon von Weitem sah sie Florian, der mit seinem Partner Martin Saathoff vor einem geöffneten dunkelblauen Container stand. In weiße Schutzanzüge gekleidete Mitarbeiter der Spurensicherung wuselten um die beiden herum. Ein Fotograf schoss ein Bild nach dem anderen, während zwei Streifenpolizisten damit beschäftigt waren, den hinteren Bereich des Containerstellplatzes abzusperren.

»Lassen Sie mich gehen. Ich habe nichts mit der Toten zu tun!«, brüllte plötzlich ein leicht untersetzter Mann mit Glatze und Vollbart, der Julia vorher gar nicht aufgefallen war. Er taumelte einen Schritt rückwärts und funkelte Florian wütend an.

»Ganz ruhig«, sagte Florian in seine Richtung und nickte Julia und Lenja zur Begrüßung kurz über die Schulter zu. »Wir müssen Ihre Zeugenaussage aufnehmen. Das bedeutet nicht, dass Sie verdächtig sind. Aber Sie haben nun mal in der Nacht die Leiche gefunden und die Polizei gerufen.«

»Hätte ich doch bloß meine Klappe gehalten«, knurrte

der Mann und schlug sich die flache Hand gegen die Stirn. »Ich habe Sie verständigt, weil ich klarstellen wollte, dass ich mit dieser Sache nichts zu tun habe.«

Florian stieß einen Seufzer aus. »Ich muss genau wissen, wo Sie über den Zaun geklettert sind und wie Sie den Container geöffnet haben. Jedes Detail könnte für uns von Bedeutung sein.«

»Aber Ihnen ist klar, dass ich nichts gestohlen habe. Ich habe nur das Vorhängeschloss geknackt und dann kam mir bereits dieser merkwürdige Geruch entgegen. Ich habe die tote Frau gesehen und sofort angerufen.«

»Wir sind von der Mordkommission. Wegen des Einbruchs werden andere Kollegen auf Sie zukommen. Ich kann Sie nur bitten, uns zu helfen«, sagte Florian eindringlich.

»Also gut, ich zeige Ihnen, wie ich es gemacht habe«, murmelte der Bärtige schließlich und deutete auf den hohen Zaun, der das Gelände umgab.

Florian drehte sich zu Julia um. »Entschuldige bitte, es ist im Augenblick ein wenig chaotisch hier. Die Leiche liegt im Container. Ihr könnt sie untersuchen, der Fotograf müsste fertig sein.« Er lächelte sie an und machte eine Kopfbewegung in Richtung der geöffneten blauen Türen. »Martin zeigt euch das Wichtigste. Ich komme nach, sobald ich hier fertig bin.«

»Gut, bis gleich«, entgegnete Julia und wandte sich dem Container zu. Lenja und Martin Saathoff folgten ihr.

»Einen Moment, bitte«, sagte der Fotograf und löste ein Blitzlichtgewitter aus. »Ich habe bloß noch ein paar Aufnahmen zur Sicherheit gemacht. Jetzt dürfen Sie rein.«

Er trat aus dem Container und gab den Blick auf den Leichnam frei.

»Danke«, murmelte Julia und rückte die Brille zurecht. Sie blieb auf der Stufe vor den Containertüren stehen und betrachtete zunächst den Innenraum, dessen Wände komplett mit blauer Folie abgeklebt waren. Der metallische Geruch von Blut schlug ihr entgegen. Der Raum erinnerte sie an eine Folterkammer. Ein Tisch mit diversen chirurgischen Instrumenten stand neben einer rostigen Liege, auf der die Leiche festgeschnallt war. Mehrere breite Lederriemen verliefen über ihrem Oberkörper, den Armen und den Beinen. Sie war vollkommen bekleidet, mit einer langen schwarzen Hose, hellbraunen Lederstiefeln und einem dicken Pullover. Fast sah es so aus, als hätte sich die Frau nur kurz hingelegt. Doch die Blutflecken am Kragen, auf der Liege und am Boden sprachen dagegen. Die stumpfen Augen der Toten starrten leblos an die Decke. Der Unterkiefer war heruntergeklappt, sodass der Mund wie zu einem verzerrten Schrei offen stand. Eine dunkelrote Wollmütze bedeckte das Haupt. Julia schätzte die Tote auf Ende zwanzig.

»Wo kommt das Blut her?«, fragte Lenja.

»Viel ist es nicht«, erwiderte Julia und trat näher an die Liege. Sie betrachtete den Kopf der Frau, unter dem sich eine kleine Blutlache gesammelt hatte.

»Auf dem Tisch liegen Instrumente. Da klebt ebenfalls Blut dran. Wir gehen davon aus, dass sie hier drinnen getötet wurde«, sagte Martin Saathoff, während er seinen Schnauzbart zwirbelte. Seine teilweise ergrauten Haare standen in alle Richtungen ab, so als wäre er gerade aus dem Bett gefallen. »Der Grund, warum wir euch gerufen haben, findet sich allerdings unter der Wollmütze. Florian hat sie nur ein bisschen angehoben. Am besten, ihr seht selbst.«

Julia nickte und schob vorsichtig die Mütze hoch. Kurze blonde Haare kamen zum Vorschein. Saathoff räusperte sich hörbar und blieb im Eingang des Containers stehen. Julia sah ihn an. Er schien fast schon ein wenig grün im Gesicht. Sie konzentrierte sich wieder auf den Kopf der Toten und erkannte sofort, was die beiden gesehen hatten. Etwas stimmte mit dem Ohr nicht. Sie erblickte die Nähte, die einmal um das Ohr herumführten. Aus den Einstichstellen war Blut ausgetreten. Der bläuliche Faden war nicht sonderlich sauber vernäht und die Einstiche waren sehr unregelmäßig gesetzt. Doch das war es nicht, was Julia stutzig machte. Ungläubig inspizierte sie das Ohr, das nicht so richtig zum Schädel passen wollte.

»Du liebe Güte«, murmelte sie und winkte Lenja näher heran. »Das ist nicht ihr Ohr. Die Größe passt meines Erachtens eher zu einem Mann.« Sie eilte um die Liege herum und betrachtete das andere Ohr.

»Diese Ohren gehören nicht der Toten«, stellte sie schockiert fest. »Sie wurden dieser Frau angenäht. Anhand der Größe tippe ich auf männliche Ohren und zudem erscheint mir ihr Verwesungsgrad deutlich fortgeschrittener als der des Opfers. Da nicht allzu viel Blut ausgetreten ist, gehe ich vorerst davon aus, dass der Täter die Ohren nach Eintritt des Todes amputiert und dann die fremden angenäht hat.« Julia blickte auf und sah Martin

Saathoff an. »Himmel. Ich frage mich, was mit dem Mann passiert ist, dem diese Ohren gehören.«

Saathoff hörte auf, seinen Schnauzbart zu zwirbeln, und schluckte, wobei sein Adamsapfel sichtbar auf- und abhüpfte.

»Sie meinen, es gibt ein weiteres Opfer?«

Julia zuckte mit den Achseln und betrachtete die blutleeren, schon gräulich wirkenden Ohren. »Das weiß ich nicht. Ich kann nur sagen, dass es sich um echte menschliche Ohren handelt. Sie wirken ein wenig so, als wären sie in Formaldehyd konserviert worden. Das Labor wird uns Auskunft geben können, ob das so ist und ob sie von einem Mann oder von einer Frau stammen.«

»Woran ist sie bloß gestorben?«, fragte Lenja und musterte den Pullover des Opfers. »Ich kann überhaupt keine tödlichen Verletzungen erkennen.«

Julia wandte sich wieder der Toten zu. Sie durchtrennte die Lederriemen und schob den Pullover nach oben. Ein schwarzer BH kam zum Vorschein. Der Oberkörper war vollkommen unversehrt. Sie drehten die Frau auf die Seite, um den Rücken zu betrachten. Auch dort fanden sich keine Blessuren.

»Das Abtrennen der Ohren kann auf keinen Fall todesursächlich sein«, murmelte Julia und zupfte an einem Augenlid. »Ich kann keine Einblutungen feststellen. Auch keine Würgemale am Hals.« Sie leuchtete mit der Taschenlampe tief in den Rachen der Toten. »Es sind keine Fremdkörper ersichtlich, die die Sauerstoffzufuhr beeinträchtigt hätten. Die Gewalteinwirkung mit einer Schusswaffe, einem Messer oder einem anderen Gegenstand ist ausgeschlossen. Ich fürchte, wir müssen sie obduzieren, um die Todesursache herauszufinden.«

»Denken Sie denn auch, dass die Frau in diesem Container ermordet wurde?«, fragte Martin Saathoff.

»Ich weiß es nicht«, erwiderte Julia. »Da ich bisher keine Spuren tödlicher Gewalteinwirkung gesehen habe, könnte sie auch vergiftet worden sein oder jemand hat ihr ein Kissen oder eine Decke auf Mund und Nase gepresst. Das kann allerdings überall geschehen sein.« Sie sah sich nach dem Tisch mit den Instrumenten um. »Dort liegen wahrscheinlich die Nadel und der Faden, mit denen die Ohren angenäht wurden. Vermutlich diente eines der Skalpelle zur Amputation.« Sie hielt kurz inne, als ihr etwas Wichtiges einfiel. »Hat die Spurensicherung denn die amputierten Ohren des Opfers gefunden?«

Saathoff riss entsetzt die Augen auf und stürzte aus dem Container. Er winkte einen völlig in Weiß gekleideten Mann heran. Nach einer Weile kehrte er mit hängenden Schultern zurück.

»Nichts«, sagte er. »Es wurden weder Ohren noch irgendwelche Substanzen im näheren Umkreis entdeckt.«

»Verstehe. Dann warten wir erst einmal die Obduktion und die Laborergebnisse ab.« Sie schüttelte nachdenklich den Kopf. Es kam häufig vor, dass Frauen aus sexuellen Motiven heraus getötet wurden. Doch die Tote trug Kleidung. Die Hose saß ordentlich, der Reißverschluss war verschlossen, und es waren keine Flecken sichtbar, die auf Körperflüssigkeiten hindeuteten. Auf den ersten Blick sprach das gegen eine Vergewaltigung. Auch das Blut am Kragen des Pullovers deutete darauf hin, dass der Mörder sich nicht die Mühe gemacht hatte, sein Opfer zu entkleiden. Sie fragte sich, ob Absicht dahintersteckte oder der Mörder einfach stümperhaft vorging.

»Merkwürdig«, sagte sie. »Der Täter legt den gesamten Container mit Folie aus. Er achtet also offensichtlich auf Sauberkeit. Und dann ruiniert er die Kleidung des Opfers mit Blutflecken. Ist das nicht ein Widerspruch?«

»Vielleicht kann er keine nackten Frauen sehen«, erwiderte Lenja nachdenklich. »Er könnte irgendwie prüde oder verklemmt sein. Sieht doch so aus, als ob er sie nicht angerührt hätte. An den Händen, im Gesicht und am Hals hat sie keinen einzigen blauen Fleck. Hat sie sich denn überhaupt nicht gewehrt?«

»Wahrscheinlich nicht. Vermutlich wurde sie betäubt.« Julia besah sich die Handgelenke, verzichtete jedoch darauf, die Ärmel des Pullovers hochzuschieben. Das würde sie im Autopsiesaal tun, wo mehr Licht war. Sie tastete vorsichtig die Hosentaschen der Toten ab.

»Sie trägt keine Papiere bei sich. Haben Sie schon eine Idee, um wen es sich handeln könnte?«

In diesem Augenblick kam Florian herein.

»Wir haben die Vermisstendatenbank noch nicht überprüft«, antwortete er und stellte sich ans Kopfende der Liege. Er betrachtete den Schädel und verzog das Gesicht.

»Warum hat er ihr die Ohren abgeschnitten und wieder angenäht?«, fragte er.

Julia erklärte Florian, dass es sich nicht um die Ohren des Opfers, sondern vermutlich um die eines Mannes handelte. Sofort wurde Florian noch eine Spur blasser.

»Am besten, wir obduzieren die Leiche so schnell wie

möglich«, schlug Julia vor. »Ich denke, wir müssen in diesem Fall von einem weiteren Verbrechen ausgehen.«

Florian nickte. »Ich gebe Bescheid, sobald die Leiche abgeholt werden kann.« Er wandte sich Martin Saathoff zu. »Unser Zeuge, Pavlo Burakow, ist übrigens wegen mehrfachen Einbruchsdiebstahls vorbestraft. Ich kann mir zwar nicht vorstellen, dass er etwas mit diesem Mord zu tun hat, aber wir sollten ihn trotzdem im Auge behalten. Leider habe ich keine brauchbaren Informationen aus ihm herausbekommen. Er ist in der Nacht über den Zaun gestiegen, um ein paar Container aufzubrechen. Er hat das Vorhängeschloss aufgeknackt und ist direkt auf die Leiche gestoßen. Aus Angst, mit einem Mord in Verbindung gebracht zu werden, hat er die Polizei gerufen. Das war es. Ihm ist in der ganzen Zeit nichts Verdächtiges aufgefallen.«

»Das habe ich mir fast gedacht«, brummte Martin Saathoff. »Wir sollten uns die Aufnahmen der Überwachungskameras ansehen. Mit ein wenig Glück entdecken wir den oder die Täter darauf.«

3

Vier Jahre zuvor

Anne liebte ihren Mann, doch wenn er sie jetzt berührte, fühlte es sich falsch an. Seine Fingerspitzen hinterließen ein dumpfes Brennen auf ihrer Haut. Sie atmete ein und wieder aus. Es half nichts. Sie starrte ihn an. Er hatte die Lider geschlossen und in seinem Gesicht sah sie die Leidenschaft. Anne durfte die Augen nicht schließen, das hatte sie inzwischen begriffen. Sobald sie es tat, erschien *er*. Der Mann, der sie vor ein paar Monaten überwältigt hatte. Dann war es völlig egal, wer auf ihr lag. Es war immer *er* und es waren auch immer seine Berührungen. Sein Gewicht und seine kräftigen Muskeln, die ihre Oberschenkel mit Gewalt auseinandergepresst hatten. Er drang in sie ein und sie schrie auf.

»Alles in Ordnung, Schatz?«, fragte ihr Mann, und sie

spürte, wie er aus ihr hinausglitt. Endlich fühlte sie sich befreit. Ein wenig schämte sie sich, denn sie wusste, dass sie es anders empfinden sollte.

»Ja, ich bin okay«, wisperte sie und schlug die Augen nieder. Sie wollte nicht, dass ihr Mann den Schmerz sah, der ein tiefes Loch in ihre Seele gerissen hatte. Sie wollte nicht, dass er aufhörte, sie zu lieben, oder dass er begann, sich von ihr abgelehnt zu fühlen. Auf keinen Fall durfte diese verdammte Vergewaltigung ihr Leben zerstören.

Wäre sie bloß nicht mit der Bahn gefahren. Schon als sie ganz hinten im Abteil gesessen hatte, hatte sie die Blicke dieses Monsters bemerkt. Doch sie war zu arrogant und zu selbstsicher gewesen. Im Traum hatte sie nicht daran gedacht, dass der Kerl ihr folgen würde.

Aber das war ein folgenschwerer Fehler!

Sie war nach drei Stationen aus der S-Bahn ausgestiegen und wollte einfach nur nach Hause. Es war bereits Mitternacht und sie hatte zu viel getrunken. Der Direktor hatte das gesamte Team zu seinem Geburtstag eingeladen. Das tat er jedes Jahr, und Anne liebte das Essen bei dem Italiener, zu dem er sie ausführte. Dabei ließ er es an nichts fehlen. Der Wein, den er aussuchte, schmeckte herrlich und die Nudeln erst. Sie alle hatten sich diesen Abend redlich verdient. Hinter ihnen lag ein schweres Schuljahr. Im Lehrerkollegium ihrer Grundschule waren etliche krankheitsbedingte Ausfälle zu beklagen. Trotzdem hatten sie es geschafft, die ausgefallenen Unterrichtsstunden auf ein Minimum zu reduzieren. Jeder von ihnen hatte seinen Beitrag dazu geleistet. Und so genossen sie die Feier. Anne wollte eigentlich nicht mehr als ein

Glas trinken, weil ihr Rotwein schnell zu Kopf stieg. Doch am Ende wurden es drei volle Gläser. Beschwingt spazierte sie mit ihrer besten Freundin und Kollegin zur S-Bahn-Station. Auf dem Bahnsteig verabschiedeten sie sich voneinander, denn sie musste in die entgegengesetzte Richtung.

Schon als Anne im Abteil Platz nahm, bemerkte sie den Kerl mit den dunklen Augen. Er starrte sie aus riesigen, abgrundtief schwarzen Pupillen an. Vermutlich hatte er Drogen genommen. Sie ignorierte seine unheimlichen Blicke und dachte sich nichts weiter dabei. Sie war jung und attraktiv. Viele Männer schauten sie an.

Ein paar Minuten später wurde es ihr trotzdem zu viel und sie wechselte den Platz. Jetzt saß sie mit dem Rücken zu ihm, sodass sie seine Blicke nicht länger ertragen musste. Tatsächlich fühlte sie sich schlagartig besser. Doch kurz darauf glaubte sie, Stiche in ihrem Nacken zu spüren. Sie wusste, dass es bloß Einbildung sein konnte. Wahrscheinlich starrte der Kerl sie immer noch an. Krampfhaft versuchte sie, nicht an ihn zu denken. Aber irgendwann hielt sie es nicht mehr aus und drehte sich unauffällig um. Dieser Widerling musterte sie nicht nur, er zog sie mit seinen Blicken regelrecht aus. Inzwischen war sie fast zu Hause. Beim nächsten Halt musste sie raus. Sie sprang auf und wartete an der Tür. Als die S-Bahn stoppte, hüpfte sie hinaus und eilte die Straße hinunter. Sie wollte schon aufatmen, doch plötzlich hörte sie Schritte hinter sich. Sie wusste, auch ohne sich umzudrehen, dass er es war. Von dieser Sekunde an verlief alles wie in Zeitlupe. Ihr Herz setzte einen Schlag aus. Sie lief schneller. Seine Schritte beschleunigten sich ebenfalls. Sie begann zu rennen. Es war dunkel und die Straße menschenleer. Anne stolperte über etwas. Sie taumelte, fing sich gerade noch auf und wollte weiterrennen, als der Mann sie an den Schultern packte.

»Lass mich los!«, brüllte sie verzweifelt.

Niemand hörte sie. Seine Hand legte sich fest auf ihre Lippen. Sie bekam kaum Luft. Er zerrte sie in eine Seitenstraße. Sie wehrte sich aus Leibeskräften, doch ihre Tritte schienen an ihm abzuprallen. Er warf sie zu Boden und drückte sie mit seinem kompletten Gewicht auf den Gehweg. Der harte Untergrund schmerzte. Sie biss ihm in die Finger. Sie schmeckten ekelhaft nach Schmutz und Staub. Er packte ihren Kopf so fest, dass ihr ganz schwarz vor Augen wurde. Er war über ihr und er stöhnte. Sie spürte, wie er sich an ihr rieb, und dann hatte er plötzlich dieses Messer.

»Keinen Mucks«, drohte er und hielt es ihr an die Kehle.

Als er an ihrer Hose zerrte und den Slip zerriss, zerbrach etwas tief in ihr drin. Sie blickte in seine rabenschwarzen Augen, und sie spürte, wie sie in einen endlosen Abgrund stürzte. Sie lag da, vollkommen hilflos und wünschte sich, sie wäre tot. Sie wollte einfach nur nichts mehr spüren. Doch sie starb nicht. Sie musste die Schmerzen ertragen, bis er endlich fertig war.

Er ließ sie auf der Straße zurück wie ein Stück Müll. Anne konnte sich kaum rühren. Mit letzter Kraft zog sie das Handy aus der Tasche und rief ihren Mann an. Es fing an zu regnen, aber Anne konnte sich trotzdem nicht aufrappeln. Sie blieb liegen und hoffte, dass der Regen den Schmerz von ihr abwusch. Und das Gefühl, benutzt worden zu sein. Selbst als ihr Ehemann eintraf, lag sie einfach da. Völlig regungslos. Sie war so durchnässt, dass sie am ganzen Leib zitterte.

»Vielleicht sollten wir doch noch damit warten«, sagte ihr Mann leise und riss Anne abrupt aus ihren schmerzlichen Erinnerungen.

»Was?«, fragte sie geistesabwesend und blinzelte das Bild des Vergewaltigers weg.

»Ich meine den Sex. Du musst das nicht für mich tun. Ich habe das Gefühl, du bist noch nicht so weit.«

Sie blickte in die liebevollen Augen ihres Mannes und schüttelte den Kopf. Eigentlich wollte sie ihm sagen, dass er sich irrte. Dass es alles nicht so schlimm wäre. Und dass sie längst mit der Vergangenheit abgeschlossen hätte. Sie wollte zurückkehren in die Normalität. In das Leben, das sie vor diesem schrecklichen Erlebnis geführt hatten. Doch sie brachte keinen Ton heraus. Stattdessen schossen ihr die Tränen hoch und verwässerten das Antlitz ihres Mannes. Ohne dass sie es wollte, verwandelte sich sein Gesicht durch den Tränenschleier in das des Monsters.

Anne konnte nicht anders. Sie stieß ihn von sich weg und begann aus vollem Hals zu schreien.

4

»Also, ich könnte schwören, dass der Kerl auf der Aufnahme dieser Zeuge ist«, brummte Martin Saathoff und fuhr sich durch die Haare. Er warf einen Blick zu Lenja und trat zur Seite. »Schauen Sie sich das doch an. Er hat behauptet, er wäre über den Zaun geklettert und in Wirklichkeit ist er durch den Eingang marschiert. Warum lügt er?«

Lenja drängte sich an Julia vorbei, die hinter Florian stand. Sie hatten Zutritt zu dem winzigen Büroraum des Containerlagers erhalten. Der Raum maß höchstens zehn Quadratmeter. Der Verwalter des Lagers hatte ihnen den Mieter des Containers mit der toten Frau nicht nennen können. Gegen eine Vorauszahlung der Miete für drei Monate in bar hatte er auf die Aufnahme der Personalien verzichtet. Er konnte sich angeblich nicht einmal mehr entsinnen, ob es sich bei dem Mieter um einen Mann oder eine Frau handelte. Florian saß vor dem Computer und hatte begonnen, das Überwachungsvideo der letzten

Nacht abzuspielen. Innerhalb weniger Minuten hatten sie den ersten Treffer gehabt. Einen Mann, der kurz nach Mitternacht den Containerpark betrat.

Lenja betrachtete den schwarzen Schatten, der durch das Eingangstor huschte und sich nervös nach allen Seiten umblickte.

»Ehrlich gesagt ist es ziemlich dunkel. Ich würde den Typen nicht mal erkennen, wenn es mein Freund wäre.«

Martin Saathoff hob die Augenbrauen und grinste schief.

»Sie sind doch nicht immer noch mit diesem Studenten zusammen, oder?«

Lenjas Miene verfinsterte sich augenblicklich. Saathoff schaute sie erstaunt an.

»Tut mir leid. So war das nicht gemeint. Da bin ich wohl in ein Fettnäpfchen getreten.« Er trat verlegen von einem Fuß auf den anderen.

Julia lächelte still in sich hinein. Manchmal verfluchte sie Florians Partner, weil er ständig jungen Frauen hinterherschaute. Allerdings schien er sich tatsächlich nachhaltig für Lenja zu interessieren, denn ansonsten wäre ihm ihre schlechte Laune ganz bestimmt nicht aufgefallen. Martin Saathoff zählte aus Julias Sicht nicht gerade zu den sensibelsten Menschen.

»Kein Problem.« Lenja winkte ab und machte Julia Platz. »Schau dir das doch noch mal an. Vielleicht kannst du da irgendetwas drauf erkennen.«

Julia rückte die Brille zurecht und musterte den Mann eine Weile. Gleichzeitig rief sie sich den Einbrecher Pavlo Burakow ins Gedächtnis.

»Könntest du das Bild aufhellen?«, fragte sie Florian, der das Video an der Stelle angehalten hatte, als der Mann den Containerpark betrat.

»Mache ich«, erwiderte er und drückte auf die Helligkeitstaste.

Julia kniff die Augen zusammen und fuhr mit der Fingerspitze über den Bildschirm. Es war schwer zu sagen, ob da Haare auf dem Kopf waren oder ob die Unschärfe aus der schlechten Bildqualität herrührte. Es handelte sich um eine Nachtaufnahme, die kaum mehr als grobe Umrisse erkennen ließ.

»Kannst du das Video noch einmal laufen lassen? Ich kann nicht richtig sehen, ob dieser Mann eine Glatze hat. Aber im Profil müssten wir den Vollbart ausmachen können.«

Florian suchte eine Stelle heraus, wo der Mann zur Seite schaute.

»Tatsächlich, der Kerl trägt einen Bart. Das könnte wirklich Burakow sein«, stieß Florian aus.

»Dann hätte er uns ganz schön an der Nase herumgeführt«, knurrte Martin Saathoff. »Fragt sich nur, warum er uns weismachen wollte, dass er über den Zaun geklettert ist. Wir sollten uns den Typen gründlich vornehmen.«

»Ich gebe das Video an unsere Techniker weiter. Vielleicht können die mehr aus dem Material herausholen. Die Art, wie dieser Mann läuft, passt jedenfalls zu unserem Zeugen.«

»Komisch, dass er die Polizei ruft. Die Leiche wäre ohne sein Zutun bestimmt erst in Wochen, wenn nicht sogar Monaten entdeckt worden«, gab Julia zu bedenken.

»Es gibt viele Täter, die sich gerne bei der Kripo als Zeugen ausgeben. Womöglich ist dieser Burakow so einer.« Florian ließ das Video weiterlaufen. »Mal sehen, was sich hier in der Nacht sonst noch so alles getan hat.«

Sie starrten auf den nicht sonderlich großen Bildschirm und es passierte zunächst überhaupt nichts. Florian drückte die Vorspultaste. Trotzdem schien das Bild wie eingefroren. In der ganzen Zeit zeigte sich nicht mal eine Fliege. Nichts. Lenja trat unruhig von einem Fuß auf den anderen. Der kleine Raum, in dem sie sich befanden, und die muffige Luft verlangten ihnen einiges an Geduld ab.

»Ich muss mir die Beine vertreten«, verkündete Lenja, als nach einer Weile immer noch nichts geschehen war.

Die Uhr auf der Aufnahme zeigte ein Uhr nachts. Plötzlich schnellte Florians Zeigefinger in die Höhe. »Da kommt ein Auto.«

Lenja blieb im Raum und betrachtete gebannt den Bildschirm. Ein rotes Auto bewegte sich auf das Tor zu. Das Fenster wurde heruntergekurbelt und eine Person versuchte den Schlüssel in das Schloss an der Säule zu stecken. Aber der Abstand zwischen dem Wagen und der Säule war zu groß. Die Person reckte sich aus der Seitenscheibe des Autos und probierte es erneut. Schließlich stieg sie aus und steckte den Schlüssel ins Schloss. Das Tor öffnete sich langsam.

»Das ist eine Frau«, stieß Julia aus. »Sie ist klein und hat lange Haare. Das ist jedenfalls nicht unser Opfer.«

»Stimmt«, brummte Saathoff. »Spule mal weiter vor.«

Florian begutachtete die Frau erst noch eine Weile und

stoppte die Aufnahme, als sie mit ihrem Wagen durch die Einfahrt fuhr.

»Da ist ihr Kennzeichen. Ich kann es gut erkennen.« Er notierte es und die Aufnahme lief weiter.

Abermals mussten sie einiges an Geduld aufbringen. Zwischen zwei und vier Uhr nachts herrschte gähnende Leere am Eingang des Containerlagers. Gegen fünf war ein Vogel auf die Kamera aufmerksam geworden und attackierte sie. Er setzte sich auf das Gehäuse und pochte mit dem Schnabel auf die Linse.

»Wären wir begeisterte Tierfreunde, wären diese Aufnahmen bestimmt so was wie ein Sechser im Lotto«, knurrte Martin Saathoff zusehends frustriert.

Tatsächlich trat gegen halb acht die Dämmerung ein, ohne dass ein Besucher erschien oder der Bärtige und die Frau wieder abfuhren.

»Gibt es auch ein Video aus der Nacht davor?«, fragte Saathoff und gähnte herzhaft.

»Leider nicht. Die werden alle vierundzwanzig Stunden überspielt. Wenn die Leiche vor letzter Nacht im Container platziert wurde, haben wir keine Chance, den oder die Täter auf den Überwachungsaufnahmen zu sehen.«

»Schöner Mist«, brummte Saathoff. »Die Technik muss jetzt also rauskriegen, ob der Mann auf dem Video Burakow ist.«

»Die Fahrerin des roten Fahrzeugs müssen wir auch überprüfen. Es ist ja nicht gesagt, dass der Täter unbedingt männlich sein muss«, warf Julia ein, wobei Martin Saathoff zweifelnd die Augenbrauen hochzog.

»Julia hat recht«, sagte Florian. »Vor allen Dingen ist der Wagen mindestens bis acht Uhr auf dem Gelände geblieben. Wir haben immer noch nicht die Stelle gesehen, wo sie wieder rausfährt.«

»Was macht eine Frau überhaupt mitten in der Nacht und noch dazu stundenlang in diesem Containerlager?« Julia richtete ihren Blick erneut auf die Überwachungsaufnahme. »Seht mal. Es ist kurz vor neun. Jetzt fährt sie ab. Fast wäre sie den Kollegen in die Arme gelaufen.«.

Florian stoppte die Aufnahme ein weiteres Mal. »Und der Mann, den wir eben nicht erkennen konnten. Der sitzt neben ihr im Auto.«

Sie starrten alle schweigend auf den Monitor.

»Burakow«, stellte Julia fest. »Der hat euch wohl wirklich einiges zu erklären.«

5

Teresa wischte sich müde eine Haarsträhne aus der Stirn. Sie war heute mit den dreißig Patienten auf ihrer Station im Krankenhaus allein. Der Kollege, mit dem sie sich sonst durch den stressigen Alltag kämpfte, hatte sich krankgemeldet. Zwar stand ihr eine junge Assistenzärztin zur Seite, doch die blasse Berufsanfängerin konnte kaum mehr als einen Monat Erfahrung vorweisen. Eigentlich war sie allerhöchstens zum Blutabnehmen und zur Kontrolle der Vitalparameter zu gebrauchen. Vielleicht könnte sie sie bei der Aufnahme von neuen Patienten unterstützen, aber das war vermutlich auch schon alles. Teresa seufzte frustriert und überflog ein paar Patientenblätter. Sie hatte keine Ahnung, wie sie diesen Tag überstehen sollte. Es war noch nicht einmal Mittag, und sie fühlte sich jetzt bereits so ausgelaugt, als hätte sie einen Marathon in der Wüste absolviert.

»Gehst du bitte in Zimmer vier und misst dort Blutdruck? Ich komme sofort nach«, sagte sie zu der Assistenzärztin und studierte angestrengt die Daten der Patientin. Frau Meyer war mit Kreislaufbeschwerden eingeliefert worden. Ihr Blutdruck hatte atemberaubende Höhen erreicht, und sie hatten es geschafft, ihn mit einem Notfallmedikament zu senken. Ein einzelnes Medikament reichte allerdings auf die Dauer meist nicht aus. Viele Bluthochdruckpatienten mussten zwei oder drei Medikamente gleichzeitig einnehmen. Die Assistenzärztin eilte davon. Im selben Moment klingelte das Telefon.

»Buchholz«, meldete sich Teresa und sprang augenblicklich auf. Die Assistenzärztin von der Nachbarstation rief an. Sie war ganz allein und brauchte dringend Hilfe. Ein Patient spuckte schwallartig Blut. Teresa rannte sofort los.

Ein Mann, käseweiß im Gesicht, lag schlaff auf seinem Bett. Teresa fühlte seinen Puls, während sich erneut hellrotes Blut aus seinem Mund ergoss.

»Er hatte vor drei Wochen einen Herzinfarkt«, informierte sie die Ärztin nervös. »Er nimmt seitdem Gerinnungshemmer ein.«

Teresa fluchte. Gerinnungshemmer begünstigten das Risiko einer Magenblutung, worauf die Farbe des Blutes hindeutete.

»Wir brauchen ganz dringend eine Gastroskopie zur Blutstillung. Rufen Sie den Oberarzt. Ich bringe den Patienten in den Notfallraum.« Teresa löste die Bremsen des Krankenbettes und stürmte los. Jetzt zählte jede Minute. Sie drückte fest auf die Ruftaste des Fahrstuhls, der sich ausgerechnet heute Zeit ließ. Der Patient spuckte erneut.

Seine Lider flackerten. Teresa legte ihm beruhigend eine Hand auf die Schulter.

»Herr Wagner, versuchen Sie ganz ruhig zu atmen. Wir helfen Ihnen. Alles wird gut.« Sie hoffte, dass sie ihre Worte einigermaßen glaubhaft herübergebracht hatte, denn tatsächlich war die Situation alles andere als gut. Der Mann stand kurz vor dem Kollaps. Wenn sie Pech hatten, überlebte er die nächste Stunde nicht.

Endlich öffneten sich die Fahrstuhltüren und Teresa schob das Bett mit dem Kranken hinein. Das Herz schlug ihr bis zum Hals. Sie musste diesen Patienten retten. Das war der Grund, warum sie im Krankenhaus arbeitete. Sie wollte Leben retten und Gutes tun. Der Fahrstuhl hielt an und sie eilte mit dem Patienten den Gang hinunter. Erleichtert stellte sie fest, dass der Oberarzt gerade eingetroffen war. Er nickte ihr zu und musterte den Patienten.

»Wo ist die Infusion?«, herrschte er sie an. »Wir müssen seinen Kreislauf stabilisieren.«

Teresa starrte den Oberarzt entsetzt an. In der ganzen Hektik hatte sie vergessen, ihm eine Infusion zu geben. Verdammt, das hätte ihr nicht passieren dürfen. Der Oberarzt wartete ihre Antwort nicht ab. Er wies barsch zwei Pfleger an, die den Patienten umgehend in den OP schoben. Teresa sah zu, wie ihm ein Zugang gelegt wurde. Eine Schwester platzierte Elektroden auf seiner Brust. Ein Pfleger schloss die Tür und ließ Teresa im Flur zurück. Geschockt stand sie da und war für ein paar Sekunden nicht fähig, sich zu rühren. Sie hatte einen Fehler gemacht. Schon wieder. Ihre Knie verwandelten sich in Wackelpudding. Plötzlich spürte sie das große schwarze Loch in ihrem Magen. Sie hatte noch nicht einmal gefrühstückt. Ein leichter Schwindel erfasste sie. Trotzdem stieg sie in den Fahrstuhl, um zu ihrer Station zurückzukehren. Es lag jede Menge Arbeit vor ihr. Sie würde schnell einen Müsliriegel essen und dann sehen, was sie für die anderen Patienten tun konnte.

6

Julia sah sich in ihrer Vermutung bestätigt, als sie das Testergebnis ablas.

»Formaldehyd«, sagte sie nachdenklich und betrachtete die blutleeren Ohren, die sie inzwischen von der Leiche der jungen Frau abgetrennt hatte.

»Da könnte man ja fast meinen, jemand hat sich im anatomischen Institut bedient«, witzelte Lenja, doch sie sprach damit Julias Gedanken laut aus.

»Ich denke, wir sollten uns dort nach der Obduktion umsehen«, erwiderte Julia und fuhr fort, die Haut der Leiche zu begutachten. »Zuerst aber müssen wir die Todesursache und den Todeszeitpunkt herausfinden.«

Sie hatten die Tote vollständig entkleidet und auch an den Armen keine Spuren von Gewalt feststellen können. Der Körper erschien nahezu unversehrt. Julia wunderte sich darüber. Normalerweise fanden sich immer Abwehrspuren. Egal wie schwach ein Opfer im Vergleich zu einem Täter war, niemand gab ohne Gegenwehr auf. Doch bei der Toten deutete absolut nichts auf einen Kampf hin. Julia überlegte, ob Opfer und Täter sich gekannt hatten. Womöglich hatte die Frau jemanden in ihre Wohnung gelassen und war dann vergiftet worden. Das wäre eine mögliche Erklärung. Allerdings konnte Julia keine äußeren Anzeichen für dieses Szenario feststellen. Es gab klassische Gifte, die sich relativ schnell entlarven ließen. Eine Kohlenmonoxidvergiftung bewirkte beispielsweise hellrote Leichenflecken, Zyankali häufig einen Bittermandelgeruch und Atropin, ein Nervengift aus der Tollkirsche, führte zu einer Erweiterung der Pupillen. Julia könnte diese Liste endlos weiterführen. Bei der Toten auf dem Obduktionstisch fand sich jedoch nichts dergleichen. Sie würde bei der inneren Leichenschau eine Menge Proben entnehmen müssen, so viel stand fest. Vielleicht war die Tote mit einer Substanz getötet worden, die sich nur im Labor nachweisen ließ. Julia runzelte die Stirn und blickte zu Lenja.

»Wir suchen die Haut jetzt noch einmal von oben bis unten ab. Du übernimmst die linke Seite, ich die rechte. Ich will nur sichergehen, dass es wirklich keinerlei äußerliche Anzeichen für die Todesursache gibt. Wir müssen gründlich sein.«

Lenja nickte und machte sich sofort an die Arbeit. Sie begannen am Schädel und arbeiteten sich systematisch bis zu den Füßen vor.

»Nichts«, stöhnte Lenja, während sie die Oberschenkel inspizierte, und schüttelte den Kopf. »Hätte man ihr nicht die Ohren abgetrennt und sie festgeschnallt auf einer

Liege in einem Container gefunden, würde ich beinahe von einer natürlichen Todesursache ausgehen.«

Julia antwortete nicht. Sie betrachtete hoch konzentriert die Zehenzwischenräume und nahm eine weitere Lampe zu Hilfe. Drei winzige dunkelrote Punkte zwischen der ersten und zweiten Zehe erweckten ihre Aufmerksamkeit.

»Ich habe etwas entdeckt«, verkündete sie und deutete auf die Stellen. »Das sind Einstichstellen. Sehr fein.« Sie schaute hoch zu Lenja. »Ich glaube, die Einstiche stammen nicht von einer normalen Spritze, denn sie sind kaum zu sehen. Möglicherweise wurde hier ein Insulin-Pen oder eine andere feine Nadel benutzt.«

Lenja riss die Augen auf. »Du meinst, sie könnte mit einer Überdosis Insulin getötet worden sein?«

Julia nickte. »Möglicherweise. Wir haben keine anderen Einstichstellen gesehen. Die Tote war also offenbar keine Diabetikerin, die sich regelmäßig spritzen musste. Eine starke Überdosis Insulin führt zu einer Unterzuckerung. Das Opfer fällt ins Koma und stirbt. Es wäre nicht der erste Insulinmord. Wir müssen gleich Glaskörperflüssigkeit und das Gewebe um die Einstichstelle entnehmen, dann können wir eine Überdosis nachweisen.«

»Und wenn sie doch Diabetikerin war?«, fragte Lenja skeptisch.

»Das werden wir gleich an ihren inneren Organen erkennen. Die Nieren sollten in diesem Fall verändert sein. Wir müssten eine Verfettung und gelb-rote Eintrübungen vorfinden.«

Julia griff zum Skalpell und führte einen bogenförmigen Schnitt am Schädel durch.

»Beginnen wir mit der Kopfhöhle und danach schauen wir uns den Bauch an.«

Sie öffnete die Schädeldecke und durchtrennte routiniert die verschiedenen Schichten menschlichen Gewebes. Abscheu empfand Julia nach all den Jahren dabei nicht mehr. Ganz im Gegenteil, sie fand es faszinierend, wie ähnlich die menschlichen Körper im Inneren aussahen, während sich die Optik äußerlich doch stark unterscheiden konnte. Sie wartete, bis Lenja das Gehirn ebenfalls inspiziert hatte, das keinerlei Auffälligkeiten aufwies. Anschließend arbeiteten sie sich weiter Richtung Bauchraum vor, wobei sie zahlreiche Proben von Körperflüssigkeiten und Gewebe entnahmen, bis sie schließlich eine vollkommen gesunde Niere in den Händen hielten.

»Die Tote war wohl keine Diabetikerin«, stellte Julia fest und legte das Organ auf die Waage. »Wir müssen aber natürlich noch die Laborergebnisse abwarten.«

Sie fuhren mit den restlichen Organen aus der Bauchhöhle fort, begutachteten sie und platzierten sie anschließend wieder an der ursprünglichen Position. Nachdem sie alle Öffnungen sorgfältig vernäht hatten, streifte Julia ihre Gummihandschuhe ab und warf sie in den Abfalleimer.

»Fassen wir die Obduktion noch einmal zusammen«, sagte Julia. »Die Frau war offenbar kerngesund. Kein Wunder. Sie war höchstens Ende zwanzig. Vielleicht sogar erst fünfundzwanzig. Bis auf die abgetrennten Ohren liegen keinerlei Anzeichen für äußere Gewalt vor. Sie wurde nicht vergewaltigt. Ich könnte mir vorstellen, dass sie zum Beispiel mit K.-o.-Tropfen oder auch mit Chloroform überwältigt wurde. Anders lassen sich die fehlenden Abwehrverletzungen nicht erklären. Unter ihren Fingernägeln haben wir ebenfalls keine fremden Hautpartikel gefunden.« Julia fuhr sich nachdenklich durchs Haar. »Wir müssen herausfinden, warum der Täter ihr die Ohren amputiert und andere angenäht hat. Für mich sieht die Arbeit nicht nach einem Profi, allerdings auch nicht nach einem absoluten Anfänger aus. Am besten, wir fangen mit der Suche dort an, wo sich am leichtesten menschliche Körperteile in Formaldehyd beschaffen lassen.« Julia rief einen Assistenten herbei, der den Leichnam zurück ins Kühlfach bringen sollte, und machte sich mit Lenja auf den Weg.

Keine dreißig Minuten später betraten sie das Institut für Anatomie der Universität Köln. Julia fühlte sich sofort in ihre Studienzeit zurückversetzt, als sie durch die Gänge des alten Gebäudes schritten und vor dem Büro von Professor Kallendorf stehen blieben. Der Mann musste inzwischen uralt sein. Er hatte Julia im Studium eine Stelle in der Rechtsmedizin verschafft. Sie hatte unbedingt dorthin gewollt, weil sie nach dem Tod ihres kleinen Bruders Michael einfach keine Ruhe gefunden hatte. Michael war mit zwölf Jahren einem Kindermörder zum Opfer gefallen und trotz aller Bemühungen hatte die Polizei den Täter jahrelang nicht ergreifen können. Sie atmete tief durch und klopfte an die Tür ihres alten Professors.

»Herein«, rief eine helle Frauenstimme, die sich als die

derzeitigen Sekretärin von Professor Kallendorf entpuppte.

Es war über ein Jahrzehnt her, dass Julia dieses Büro betreten hatte, und trotzdem hatte sich kaum etwas verändert.

»Mein Name ist Julia Schwarz. Ich bin Leiterin des rechtsmedizinischen Institutes und das ist meine Assistentin Lenja Nielsen. Wir müssten eine dringende Angelegenheit mit Professor Kallendorf besprechen. Es geht um einen Mordfall.«

Die Augen der Sekretärin weiteten sich. »Natürlich«, erwiderte sie und griff zum Telefon. »Sie haben Glück, der Professor hat im Moment keinen Termin. Ich gebe ihm Bescheid.«

Eine Minute später öffnete Julia die Bürotür und erblickte ihren alten Professor, der sich kaum verändert hatte. Vielleicht glänzte die graue Haarmähne noch ein wenig silberner und im Gesicht waren ein paar Falten hinzugekommen, aber die Augen von Professor Kallendorf leuchteten genauso klar und intelligent wie zu Julias Studienzeiten.

»Julia Schwarz«, begrüßte sie der fast Siebzigjährige und erhob sich aus seinem Drehsessel. »Es ist mir ein Vergnügen, die Leiterin des rechtsmedizinischen Instituts willkommen zu heißen. Wie lange haben wir uns nicht gesehen?« Er streckte ihr die Hand entgegen. »Sie sehen gut aus«, bemerkte er und richtete seinen Blick dann auf Lenja. »Sie haben aber nicht bei mir studiert«, bemerkte er und deutete auf einen runden Besprechungstisch mit mehreren Stühlen. »Setzen Sie sich, und erzählen Sie mir, wie ich Ihnen helfen kann.«

Julia stellte Lenja kurz vor. »Frau Nielsen stammt aus Finnland und hat auch dort studiert«, erklärte sie und holte anschließend ein paar Fotografien der Toten und der angenähten Ohren aus ihrer Tasche. »Wir haben uns übrigens das letzte Mal bei Ihrem Vortrag zur forensischen Toxikologie gesehen. Ein sehr interessanter Beitrag, wie ich fand.«

»Ach, kommen Sie, Julia.« Professor Kallendorf schmunzelte. »Ich konnte Ihnen sicherlich nicht viel Neues verraten.« Er nahm die Fotos und betrachtete sie eine Weile.

»Wie ich sehe, haben Sie es mit einem äußerst perfiden Mordfall zu tun. Wer näht einer Frau denn halb verweste Männerohren an? Und was genau führt Sie zu mir? Ich nehme an, die Obduktion ist bereits abgeschlossen.«

»Das ist richtig«, erwiderte Julia. »Wir vermuten, dass die Tote mit einer hohen Dosis Insulin ermordet wurde. Die Laborergebnisse stehen allerdings noch aus. Es fanden sich keine körperlichen Spuren eines sexuellen Missbrauchs. Post mortem wurden die Ohren abgetrennt und durch die eines Mannes ersetzt. Die Ohren der Toten sind verschwunden und auch ihre Identität ist noch unklar. Wir sind hergekommen, weil die angenähten Ohren in Formaldehyd konserviert waren und wir uns fragen, ob sie jemand aus der Universität gestohlen haben könnte. Oder fällt Ihnen sonst noch ein anderer Ort ein? Ich fürchte, dass wir uns ansonsten auf die Suche nach einem männlichen Opfer begeben müssen.«

Professor Kallendorf hörte aufmerksam zu und tippte sich an die Schläfe. »Das, was Sie da beschreiben, erinnert mich irgendwie an Frankenstein. Vor ein paar Jahrzehnten war ich einmal in einen Fall eingebunden, in dem ein Täter einen neuen, besseren Menschen aus Leichenteilen erschaffen wollte.« Professor Kallendorf betrachtete abermals die Fotos und schüttelte den Kopf. »Hier geht es allerdings nur um die Ohren. Merkwürdig. War das Opfer denn schwerhörig oder gar gehörlos?«

»Ob sie schwerhörig war, wissen wir nicht. Sie trug jedenfalls kein Hörgerät und war ansonsten vollkommen gesund.«

»Zurück zu Ihrer Frage«, sagte Professor Kallendorf und erhob sich ächzend. »Tatsächlich hat es vor zwei Wochen einen Einbruch bei uns im Institut gegeben. Es wurden zwanzig Präparate von menschlichen Körperteilen entwendet. Doktor Eichner, mein wissenschaftlicher Mitarbeiter, hat sich darum gekümmert. Warten Sie, ich rufe ihn an, damit er Ihnen selbst davon berichten kann. Er wird wissen, ob vielleicht auch Ohren darunter waren.«

Professor Kallendorf ging zu seinem Schreibtisch und telefonierte. Ein wenig später betrat ein etwa fünfunddreißigjähriger, hochgeschossener Mann mit schütterem blondem Haar und Brille das Büro. Er begrüßte zuerst Julia mit einem laschen Händedruck und danach Lenja. Professor Kallendorf wartete, bis Dr. Eichner am Besprechungstisch Platz genommen hatte, und setzte ihn kurz ins Bild.

»Können Sie den Damen bitte den Einbruch schildern?«, bat er seinen Mitarbeiter anschließend und schob ihm die Aufnahmen von der Toten und den angenähten Ohren hin.

Dr. Eichner betrachtete die Fotos und kratzte sich ausgiebig am Kopf. Er kniff die Augen zusammen, als er zu dem Foto mit den Ohren kam. Dann legte er die Bilder ab und warf Julia einen langen Blick zu, bevor er anfing zu sprechen.

»Wie Professor Kallendorf bereits erwähnte, wurde vor zwei Wochen bei uns eingebrochen. Die Polizei weiß bis heute nicht, wer dahintersteckt. Ich persönlich gehe davon aus, dass es sich um ein paar Studierende handelt, die eine Mutprobe oder eine Party veranstalten wollten. Es wurden nämlich nicht nur Präparate gestohlen, sondern auch Wände beschmiert und die Obduktionstische im Anatomiesaal beschmutzt. Wir haben Faserreste darauf gefunden. Die Spurensicherung der Polizei hat ein paar Spuren sichergestellt, aber wie gesagt konnte bisher keiner dieser Vandalen identifiziert werden.« Dr. Eichner machte eine kurze Pause und seufzte. »Es kommt leider in regelmäßigen Abständen zu solchen Exzessen. Unter den Studierenden gilt es beispielsweise als Mutprobe, die Nacht im Autopsiesaal oder neben einer Leiche zu verbringen. Normalerweise wird dabei nichts kaputt gemacht und in der Regel gibt es auch keinen Dreck. Deshalb sehen wir in den allermeisten Fällen darüber hinweg. Doch dieser Einbruch hat alles übertroffen, was wir in den vergangenen Jahren erlebt haben. Ich vermute, dass die Präparate als Trophäen entwendet wurden. Das war ein ganz übler Scherz. Ich bin immer noch damit beschäftigt, die fehlenden Stücke zu ersetzen. Sie wissen ja selbst, wie langwierig es ist, gute Präparate herzustellen. Ich kann nur von Glück reden, dass die Zahl der Freiwilligen, die sich nach ihrem Tod der Wissenschaft zur Verfügung stellen, von Jahr zu Jahr zunimmt.«

Julia tippte auf die Fotografie der männlichen Ohren. »Können Sie uns sagen, ob diese Präparate bei dem Vorfall verschwunden sind?«

Dr. Eichner wiegte den Kopf. »Es sind Ohren, Augen, Hände und eine ganze Reihe von inneren Organen abhandengekommen. Ein Herz und ein Gehirn sind auch darunter. Ich kopiere Ihnen gerne meine Aufzeichnungen.« Er warf abermals einen Blick auf die Fotos. »Ich kann mir allerdings nicht vorstellen, dass der Einbruch bei uns etwas mit diesem grauenhaften Mord zu tun hat.«

»Ist es möglich, einen DNS-Abgleich durchzuführen? Sie haben doch sicherlich die Daten des Spenders erfasst.«

»Leider nein. Aus Datenschutzgründen werden uns die persönlichen Daten der Spender nicht bekannt gegeben. Alles ist völlig anonymisiert. Aber wenn Sie möchten, zeige ich Ihnen die Räumlichkeiten, aus denen die Präparate entwendet wurden. Dann können Sie auch gleich die Liste mitnehmen. Es gibt ein paar Fotos der verschwundenen Präparate, die könnten wir mit Ihren abgleichen.« Dr. Eichner erhob sich und nickte Julia zu.

»Gerne«, antwortete sie und stand ebenfalls auf. Lenja folgte ihr, während Professor Kallendorf sitzen blieb.

»Beehren Sie mich bald wieder. Ich möchte wissen, wie dieser Fall ausgeht«, sagte er und lächelte.

Julia verabschiedete sich von ihm und eilte mit Lenja hinter Dr. Eichner her, der mit seinen langen Beinen durch die schmalen Gänge zu fliegen schien. Er führte sie schnurstracks zu den Anatomiesälen.

»Die Täter sind zuerst in den Anatomiesaal Nummer drei eingebrochen und von dort in den Keller gelangt, wo wir die Präparate aufbewahren«, erklärte er. »Wir schließen zwar jeden Abend ab, aber das hat nicht viel genützt. Die Tür wurde gewaltsam geöffnet. Die Polizei hat sämtliche Spuren sichergestellt und neben den Studenten auch alle Mitarbeiter befragt - vom Hausmeister angefangen bis zum Lehrpersonal und den studentischen Hilfskräften - leider ohne die Täter aufzuspüren.«

Dr. Eichner öffnete die Tür und sofort schlug ihnen der Gestank von Formaldehyd entgegen. Es war nicht so, dass es in der Rechtsmedizin angenehm roch, doch an die beißende Note des Konservierungsmittels kam dieser Geruch nicht heran. Julia rümpfte die Nase und trat ein. Fünf Obduktionstische standen mit etwas Abstand nebeneinander aufgereiht. Über ihnen hingen Leuchten und Lüftungsanlagen, gewaltige Gebilde aus Edelstahl, die dem Saal zusätzlich eine unwirkliche Atmosphäre verliehen. Julia entsann sich nur allzu gut an ihre ersten Versuche, einen Leichnam zu präparieren. Es hatte sie eine Menge Überwindung gekostet, in das Fleisch eines Menschen zu schneiden, auch wenn die in Formaldehyd konservierten Körper sich stark von einem unbehandelten Toten unterschieden. Die blassen, blutleeren Leichen hatten etwas Künstliches an sich und erinnerten bloß noch vage an die lebende Person, die einst dahintersteckte. Ganz im Gegensatz zu den Toten in der Rechtsmedizin.

»Hier, auf dem ersten Obduktionstisch hat die Polizei

die Faserreste sichergestellt. Ich glaube, sie konnten auch Fingerabdrücke finden. Allerdings waren die in keiner Datenbank registriert.« Dr. Eichner schritt an dem Obduktionstisch vorbei zu einer Tür hinten im Saal und öffnete sie.

»Wir müssen ein Stockwerk tiefer in die Katakomben. Dort bewahren wir die Präparate auf. Folgen Sie mir bitte.« Er winkte sie in ein dunkles Treppenhaus und knipste das Licht an, das sich kalt und flackernd ausbreitete. Zu Julias Studienzeiten und weit vor der letzten Renovierung wurde der Keller des Instituts für Anatomie nur „das Gruselkabinett" genannt. Als sie unten ankamen, verstärkte sich der Formaldehydgeruch augenblicklich. In den gekachelten Tauchbecken, die nebeneinanderstanden, wurden an die sechzig Leichen aufbewahrt. Über jedem Becken hing ein Zettel, auf dem notiert war, wann der Leichnam angeliefert wurde, und eine Kennziffer. Das war alles. Persönliche Daten wurden nicht bekannt gegeben. In den Becken lagen völlig anonyme Körper ohne Namen, ohne Alter, ohne irgendeine Angabe. Fast so, als hätte es diese Menschen nie gegeben, als hätten sie keine Angehörigen, niemanden, der sie vermisste. Julia schluckte und starrte auf die Nummer über der ersten Keramikwanne. Eingeliefert vor drei Tagen. Ein toter Körper, bereit, von Studenten Stück für Stück zerlegt zu werden.

»Jeder Tote erhält eine Kennziffer vor der Einlieferung. Diese Ziffer wird bis zur Einäscherung nach Ende des Semesters beibehalten. Die Leichen, die wir für die Präparierkurse nutzen, werden während der Vorlesungszeit eine Etage über uns im Kühlhaus aufbewahrt, damit die Studierenden sie schneller im Zugriff haben. Aber das kennen Sie ja aus eigener Erfahrung.« Dr. Eichner grinste und winkte Julia und Lenja weiter mit sich. Sie durchschritten den riesigen Keller und betraten einen kleineren Raum, in dem sich Regale aneinanderreihten, auf denen verschiedenste Präparate von menschlichen Körperteilen gelagert wurden. Das erste Regal war leer. Dr. Eichner blieb davor stehen und machte ein betrübtes Gesicht.

»Alles, was hier stand, ist verschwunden«, erklärte er mit leicht brüchiger Stimme, an der Julia hören konnte, wie sehr ihn der Vorfall mitnahm. Dr. Eichner fuhr sich fahrig durch das schüttere Haar.

»Wie bereits erwähnt, handelte es sich um insgesamt zwanzig Präparate von Händen, Ohren, Gehirn und inneren Organen.« Er ging um das Regal, öffnete die Schublade eines schmalen Schreibtisches und kam mit einem Aktenordner zurück.

»Gott sei Dank haben wir sämtliche Präparate in unserem Katalog erfasst.« Er blätterte durch ein paar Seiten und tippte schließlich auf eine Fotografie, die ein menschliches Ohr zeigte.

Julia holte sofort ihre eigene Aufnahme aus der Tasche und legte sie daneben.

»Schade, dass Ihr Foto nicht sehr scharf ist«, murmelte sie und analysierte die Helix, den wulstartig verdickten Rand der Ohrmuschel, die relativ gleichmäßig verlief. »Das ist ein anderes Ohr«, stellte sie fest und deutete auf eine unauffällige Einkerbung.

Dr. Eichner runzelte die Stirn. »Das könnte aber auch eine Verletzung sein, die später entstanden ist. Meines

Erachtens könnten die Ohren übereinstimmen. Schauen Sie sich das Ohrläppchen an. Es ist fleischig und sehr ausgeprägt. Und wenn wir das zweite Ohr, das Ihrem Opfer angenäht wurde, mit dem Foto aus dem Katalog vergleichen, sind keine Abweichungen erkennbar.«

»Wir sollten die Fotografien von einem IT-Experten übereinanderlegen lassen«, schlug Lenja vor, die sich bisher zurückgehalten hatte.

»Das ist eine gute Idee«, stimmte Julia zu und sah Dr. Eichner fragend an. »Würden Sie uns den Katalog zur Verfügung stellen? Ich übergebe ihn dem zuständigen Kriminalkommissar, der die Ermittlungen in diesem Mordfall leitet.«

Dr. Eichner schien nicht glücklich darüber. Trotzdem nickte er. »Wären Sie so freundlich, ein paar Farbkopien zu erstellen? Dieser Ordner ist alles, was von den Präparaten aus Regal eins übrig geblieben ist.«

»Selbstverständlich. Ich werde meine Sekretärin bitten, die Fotografien zu digitalisieren. Auf diese Weise gehen sie garantiert nicht mehr verloren.«

»Danke. Das ist sehr nett von Ihnen. Wenn Sie sich den Katalog anschauen, dann erkennen Sie an dem roten X, ob ein Präparat verschwunden ist. Bisher hatte ich die Hoffnung, dass die Präparate irgendwie wieder auftauchen. Falls tatsächlich Studenten hinter dem Einbruch stecken, müsste sich ja bald ihr schlechtes Gewissen regen. Doch da die Präparate anscheinend in die Hände eines Verrückten geraten sind, muss ich mich wohl damit abfinden, dass sie verloren sind.« Er stieß einen tiefen Seufzer aus und übergab Julia den Katalog. »Haben Sie noch Fragen oder kann ich Ihnen anderweitig behilflich sein?«

Julia verneinte. »Danke. Sie haben uns bereits ein ganzes Stück vorangebracht. Ich melde mich, sobald ich neue Erkenntnisse bezüglich der Ohren habe.«

Sie durchquerten abermals den Keller mit den gekachelten Tauchbecken und stiegen dann die Treppen wieder hinauf. Als sie oben ankamen, klingelte Julias Telefon. Als sie die Nummer des Institutes erkannte, hob sie ab.

»Frau Doktor Schwarz, ich brauche Ihre Hilfe«, flüsterte Dr. Neumann aufgeregt. »Oberstaatsanwalt Kreitz ist mit seinem Mitarbeiter Herrn Möller hier und sie wollen von mir Aussagen zum Wolfsmann-Fall, die ich nicht machen kann.«

»Ich bin unterwegs«, erwiderte Julia und verabschiedete sich hastig.

7

Dreieinhalb Jahre zuvor

Anne spürte seinen bohrenden Blick auf sich, und obwohl der Mann mehrere Meter entfernt saß, fühlte es sich so an, als berührte er sie. Unwillkürlich zuckte sie zusammen und wünschte sich auf der Stelle, sie wäre nie hierhergekommen. In diesen schäbigen Saal, in dem das, was ihr widerfahren war, wie ein beliebiger Fall behandelt wurde. So als wäre sie bloß eine Schlagzeile in der Tageszeitung. Als könnte man einfach die Fakten abhandeln und fortan weiterleben, als wäre nichts geschehen.

»Was genau ist passiert, nachdem Sie aus der S-Bahn ausgestiegen sind?«, fragte die Richterin, eine Frau mit hagerem Gesicht und freundlichen Augen. Sie nickte

Anne aufmunternd zu, als wollte sie sagen, sie stände auf ihrer Seite.

Anne schluckte. Die Erinnerung an jene Nacht kam mit einer solchen Wucht in ihr Bewusstsein, dass sie sich plötzlich wie gelähmt fühlte. Die einzige Bewegung, die sie zustande brachte, war eine vorsichtige Drehung mit dem Kopf. Zu ihm. Dem Mann, der ihr das angetan hatte.

Er saß neben seinem Verteidiger und fing an zu grinsen, als ihre Blicke sich kreuzten. Sofort schaute sie wieder weg, starrte eine poröse Stelle auf dem Boden an, so als könnte sie dadurch sein Gesicht aus ihrem Gedächtnis verbannen. Und seine Berührungen. Seinen Atem und das ekelhafte Stöhnen.

»Ich verstehe, dass Ihnen diese Aussage schwerfällt. Aber Sie müssen uns den Vorfall schildern, um den Prozess zu unterstützen. Bitte versuchen Sie es.« Die Richterin beugte sich wohlwollend nach vorn und hielt ihren Blick fest. *»Rede, sonst muss ich ihn freilassen!«,* schienen ihre Augen zu sagen.

Anne räusperte sich umständlich. »Ja … also … nach einer Betriebsfeier bin ich mit der S-Bahn nach Hause gefahren«, begann sie unsicher und merkte, dass alle Augen im Gerichtssaal auf sie gerichtet waren. »Schon in der Bahn hat dieser Mann mich angestarrt.« Anne verzichtete dieses Mal darauf, in seine Richtung zu sehen. Dennoch entgingen ihr seine Blicke nicht. Ihr Unterleib verkrampfte sich, als würde er ihr abermals Gewalt antun. Sie hatte das Gefühl, mit jedem ihrer Worte wieder in die Geschehnisse dieser Nacht hineingesogen zu werden. Ein unerträglicher Schmerz erfüllte sie.

Ein Schmerz, von dem sie wusste, dass er nicht da sein konnte, und trotzdem fühlte er sich so real an, dass sie plötzlich aufsprang und einfach aus dem Gerichtssaal flüchtete. Die Richterin rief ihren Namen. Mehrfach. Doch sie konnte nicht zurückkehren. Keine Sekunde länger hielt sie es in der Nähe dieses Monsters aus, das sie mit seinen Blicken auszog.

Eine Hand packte sie am Oberarm und zog sie an sich.

»Anne, was tust du da?« Im Gesicht ihres Mannes stand Fassungslosigkeit. »Du musst reden oder willst du riskieren, dass er nicht verurteilt wird? Die Anklage benötigt deine Aussage.«

»Aber sie haben doch sein Sperma in mir gefunden«, hauchte sie kraftlos und zeigte auf ihren Unterleib, als wenn ihr Mann nicht wüsste, wo genau die Körperflüssigkeit dieses Ekels sie beschmutzt hatte.

»Anne, beruhige dich. Du schaffst das. Du bist eine starke Frau. Ich bin bei dir.« Er sprach ganz sanft zu ihr. Sein Griff lockerte sich ein wenig. »Komm, wir gehen wieder rein.«

Er zog sie mit sich und führte sie auf ihren wackeligen Beinen durch den Gerichtssaal, wo er sie zurück zu ihrem Stuhl brachte. Anne atmete schwer. Die Anwesenheit dieses Mistkerls war unerträglich. Sie hörte ihn atmen. Plötzlich stand er auf.

»Herr Laganis, ich muss Sie bitten«, donnerte die Stimme der Richterin streng durch den Saal. »Setzen Sie sich wieder hin oder ich verhänge ein saftiges Ordnungsgeld.«

Sein Name hinterließ ein merkwürdiges Klingen in ihren Ohren. Er passte nicht zu dem Monster, das über sie hergefallen war. Jetzt schaute sie doch in seine Richtung. Immerhin saß er wieder auf seinem Platz. Seine Lippen waren zu zwei schmalen Strichen zusammengepresst. Er blickte sie wütend an. Irgendetwas an seinen Augen gab ihr plötzlich Kraft. Vielleicht war es die Tatsache, dass dieser Kerl in Wirklichkeit gar kein übermächtiges Monster war, gegen das sie sich nicht wehren konnte. Er war nur ein widerlicher perverser Straftäter. So hatte ihr Mann ihn immer wieder genannt. Deshalb waren sie heute hier.

Anne riss sich zusammen und machte ihre Aussage, ohne ein einziges Mal Luft zu holen. Sie wollte, dass dieser Typ hinter Gittern landete. Als sie fertig war, spürte sie die Hände ihres Mannes auf ihren Schultern. Er zog sie hoch und sie ließ sich kraftlos in seine Arme sinken. Den ganzen Weg aus dem Gerichtsgebäude hinaus und nach Hause sprach sie nicht ein Wort. Als sie endlich auf ihrem Bett lag, fielen ihr die Lider zu. Sie schlief zitternd ein, verfolgt von Laganis' eiskalten Augen, die sie wohl nie wieder loslassen würden.

8

»Hören Sie, Herr Möller«, sagte Julia und versuchte ihre Verärgerung über den jungen Staatsanwalt nicht zu zeigen. »Es wäre eine Zumutung für diese Frau, sich ein zweites Mal untersuchen zu lassen, zumal ich auch zu keinem anderen Ergebnis als mein Kollege kommen werde.«

Sie hatten sich in ein freies Untersuchungszimmer in der rechtsmedizinischen Ambulanz zurückgezogen. Nebenan wartete eine Frau, die das Opfer einer Vergewaltigung geworden war. Christian Möller, der Julia bisher eher wie ein verschüchterter Teenager vorgekommen war, ließ nicht locker.

»Ich glaube, dass es dieser Frau besser gehen wird, sobald wir ihn ins Gefängnis gesteckt haben.« Möller trat so dicht an Julia heran, dass sein herbes Parfüm in ihrer Nase kribbelte. »Bitte untersuchen Sie das Opfer. Das ist für uns ein sehr wichtiger Fall. Wir wollen diesen Serienvergewaltiger unbedingt hinter Gitter bringen. Bisher ist uns das nicht gelungen. Die Frau ist bereits sein achtes Opfer. Deshalb hat uns die Kripo sofort informiert und die Untersuchung in der Rechtsmedizin veranlasst. Die Tat ist erst wenige Stunden her und jetzt stehen die Chancen am besten. Vielleicht hat Ihr Kollege Doktor Neumann etwas übersehen.«

»Nun hören Sie aber auf«, stieß Julia aus und wies die Anschuldigungen mit einer energischen Geste zurück. »Doktor Neumann gehört zu den erfahrensten Rechtsmedizinern, die hier im Institut arbeiten. Ich habe vollstes Vertrauen in seine Fähigkeiten, und Ihnen steht es nicht zu, seine Kompetenz infrage zu stellen.« Aus dem Augenwinkel nahm Julia wahr, wie Lenja bei ihrem Tonfall leicht zusammenzuckte. Den jungen Staatsanwalt hingegen schienen ihre Worte wenig zu beeindrucken. Er stand unbeirrt da und starrte sie trotzig an.

Julia ließ sich nicht aus der Ruhe bringen, und tatsächlich wandte Möller nach einer Weile den Blick ab und sah sich zu Oberstaatsanwalt Björn Kreitz um, der in der anderen Ecke des Untersuchungszimmers saß und sich offensichtlich nicht einmischen wollte. Der hochgewachsene Oberstaatsanwalt hatte den Ruf eines harten Knochens. Seine mageren Wangen und der scharfe Blick seiner dunklen Augen verunsicherten sicherlich so manchen Kriminellen, den er auf die Anklagebank brachte. Doch Julia würde sich von seinem Auftreten nicht einschüchtern lassen. Sie gehörte schließlich nicht zu seinen Mitarbeitern und sie war ihm in keiner Weise verpflichtet.

»Eine Vergewaltigung lässt sich medizinisch nicht

immer nachweisen«, wiederholte Dr. Neumann inzwischen zum fünften Mal. »Der Täter benutzt offenbar Gleitcreme. Davon haben wir beim letzten Opfer Rückstände gefunden. Aus diesem Grund liegen im Vaginalbereich keine Verletzungen vor und an den Oberschenkeln ebenfalls nicht.« Dr. Neumann verstummte abrupt, weil Kreitz sich aus seinem Stuhl erhob und abwinkte.

»Ist schon gut, Doktor Neumann«, sagte er, als ob er mit einem Schuljungen sprechen würde. »Ich weiß, dass Sie Ihr Bestes gegeben haben, und ich zweifele auch nicht an Ihren Fähigkeiten. Ich möchte einzig und allein, dass wir hier im Vieraugenprinzip arbeiten. Sie kennen den Wolfsmann-Fall, und Sie wissen, dass sich ein Serienvergewaltiger in der Stadt herumtreibt, den wir endlich außer Gefecht setzen müssen. Dieser Mann hört nur auf, wenn er hinter Gittern sitzt.« Kreitz' dunkelbraune Augen richteten sich auf Julia. »Liebe Frau Doktor Schwarz, ich bitte Sie lediglich darum, einen zweiten Blick auf das Opfer zu werfen. Ich habe mit Natalie Graupel gesprochen und sie ist einverstanden. Wir sollten sie nicht allzu lange warten lassen.«

In diesem Moment wurde Julia wieder bewusst, dass die vergewaltigte Frau keine fünf Meter entfernt im benachbarten Untersuchungszimmer darauf wartete, dass sich jemand um sie kümmerte. Bei der Vorstellung, dass sie dort immer noch halb nackt auf dem gynäkologischen Untersuchungsstuhl saß – nach allem, was ihr vor ein paar Stunden widerfahren war –, durchfuhr es Julia eiskalt.

»Also gut«, sagte sie. »Ich schaue mir die Frau an, aber nur, damit sie endlich nach Hause gehen und sich ausruhen kann.« Sie wandte sich ab, ohne die beiden Staatsanwälte eines weiteren Blickes zu würdigen. Sein Auftritt überschritt einfach die Grenzen jeglichen kooperativen Umgangs. Sie drückte Dr. Neumann eine Hand auf die Schulter, um ihm zu zeigen, auf welcher Seite sie stand, und ging nach nebenan.

Eine blutjunge Frau hockte zusammengekrümmt auf der Patientenliege neben dem gynäkologischen Stuhl. Sie hatte die Knie angezogen und das Gesicht unter den Armen versenkt. Als sie Julia bemerkte, sah sie auf. In ihren Augen glänzten Tränen.

»Mein Name ist Julia Schwarz. Ich bin die Leiterin dieses Institutes und ich möchte Sie gerne untersuchen«, begann Julia so sanft wie möglich und setzte sich zu Natalie Graupel auf die Liege. »Geht es Ihnen einigermaßen gut?«

»Ja«, brachte die blasse Frau erstickt hervor. »Der Staatsanwalt hat mich schon vorgewarnt.«

»Erzählen Sie mir doch kurz, was Ihnen passiert ist. Schaffen Sie das?«

Natalie Graupel nickte und wischte sich die Tränen von den Wangen. Julia reichte ihr ein Taschentuch und wartete, bis sie sich beruhigt hatte.

»Ich habe gehört, Sie waren in einer Bar?«, begann Julia schließlich, damit Natalie Graupel zu reden anfing.

»Ja. Ich war mit einer Freundin im Moonlight. Ich glaube, jemand hat mir etwas ins Glas geschüttet. Auf einmal wurde mir ganz schwindelig. Ich erinnere mich noch, wie mich jemand stützte und nach draußen brachte. An der frischen Luft ging es mir besser, doch plötzlich wurde mir schwarz vor Augen. Ich wurde ohnmächtig und bin erst wieder aufgewacht, als alles vorbei war.« Sie schluchzte heftig und vergrub das Gesicht in ihren Händen. »Ich lag halb nackt auf der Wiese hinter dem Parkplatz und neben mir hockte dieser Kerl mit der Wolfsmaske. Ich dachte zuerst, ich wäre in einem Horrorfilm gelandet, aber dann habe ich mit angesehen, wie er sein Kondom abzog und wegwarf. Er meinte, dass es ihm mit mir gefallen hätte, und in diesem Moment habe ich begriffen, dass er mich vergewaltigt hat.«

»Okay. Das tut mir wirklich schrecklich leid. Ich möchte Sie jetzt noch einmal kurz untersuchen. Wir können zunächst hier auf der Liege beginnen«, sagte Julia und deutete auf das Handtuch, das die nackten Beine der Frau bedeckte. »Darf ich?«, fragte sie und zog das Tuch erst weg, als Natalie Graupel nickte.

»Legen Sie sich auf den Rücken und entspannen Sie sich. Ich sehe mir zuerst nur die Haut an und suche nach Prellungen oder Kratzern. Haben Sie nach dem Vorfall Schmerzen empfunden?«

Natalie Graupel schüttelte den Kopf. »Ich war noch viel zu benommen und ich hatte furchtbare Angst. Zum Glück ist der Wolfsmann einfach abgehauen. Ich bin im Gras liegen geblieben. Keine Ahnung, wie lange. Irgendwann hat meine Freundin mich gefunden. Sie hat mich die halbe Nacht gesucht und sofort ins Krankenhaus gebracht. Dort hat die Ärztin dann gleich die Polizei verständigt.« Sie zuckte zusammen, als Julia mit dem Finger über ihren Oberschenkel fuhr.

»Tut das weh?«, fragte Julia und tastete vorsichtig weiter.

»Nein. Es kitzelt.«

Julia fand keine äußeren Verletzungen. Sie sah sich auch die Arme, die Hände und die Fingernägel an.

»Hat mein Kollege Abstriche der Nägel gemacht?«

Natalie Graupel nickte. »Von jedem Finger. Er hat mir erklärt, dass ich den Wolfsmann vielleicht gekratzt hätte und deshalb Hautpartikel von ihm unter meinen Nägeln sein könnten.«

»Das ist richtig«, murmelte Julia und bat die Patientin, auf dem gynäkologischen Stuhl Platz zu nehmen. »Es geht ganz schnell«, versprach sie. Julia wusste, wie unangenehm diese Untersuchung gerade für Vergewaltigungsopfer war. Sie mussten sich auf diese Apparatur setzen, zurücklehnen und die Beine weit auseinanderspreizen, während sie mit einem Spekulum die Vagina weitete und Verletzungen oder Sekretspuren suchte. Sie nahm noch einen Abstrich, der sicherlich das benutzte Gleitmittel, jedoch kein Sperma zutage befördern würde, und seufzte. Dr. Neumann hatte hundertprozentig genau dasselbe bereits gemacht. Sie verzichtete darauf, der Patientin abermals Blut abzunehmen und um eine Urinprobe zu bitten. Das konnte der Oberstaatsanwalt nicht ernsthaft von ihr erwarten. Als Julia merkte, dass die junge Frau anfing zu zittern, beeilte sie sich noch mehr.

»Wir sind schon fertig«, erklärte sie kurze Zeit später und half Natalie Graupel vom Stuhl herunter. »Sie können sich jetzt anziehen.«

Julia führte sie zu dem grauen Vorhang, hinter dem sie sich ankleiden konnte.

»Es tut mir wirklich leid, dass Sie das alles zweimal über sich ergehen lassen mussten. Ich weiß, wie schwer das sein muss. Aber wir wollen einfach sichergehen, dass wir nichts übersehen«, sagte Julia einfühlsam.

Natalie Graupel seufzte und plötzlich kamen Julia ihre Worte erneut in den Sinn.

»Hat die Polizei Sie eigentlich direkt aus dem Krankenhaus hierhergebracht?«

»Ja, sie haben mir erklärt, dass mich unbedingt ein Rechtsmediziner begutachten müsste, weil der Kerl vermutlich schon mehrfach Frauen vergewaltigt hat.«

Natalie Graupel kam hinter dem Vorhang hervor. Sie wirkte nach wie vor fürchterlich blass.

»Soll ich Ihnen ein Beruhigungsmittel geben? Ich kenne außerdem einen hervorragenden Psychologen, der Ihnen helfen kann, dieses schreckliche Erlebnis zu verarbeiten.«

Natalie Graupel kniff die Lippen zusammen. Vermutlich wollte sie nicht schon wieder weinen. Julia machte einen Schritt auf sie zu und nahm die schmale, zerbrechliche Frau in den Arm.

»Das ist völlig in Ordnung. Weinen Sie ruhig. Das befreit. Niemand erwartet von Ihnen, dass Sie sich beherrschen.«

Ein tiefer Schluchzer brach aus Natalie Graupel hervor. Die Tränen liefen jetzt in Strömen über ihre Wangen. Julia spürte es an ihrer Bluse, die an der Schulter feucht wurde. Sie wartete ab, bis das Beben, das durch

Natalie Graupels Körper ging, verebbt war. Dann holte sie eine Packung Beruhigungsmittel aus dem Medizinschrank.

»Hier, wenn Sie mögen, nehmen Sie eine Tablette. Fürs Erste hilft das. Sie sollten sich jedoch schnell eine psychologische Beratung suchen.« Julia gab ihr die Visitenkarte eines Psychologen, der auf Gewaltopfer spezialisiert war. Sie führte Natalie Graupel nach nebenan, wo Oberstaatsanwalt Björn Kreitz sie mit sorgenvollem Blick in Empfang nahm.

»Und?«, fragte er Julia erwartungsvoll, doch sie zuckte mit den Schultern.

»Ich habe der Untersuchung von Doktor Neumann nichts hinzuzufügen«, wich sie aus, weil sie vor dem Opfer keine erneute Diskussion führen wollte.

Oberstaatsanwalt Kreitz blickte sich zu Christian Möller um.

»Begleiten Sie Frau Graupel bitte zum Taxi. Das bringt sie nach Hause«, sagte er und marschierte an Julia vorbei zur Tür.

»Kommen Sie, Frau Schwarz. Wir müssen uns unterhalten.«

Julia wandte sich an Lenja. »Kannst du Florian Kessler und Martin Saathoff auf den neuesten Stand bringen?«

Lenja nickte. Julia folgte dem Oberstaatsanwalt in ihr Büro und schloss die Tür hinter sich.

»Herr Kreitz, ich verstehe, unter welchem Druck Sie stehen. Ich habe Herrn Möller schon erklärt, dass wir aus rechtsmedizinischer Sicht die Vergewaltigung nicht nachweisen können.«

Björn Kreitz hob die Hände über den Kopf.

»Natalie Graupel ist bereits das achte Opfer dieses Täters. Ich muss ihn unbedingt stoppen.«

»Herr Möller hat mir berichtet, dass die Beweislage eigentlich gut wäre. Warum brauchen Sie so dringend weitere Beweise?«

Kreitz starrte sie an. »Sie wissen doch, wie das ist vor Gericht. Die zuständige Richterin ist sehr täterfixiert, um es vorsichtig auszudrücken. Der Tatverdächtige ist Familienvater, ohne Vorstrafen, gut situiert. Da muss bei der Anklage einfach alles stimmen.«

»Eine Sache hätte ich immerhin für Sie«, erwiderte Julia. »Die K.-o.-Tropfen sollten dieses Mal nachweisbar sein. Dann hätten Sie eine glaubhafte Erklärung, warum sämtliche Vergewaltigungsspuren fehlen.«

Oberstaatsanwalt Kreitz seufzte. »Das wäre hilfreich. Allerdings befürchte ich, man wird den Kerl laufen lassen. Wir müssen ihm nachweisen können, dass er tatsächlich vor Ort war.«

In diesem Moment kamen Julia erneut Natalie Graupels Schilderungen in den Sinn.

»Der Täter hat ein Kondom benutzt und es am Tatort weggeworfen. Wenn noch nicht geschehen, müssen Sie dringend die Stelle absichern und danach suchen. Es ist vermutlich Sperma im Kondom. Damit könnten Sie ihn kriegen.«

Kreitz sah Julia an, als wäre er gerade vom Blitz getroffen worden. »Das hat sie uns noch gar nicht erzählt«, erklärte er und seine Miene hellte sich gleichzeitig auf.

»Sie sind die Allerbeste, Frau Schwarz«, fügte er hinzu und stürmte aus Julias Büro.

Julia atmete aus und starrte ihm kopfschüttelnd hinterher. Sie konnte nur hoffen, dass die Spurensicherung das Kondom fand und der Wolfsmann endlich überführt wurde. Die Zusammenarbeit mit der Staatsanwaltschaft nervte sie jedenfalls erheblich. Sie mochte ehrgeizige Menschen, aber die Art und Weise, wie die Staatsanwälte Dr. Neumann behandelten, empfand sie als unmöglich. Das galt insbesondere für Christian Möller. Julia wusste, dass ihre Art bei einigen Leuten im Institut ebenfalls nicht sonderlich gut ankam. Man hatte ihr den Spitznamen Eislady verpasst, weil sie oft unnahbar wirkte. Doch eine solche Verhaltensweise wie die der beiden Staatsanwälte legte sie nicht an den Tag. Sie seufzte und schüttelte ihre Gedanken ab. Vielleicht durfte sie sich in diesem Fall auch gar kein Urteil erlauben.

Sie nahm den Katalog in die Hand, den ihr Dr. Eichner im anatomischen Institut gegeben hatte, und schlug die Abbildung der beiden Ohren auf. Dann hielt sie ihr eigenes Foto von der Obduktion daneben und betrachtete die Ohrenpaare nachdenklich. Die Kerbe auf dem linken Ohr, das sie der toten Frau während der Obduktion wieder entfernt hatte, war der einzige deutliche Unterschied. Aber diese Verletzung konnte nachträglich geschehen sein. Der Aufbau der Ohrmuschel wirkte ansonsten sehr ähnlich. Es war zu schade, dass ein DNS-Abgleich nicht möglich war.

Mechanisch wählte sie Florians Nummer.

»Hi, hat dich Lenja schon auf den aktuellsten Stand gebracht?«, fragte sie direkt.

»Ja. Martin hat mit ihr gesprochen. Sie meinte, dass du gleich ein paar Fotos vorbeibringst, die wir vergleichen sollten.«

Julia lächelte. Eigentlich hatte sie nicht vorgehabt, bei Florian vorbeizufahren. Aber jetzt, wo sie seine Stimme hörte, überfiel sie plötzlich ein Anflug von Sehnsucht nach ihm. Außerdem konnte sie auf die Ergebnisse warten. Sie wollte unbedingt wissen, ob die angenähten Ohren aus der Anatomie stammten. Dann mussten sie wenigstens kein weiteres Opfer befürchten.

»Einen kleinen Moment noch«, sagte sie und scrollte durch ihre Nachrichten auf dem Computer. Tatsächlich waren bereits die ersten Laborergebnisse von der Obduktion eingetroffen. Sie überflog die Angaben und fühlte sich bestätigt.

»Unser Opfer ist übrigens tatsächlich an einer Überdosis Insulin gestorben«, erklärte sie Florian. »Der Tod ist in der Nacht vor dem Auffinden der Leiche zwischen ein und vier Uhr eingetreten.«

»Das bedeutet, dass Pavlo Burakow es gewesen sein könnte«, stellte Florian fest.

»Ich denke, ja. Er war die ganze Nacht auf dem Gelände und hätte ausreichend Zeit gehabt. Vielleicht war es sogar ein gemeinschaftlicher Mord zusammen mit der Frau, die wir auf den Überwachungsaufnahmen gesehen haben. Habt ihr ihre Identität schon herausgefunden?«

»Wir sind noch dran. Ich muss jetzt auflegen. Beeile dich.«

Die Leitung war tot. Julia schnappte sich ihre Handtasche, den Katalog aus der Anatomie und die Fotografien von der Obduktion.

Keine zwanzig Minuten später betrat sie das Polizeirevier, wo sie bereits erwartet wurde. Eine junge Polizistin mit kurz rasierten Haaren führte Julia hinauf in die erste Etage, in der sich die Verhörräume befanden.

»Kriminalkommissar Kessler sagte, Sie sollen hier auf ihn warten.« Sie öffnete einen schmalen Raum, der sich hinter den Spiegeln des Verhörraums verbarg. »Pavlo Burakow ist mit seinem Anwalt hier aufgetaucht und wird gerade befragt«, fügte sie erklärend hinzu und bedeutete Julia, hineinzugehen.

Julia setzte sich direkt an die verspiegelte Glasscheibe. Pavlo Burakow wirkte um zehn Jahre gealtert. Auf seiner Stirn prangten tiefe Falten. Er starrte mit glasigen Augen auf die Tischplatte und fummelte mit den Fingern der rechten Hand nervös an seinem Vollbart. Neben ihm saß ein blonder Mann mit Seitenscheitel und dunkelblauem Anzug. Offenbar sein Anwalt. Sein Blick war auf Florian gerichtet, der ihm gegenüber Platz genommen hatte und den Julia nur von hinten sehen konnte. Martin Saathoff hockte auf dem Stuhl daneben. Er hatte sich weit zurückgelehnt und überließ Florian die Führung des Gespräches. Julia bekam gerade noch mit, wie Florian sich und seinen Partner vorstellte.

»Es ist sehr erfreulich, dass Sie von sich aus den Weg zu uns gefunden haben. Wir hätten Sie übrigens ebenfalls in Kürze kontaktiert, denn es haben sich neue Erkenntnisse im vorliegenden Mordfall ergeben.«

Burakows Anwalt räusperte sich. »Wenn ich kurz einhaken darf. Mein Mandant ist hier erschienen, weil er etwas äußerst Wichtiges mitzuteilen hat. Ich möchte betonen, dass wir uns bewusst kooperativ zeigen wollen.«

»Das hört sich gut an«, erwiderte Florian in neutralem Tonfall. Obwohl Julia seine Miene nicht sah, wusste sie, dass er sein Pokerface aufgesetzt hatte. Florian gehörte zu den einfühlsamen Typen, er konnte aber auch undurchschaubar wie ein tiefer See sein. Sie betrachtete seinen kräftigen breiten Rücken. Florian war Triathlet und sehr attraktiv. Sie liebte sein blondes Haar, das im Kontrast zu ihrem schwarzen Pagenschnitt stand, und seine blauen Augen, die ihr im Augenblick verborgen blieben.

Sie bemerkte, wie der Anwalt Pavlo Burakow auffordernd gegen die Schulter stupste. Der Glatzkopf nickte zögerlich und holte tief Luft.

»Ich habe Ihnen nicht alles erzählt«, begann er und sah unsicher zwischen Florian und Martin Saathoff hin und her. »Die Sache mit der toten Frau hat mich einfach aus dem Konzept gebracht.« Er atmete schwer und wischte sich über die Glatze.

»Ich war nicht alleine im Containerlager«, gestand er schließlich und senkte den Blick. »Eine Freundin war auch da.«

»Wir sind gerade dabei, die Identität dieser Frau anhand ihres Autokennzeichens zu ermitteln. Aber da Sie schon mal hier sind, können Sie uns ihren Namen gleich verraten.« Florian schlug sein Notizbuch auf.

Der Glatzkopf kratzte sich hinterm Ohr und schaute zu seinem Anwalt.

»Es gibt da ein Problem«, sprang dieser sofort ein. »Sie werden über das Kennzeichen nicht auf diese Frau stoßen. Der Wagen gehört meinem Mandanten. Es ist so, dass es sich bei der Begleiterin meines Mandanten um eine Person handelt, die keine Aufenthaltsgenehmigung für die Bundesrepublik Deutschland besitzt. Sie werden verstehen, dass es aus diesem Grund eine heikle Angelegenheit ist, denn Herr Burakow ist sehr daran interessiert, dass seine Freundin nicht zur Ausreise gezwungen wird.«

Einen Moment lang herrschte angespanntes Schweigen im Raum, und Julia fragte sich, was die Worte des Anwaltes zu bedeuten hatten. Burakow war anscheinend ein Einbrecher und Dieb, der eine Gehilfin mit in das Containerlager genommen hatte. Oder übersah sie etwas? Erstaunlicherweise veränderte sich die Gesichtsfarbe von Pavlo Burakow von einer Sekunde zur anderen ins Dunkelrote.

»Vielleicht könnten Sie das ein wenig genauer erklären«, forderte Florian den Anwalt auf. Dieser stupste abermals seinen Mandanten an.

»Es ist so«, begann Burakow mit dünner Stimme. »Ich betreibe eine eigene Website und aus diesem Grund war ich mit Alina im Containerlager.« Er zog ein Blatt Papier aus der Hosentasche und übergab es Florian. »Ich habe selbst einen Container gemietet. Hier sehen Sie die Abrechnung für den letzten Monat.«

»Wie heißt Alina mit Nachnamen?«, hakte Florian nach.

»Petrowa. Aber bitte verfolgen Sie sie nicht. Sie braucht das Geld.«

Florian ging nicht auf Burakows Bitte ein und bohrte stattdessen weiter. »Was haben Sie denn in der fraglichen Nacht im Containerlager gemacht?«

Julia hatte das Gefühl, dass sich das Rot in Burakows Gesicht noch verstärkte.

»Ich habe mit dem Mord nichts zu tun«, beteuerte der Glatzkopf. »Wir drehen Filme an besonderen Orten und in dieser Nacht wollten wir mal wieder im Container filmen. Sie können selbst nachschauen.«

»Ich verstehe immer noch nicht, worum es eigentlich geht.« In Florians Stimme schwang Ungeduld mit. Die Muskeln an seinem Rücken spannten sich an, als er sich näher zu Burakow über den Tisch lehnte. »Sagen Sie uns endlich, was Sie da zu schaffen hatten. Es geht hier um einen Mord. Hören Sie auf, um den heißen Brei herumzureden!«

»Es ist ganz einfach«, fiel der Anwalt Florian ins Wort. »Mein Mandant betreibt eine sehr erfolgreiche Website. Er nimmt Pornos an außergewöhnlichen Orten auf, bei denen er selbst und eine Partnerin mitspielt. In der fraglichen Nacht hat er zusammen mit Alina Petrowa gearbeitet. Es existiert etliches Filmmaterial mit entsprechendem Zeitstempel. Ich hoffe, Sie verstehen jetzt, warum mein Mandant sich im Containerpark aufgehalten hat.«

»Sie haben einen Porno gedreht? Um diese Jahreszeit in einem eiskalten Container?«, fragte Martin Saathoff ungläubig. »Und warum haben Sie das nicht gleich gesagt?«

Pavlo Burakow zuckte hilflos mit der Schulter. »Was hätte ich denn sagen sollen? Dass ich die ganze Nacht da war und genügend Zeit gehabt hätte, diese Frau zu erledigen? Ich dachte, wenn ich so tue, als wäre ich nur dort eingebrochen, bin ich aus dem Schneider.«

Burakows Anwalt hob sofort die Hand und gebot seinem Mandanten zu schweigen.

»Herr Burakow hat mit diesem Mord nichts zu schaffen«, wiederholte er mit fester Stimme. »Können wir jetzt gehen?«

Florian schüttelte den Kopf. »Nicht so schnell. Ich begreife immer noch nicht, wieso Sie den Container mit der Leiche geöffnet haben, wenn Sie doch einen eigenen Container gemietet hatten.« Er tippte auf das Blatt, das Burakow ihm gegeben hatte. »Laut diesem Dokument gehört Ihnen der Container drei Reihen weiter.«

»Wie gesagt, wir zeigen Sex an ungewöhnlichen, meist gruseligen Orten. Da gehört das Öffnen eines fremden Containers dazu. Sex and Crime. Verstehen Sie?«

»Und warum haben Sie nicht einfach den Container nebenan aufgebrochen?«

Burakow schlug sich mit der Hand gegen die Stirn. »Na, dann wäre ja vielleicht direkt aufgefallen, dass ich dahinterstecke. Ich bin extra etwas weiter weggegangen. Alina hat den Container ausgesucht.«

»Was haben Sie in der Zeit von ein Uhr nachts bis vier Uhr im Containerpark getan?«, fragte Florian und machte sich Notizen.

»Wir hatten Sex. Ich kann Ihnen die Aufnahmen zur Verfügung stellen, Sie werden sehen, dass wir in diesem Zeitraum unseren Container nicht verlassen haben.«

»Ist Ihnen etwas Ungewöhnliches in dieser Nacht

aufgefallen? Haben Sie andere Personen gesehen oder Geräusche gehört?«

Burakow schüttelte den Kopf. »Nein. Wir haben unseren Film gedreht, wollten in einen anderen Container wechseln und stießen auf die Tote. Ich bin mit Alina vom Gelände gefahren und gleich darauf wieder umgekehrt, um die Polizei zu rufen.« Er seufzte. »Ich dachte, so wäre es das Beste, aber vermutlich war es ein Fehler.«

»Ganz bestimmt nicht«, erwiderte Florian und schaute zu Martin Saathoff.

»Wir haben im Moment keine weiteren Fragen«, sagte Saathoff und erhob sich. »Ein Kollege begleitet Sie, damit Sie ihm das Filmmaterial aushändigen können.«

9

»Verdammt, Nicole, hast du schon wieder etwas im Internet bestellt?« Der Zorn breitete sich wie glühend heiße Lava in seinen Eingeweiden aus. Wie oft hatte er in den letzten Wochen mit Nicole darüber gesprochen? Redete er etwa gegen eine Wand? Sie hatten kein Geld, und seiner Ehefrau fiel nichts Besseres ein, als ihren Notgroschen zu verpulvern. Er riss dem Paketboten das Päckchen aus der Hand und schlug ihm die Wohnungstür vor der Nase zu. Der dachte ja wohl hoffentlich nicht, dass er auch noch Trinkgeld bekam. Nils linste vorsichtshalber durch den Spion und stellte zufrieden fest, dass der Bote bereits die Treppe hinunterhüpfte.

»Nicole!«, brüllte Nils und stürmte mit dem Päckchen in die Küche. »Was zum Teufel hast du jetzt schon wieder bestellt? Habe ich dir nicht gesagt, dass wir uns im Augenblick keine Anschaffungen leisten können!« Er hielt den Karton in die Höhe und schüttelte ihn wütend.

Nicole stand an der Spüle und reinigte Gläser. Sie

stellte in aller Seelenruhe ein Glas ab und griff nach dem nächsten. Hatte sie ihn nicht gehört? Sie blickte ihn nicht einmal an.

»Verdammt! Antworte mir gefälligst«, brüllte er ihr direkt ins Ohr. Endlich zuckte sie zusammen. Das wurde ja auch Zeit. Mit der freien Hand fasste er ihre Haare und riss ihren Kopf nach hinten.

»Was ist hier drin?« Er knallte das Paket auf den Küchentisch und packte sie am Oberarm. Nicole sank mit schmerzverzerrtem Gesicht in die Knie. Er beugte sich über sie. So dicht, dass er den Kaffee roch, den sie gerade getrunken haben musste. Sie sollte lieber arbeiten und nicht bloß Kaffeepausen machen. Er verstärkte seinen Griff, bis sie endlich aufschrie. Na bitte. Es ging doch.

»Was hast du gekauft?«

»Nichts«, hauchte sie.

»Nichts? Und was ist dann das hier?« Er ließ von ihr ab und nahm das Päckchen. »Hm? Was ist das?«

Sie machte es sich gemütlich auf seine Kosten und er durfte für einen Hungerlohn schuften. Okay, in letzter Zeit nicht mehr. Sie lagen dem Staat auf der Tasche. Trotzdem war das Leben anstrengend. Nicole ging ihm fürchterlich auf die Nerven. Ständig jammerte sie ihm die Ohren voll. Er solle sich bewerben. Hier und dort würden sie Leute suchen. Sie benahm sich schlimmer als seine Mutter. Diese blöde Kuh hatte doch keine Ahnung, wie sehr er am Abgrund stand. Sie belagerte seine Wohnung und dachte, dass sie mit dem bisschen Saubermachen ein Anrecht auf sein Zuhause hätte. Sie machte ja nicht einmal mehr die Beine für ihn breit. Sie hielt ihn sich mit Ausreden vom

Leib. Er war schließlich nicht dumm. Bereits zweimal in den letzten vier Wochen hatte sie behauptet, ihre Tage zu haben. Als wenn er nicht wüsste, dass es nur einmal pro Monat vorkam. Er hatte im Mülleimer nach Tampons gesucht. Nichts. Das kleine Miststück log ihn an. Darauf stand er überhaupt nicht. Seine Faust landete wie automatisch in ihren Rippen. Es knackte und Nicole stieß einen Schmerzensschrei aus. Er zuckte zurück und sah, wie sie die Augen verdrehte.

»Blöde Kuh! Jetzt stell dich mal nicht so an«, schimpfte er.

Nicole reagierte nicht. Ihre Lider flackerten und sie atmete merkwürdig flach und schnell.

Verdammt!

»Nicole?« Er packte sie an den Schultern und schüttelte sie.

Nichts.

Das hatte ihm gerade noch gefehlt. Mit dieser Frau konnte man auch wirklich überhaupt nichts anfangen. Sie konnte doch nicht einfach k. o. gehen. Er hatte ja nicht mal richtig zugeschlagen. Plötzlich überlegte er, was passieren würde, wenn dieses Miststück jetzt den Abgang machte. Dann wäre er dran und würde jahrelang im Knast versauern. Verfluchter Mist! Er hob sie hoch und legte sich den schmächtigen Körper über die Schultern. Mit wenigen Schritten erreichte er die Wohnungstür und trug sie die Treppen hinunter. Sein Wagen parkte glücklicherweise vor dem Haus. Innerhalb von zehn Minuten kam Nils im nächstgelegenen Krankenhaus an. Er setzte seine Frau in einen Rollstuhl, der im Eingang stand.

»Sie atmet kaum noch«, erklärte er einer Krankenschwester, die nach Nicoles Puls tastete und ihm hektisch den Rollstuhl aus den Händen riss. Seine Frau verschwand hinter zwei Schiebetüren, die sich automatisch öffneten und wieder schlossen. Ein wenig ratlos sah er hinterher, bis die Krankenschwester kurz darauf zurückkehrte und auf ihn zukam.

»Ihre Frau wird erst einmal geröntgt«, teilte sie ihm mit, wobei sie ihn kritisch musterte. »Ihre Rippen könnten gebrochen sein und wir müssen eine Verletzung der Lunge ausschließen. Wie ist es denn dazu gekommen?«

»Sie ist die Treppe hinuntergefallen. Sie wird es doch schaffen, oder?«, fragte er mit merkwürdig weichen Knien. Plötzlich machte er sich Sorgen um Nicole. Na klar, sie war eine blöde Kuh, aber er hatte nicht vorgehabt, sie ernsthaft zu verletzen. Sein Zorn war wie weggeblasen.

Die Krankenschwester setzte eine undurchdringliche Miene auf. »Die Ärzte tun alles, was in ihrer Macht steht. Am besten, Sie gehen erst einmal nach Hause. Im Moment können Sie nichts für sie tun und die Untersuchungen werden dauern.«

Er wandte sich zögerlich ab und schlich mit hängenden Schultern zurück zum Wagen. Die Krankenschwester hatte ihm eine Rufnummer in die Hand gedrückt, die er in frühestens zwei Stunden anrufen sollte. Sein Magen fühlte sich an, als hätte er scharfkantige Felsbrocken verschluckt. Der Faustschlag in Nicoles Rippen war zu viel gewesen. Er hätte sich beherrschen müssen. Der Blick der Krankenschwester saß ihm immer noch im Nacken. Diese Frau wusste genau, dass er hinter Nicoles

Verletzungen steckte. Vermutlich informierte sie in dieser Sekunde die Polizei. Wenn Nicole starb, war er geliefert. Verdammt! Wie hatte er sich nur so gehen lassen können? Alles bloß wegen dieses Päckchens. Dabei konnte in der kleinen Schachtel nicht sonderlich viel drin sein. Vielleicht hatte Nicole sich einen Nagellack bestellt. Die paar Euro könnte er ganz bestimmt verschmerzen. Nils donnerte seine Faust auf das Armaturenbrett und gab Gas.

Als er zehn Minuten später wieder in der Wohnung stand, ging er in die Küche und starrte das Päckchen böse an. Dieses kleine Stück Pappe war schuld an seiner Misere. Erneut kochte die Wut in ihm hoch. Er nahm ein Messer aus der Schublade und zerschnitt das Packband, um das Päckchen zu öffnen. Er klappte den Deckel auf und erblickte weiches Papier, das den Inhalt schützen sollte. Er suchte nach einer Rechnung oder wenigstens einem Lieferschein, fand jedoch nichts. Langsam faltete er das Papier auseinander und beförderte eine dunkelblaue Plastikbox von vielleicht zehn mal fünf Zentimetern zutage. Auf der Box waren keine Aufkleber zu sehen. Sie wirkte nicht sonderlich neu. Nils öffnete sie und rümpfte die Nase. Ein ekelhafter, leicht süßlicher Geruch schlug ihm entgegen. Er starrte auf den Inhalt der Box und ließ sie auf den Küchentisch fallen. Nicole hatte überhaupt nichts eingekauft. Zwei abgeschnittene Ohren lagen in der Plastikbox. Der Anblick versetzte ihn in Panik. Wer tat so etwas? Er griff zum Telefon und wollte die Polizei anrufen, als es an der Tür klingelte. Verdammt! Das Krankenhaus hatte die Polizei informiert. Vielleicht war das ja gar nicht so schlecht. Die konnten sich sofort das Paket anschauen.

Er stürmte durch den Flur und blickte durch den Spion. Tatsächlich stand ein Polizist davor. Er riss die Tür auf, doch noch bevor er ein Wort sagen konnte, schob sich ein stinkender Lappen über seinen Mund und die Nase. Er sackte zusammen und wurde zurück in die Wohnung geschleift. Es ging alles rasend schnell. Das Letzte, was sich in sein Hirn einbrannte, war das Bild, das seine Netzhäute vom Inhalt des Päckchens eingefangen hatten. Dann verließen ihn die Sinne.

10

»Die Geschichte, die Pavlo Burakow uns da auftischen will, wird immer abstruser«, schimpfte Martin Saathoff, während er den Bildschirm des IT-Experten nicht aus den Augen ließ. »Ich kann es kaum erwarten, mir diese dubiose Website anzusehen und diese Frau zu befragen. Der Kerl erzählt Müll. Das kann ich meilenweit riechen.«

»Die Frage ist, ob er etwas mit der Toten im Container zu tun hat. Burakow und Alina Petrowa wären nicht das erste Pärchen, das gemeinsam mordet.« Florian richtete sich an Julia. »Habt ihr bei der Obduktion Hinweise auf zwei Täter festgestellt?«

Julia schüttelte den Kopf, ohne die Augen von dem Bildschirm zu nehmen, auf dem der IT-Experte der Polizei Fotografien der beiden Ohren aus der Anatomie und von der Leiche übereinanderlegte. »Wir haben überhaupt keine fremden DNS-Spuren gefunden. Leider.«

Das Programm fing an zu piepen. Der IT-Experte rieb sich die Hände.

»Treffer«, triumphierte er. »Die beiden rechten Ohren stimmen fast perfekt überein.«

Julia schob die Brille den Nasenrücken hinauf. »Und was ist mit der Einkerbung am Rand?«

Der IT-Experte grinste. »Deshalb sagte ich ja: fast perfekt. Die Einkerbung passt nicht. Aber lassen Sie mich mit dem linken Ohr weitermachen.« Er wiederholte die Prozedur und dieses Mal redete niemand mehr. Alle starrten gebannt auf den Bildschirm und sahen zu, wie die Aufnahmen von den Ohren wie von Zauberhand übereinandergelegt wurden. Tatsächlich ertönte erneut ein Piepen. Am oberen Rand des Monitors leuchteten rote Buchstaben auf.

»Einhundert Prozent Übereinstimmung«, las Julia vor. »Wow. Da die menschliche Ohrmuschel sehr individuell ist, muss es sich um dieselben Ohren handeln. Das bedeutet, dass der Täter in die Universität eingebrochen ist, um sich dort mit Präparaten zu versorgen. So etwas ist mir bisher nicht untergekommen. Das ist echt widerlich!«

»Wenigstens wissen wir jetzt, dass wir nicht nach einer männlichen Leiche mit abgetrennten Ohren suchen müssen«, brummte Martin Saathoff zufrieden.

Florian hingegen blickte unruhig in die Runde.

»Wenn wir davon ausgehen, dass tatsächlich der Mörder die Präparate gestohlen hat, dann frage ich mich, warum er gleich zwanzig Stück mitgenommen hat? Ich hoffe, die will er nicht auch irgendwo annähen.«

Julia, die sich bei Saathoffs Worten sichtbar entspannt

hatte, zuckte zusammen. So weit hatte sie noch gar nicht gedacht.

»Die Präparate könnten aber auch weitergegeben worden sein«, gab Saathoff zu bedenken. »Falls es doch Studenten waren, die eingebrochen sind, haben sie die Ohren womöglich weiterverkauft.«

»An den Täter? Unwahrscheinlich. Meines Erachtens hat er das Annähen der Ohren explizit geplant. Denk mal an die ganzen Instrumente in dem Container. Das war für ihn zu wichtig, um die Beschaffung ein paar Studenten oder anderen Dieben zu überlassen.« Florians Worte leuchteten Julia ein. Auch Martin Saathoff widersprach nicht.

»Was der Täter wohl mit den Ohren der Toten vorhat?«, fragte Julia und stellte sich vor, wie der Mörder die Ohren der jungen Frau als Trophäe in seiner Schrankwand aufbewahrte. Oder schlimmer noch: wie er sie einem weiteren Opfer annähte.

»Nun malt doch nicht gleich den Teufel an die Wand«, knurrte Saathoff und richtete sich auf, wobei er sich das Kreuz rieb. »Wir kümmern uns jetzt um die Tote aus dem Container. Die Kollegen haben mir gerade eine Nachricht geschickt. Heute Morgen wurde eine Frau von ihrer Mitbewohnerin als vermisst gemeldet. Es scheint alles zu passen.«

Drei Minuten später saßen sie in Florians Büro und studierten die Vermisstenanzeige. Jana Petersmann, sechsundzwanzig Jahre alt. Julia betrachtete die außergewöhnlich hübsche Blondine, die frech in die Kamera lächelte.

»Hat sie keinen Beruf?«, fragte Julia, die sich über die

knappen Informationen zu dem Opfer wunderte. Im Grunde kannten sie nur den Namen, die Adresse und das Alter. Weder Eltern noch Geschwister waren angegeben und auch zu ihrem Verschwinden stand nicht sonderlich viel in der Anzeige. Die Mitbewohnerin hatte der Polizei lediglich mitgeteilt, dass Jana Petersmann nicht wie geplant nach Hause gekommen war und außerdem nicht ans Handy ging.

Florian tippte den Namen des Opfers in die Suchmaschine seines Computers ein. Erstaunlicherweise schien Jana Petersmann in der digitalen Welt nicht zu existieren. Sie besaß weder ein Facebook-Profil noch war ihr Name auf Instagram oder auf anderen Social-Media-Plattformen zu finden.

»Das ist für ihr Alter sehr ungewöhnlich«, stellte Florian fest.

»Schau doch zuerst mal in unseren Datenbanken nach«, forderte Martin Saathoff ihn auf.

Florian öffnete ein neues Fenster und gab den Namen der Toten erneut ein. Es dauerte eine Weile, bis die Datenbank einen Treffer anzeigte.

»Das gibt es nicht«, stieß Florian aus. »Jana Petersmann hat tatsächlich ein paar Monate im Gefängnis verbracht. Damit hätte ich nicht gerechnet.«

»Was hat sie denn ausgefressen?« Saathoff beugte sich zum Monitor hinunter. »Sie ist etliche Male wegen Ladendiebstahls aufgefallen. Dann hat sie einen BMW geklaut und zu Schrott gefahren.« Er richtete sich auf und schüttelte den Kopf. »Wahnsinn. Auf dem Foto sieht sie richtig hübsch aus. Die hatte es doch gar nicht nötig zu klauen. Es hätten sich bestimmt eine Menge Kerle gefunden, die sie gerne ausgehalten hätten.«

Florian warf Martin Saathoff einen vielsagenden Blick zu. Dieser hob sofort abwehrend die Hände.

»Ich sage nur, wie es ist«, verteidigte er sich. »Mein Typ wäre sie nicht.«

Julia grinste in sich hinein. Sie ahnte, welche Art von Frau Saathoff durch den Kopf ging. Sogleich erschien ihre Assistentin Lenja vor ihrem geistigen Auge.

»Okay«, sagte sie. »Wir haben es mit einem Opfer zu tun, das vor vier Jahren wegen Diebstahl eine Gefängnisstrafe absitzen musste. Seitdem hat sie sich offenbar nichts mehr zuschulden kommen lassen. Haben wir sonst noch etwas über sie?«

Florian bearbeitete seine Tastatur und beförderte aus einer Datenbank den Führerschein von Jana Petersmann zutage.

»Punkte in Flensburg hat sie jedenfalls nicht«, verkündete er. »Ein Polo ist auf sie zugelassen. Den fährt sie seit zwei Jahren.«

»Was ist mit ihrer Familie?«, fragte Julia. »Vielleicht finden wir über sie eine Spur zum Täter. Dass er ihr die Ohren abschneidet und durch neue ersetzt, muss doch eine Bedeutung haben.« Ihr fiel nur nicht ein, welche. Stundenlang hatte sie sich bereits den Kopf darüber zerbrochen. Wer brach schon in das Institut für Anatomie ein, um Präparate zu stehlen, die er anschließend seinen Opfern annähte? Sie blickte zu Florian, dessen Aufmerksamkeit in weite Ferne zu schweifen schien. Er dachte nach. Julia bewunderte Florian für seine Fähigkeiten, sich sowohl in den Täter als auch in das Opfer hineinzuversetzen. »Nehmen wir einmal an, er wollte ihre Ohren als Trophäe behalten«, murmelte Florian nach einer Weile. »Vielleicht hatte er trotzdem das Bedürfnis, sie wieder zu vervollständigen.« Er kratzte sich am Kinn, wobei seine Augen immer noch auf einen Punkt in der Ferne gerichtet waren. »Womöglich wollte er sie bestrafen und hat sie ihr deshalb abgeschnitten.«

»Bestrafen?«, brummte Saathoff und runzelte die Stirn. »Sie war doch längst tot. Er hätte ihr auch die Gliedmaßen abhacken können. Es hätte keinen Unterschied mehr gemacht.«

»Für den Täter schon«, widersprach Florian. »Er hat weder am Tatort noch an der Leiche irgendwelche Spuren hinterlassen. Das bedeutet, dass er seine Tat sehr detailliert vorbereitet hat. Er plant mindestens seit ein paar Wochen. Der Einbruch in der Anatomie ist schließlich bereits zwei Wochen her. Er wollte ihr die Ohren abschneiden und dafür hatte er gute Gründe. Genauso hatte er von Anfang an vor, ihr neue Ohren anzunähen.«

»Es könnte irgendetwas mit dem Geschlecht zu tun haben«, mutmaßte Julia. »Ich meine, warum musste er einer Frau ausgerechnet viel zu große Männerohren annähen? Ästhetisch betrachtet war das kein Meisterwerk.«

Florian sah sie an. »Gab es denn Präparate von Frauen im Katalog der Anatomie?«

Julia griff den Ordner und blätterte ihn durch. »Nein. Du hast recht. Hier ist nur das Paar, das verschwunden ist. Sieht so aus, als hätte er keine andere Wahl gehabt.«

Martin Saathoff hob die Hand. »Wenn ich *Ohren*

abschneiden in meine Suchmaschine eingebe, bekomme ich sehr treffende Ergebnisse.« Er machte eine Pause, bis er die volle Aufmerksamkeit von Florian und Julia hatte. Dann sprach er weiter: »Im Mittelalter wurden Dieben die Ohren abgehackt. War unser Opfer nicht eine Diebin?«

»Wow«, stieß Florian aus und sprang auf. »Damit könntest du richtigliegen. Bleibt nur noch offen, warum er ihr andere Ohren angenäht hat. Vielleicht wollte er die Tote wieder vervollständigen oder er fand die anderen Ohren aus irgendeinem Grund besser.«

Im selben Augenblick klingelte das Telefon. Florian fuhr herum und hob ab. Seine Miene erstarrte.

»Es wurde eine neue Leiche gefunden«, sagte er, nachdem er aufgelegt hatte. »Der Polizist meint, dem Opfer seien die Hände abgetrennt worden.«

11

»Sie hatten wirklich riesiges Glück!«, zischte der Oberarzt ihr so leise ins Ohr, dass es sonst niemand hören konnte.

Teresa nickte betroffen und versuchte zu lächeln, als ihr klar wurde, dass der Patient sie erwartungsvoll anblickte. Herr Wagner lag inzwischen wieder auf seiner Station, und sie konnte heilfroh sein, dass er überlebt hatte.

»Wie fühlen Sie sich heute, Herr Wagner?«, fragte sie und wunderte sich über ihre eigene Stimme, die erstaunlich fest klang. Dabei vibrierte jede einzelne Faser ihres Körpers. Ihr war schwindlig und sie fühlte sich vollkommen ausgelaugt.

»Es geht mir bestens, Frau Doktor.« Der Patient lächelte matt, aber sichtlich zufrieden. »Danke, dass Sie mir das Leben gerettet haben. Wer hätte gedacht, dass da ein fetter Tumor in meinem Magen saß.«

Teresa brachte kein Wort hervor. Der Oberarzt schwieg

ebenfalls. Was hätten sie auch sagen sollen? Dass Teresa den Patienten fast ins Jenseits befördert hätte? Ohne die schnelle und exzellente Notoperation durch den leitenden Oberarzt läge Herr Wagner jetzt keinesfalls hier, sondern mehr als einen Meter tief unter der Erde. Vom Tod hatten diesen Mann bloß wenige Minuten getrennt. Teresa biss sich auf die Zunge und nahm dem Patienten schweigend die Vitalwerte ab, während der Oberarzt dessen Bauch abtastete und die OP-Naht prüfte.

»Wir behalten Sie zur Sicherheit noch ein paar Tage hier. Ich bin froh, dass Sie sich so zügig erholen.« Der Oberarzt setzte ein professionelles Lächeln auf, winkte Teresa mit sich und schritt eilig aus dem Zimmer. Auf dem Flur blieb er stehen und blickte sie streng an.

»Liebe Frau Kollegin, das ist jetzt der dritte oder vierte Fehler in kürzester Zeit. Ich hoffe doch sehr, dass Sie sich fangen und in Zukunft gründlich nachdenken, bevor Sie handeln.«

Teresa öffnete den Mund, um zu protestieren. Schließlich war Herr Wagner überhaupt nicht ihr Patient gewesen und sie war nur der Kollegin von der Nachbarstation zu Hilfe geeilt. Aber die Miene des Oberarztes duldete keinen Widerspruch. Sie war diejenige, die bereits viel länger im Krankenhaus arbeitete und sich deshalb auch nicht hinter einer unerfahrenen Stationsärztin verstecken durfte. Der Pieper des Oberarztes ging los. Eilig wandte er sich ab und stürmte davon. Teresa atmete auf. Zwar musste sie die Visite jetzt allein erledigen, aber wenigstens blieb ihr eine weitere Predigt erspart. Sie schlurfte ins Arztzimmer und setzte sich auf einen unbequemen Plastikstuhl, der ihr in den Rücken drückte. Erschöpft schnappte sie nach Luft. Im Grunde genommen hatte sie es nicht anders verdient. Sie wollte immer Ärztin werden und hatte sich ihren Platz in diesem Krankenhaus hart erkämpft. Doch es fiel ihr schwer, mit dem Tempo und der Qualifikation der Kollegen mitzuhalten. Sie griff sich den Stapel Patientenakten und ging ihn durch. Einige Patienten mussten neu eingestellt werden. Eine Frau mit zu hohem Blutdruck benötigte ein drittes Medikament, um die Werte in den Normbereich zu senken. Für einen anderen Patienten ordnete sie ein MRT an. Den nächsten wollte sie auf eine Überwachungsstation verlegen. Aber als sie auf der Inter-Mediate-Care anrief, erfuhr sie, dass dort kein Bett mehr frei war. Also musste sie die Überwachung selbst übernehmen. Teresa stöhnte, denn das bedeutete zusätzliche Arbeit. Hoffentlich unterlief ihr in dem Stress nicht der nächste Fehler. Mit einem Klumpen im Magen dachte sie an das letzte Krankenhaus, in dem sie tätig gewesen war. Sie hatte vielen Patienten geholfen, dennoch war nicht alles reibungslos verlaufen. Teresa erhob sich und beschloss, die Visite mit dem überwachungsbedürftigen Patienten fortzusetzen. Unterdessen rankten sich ihre Gedanken um ihren alten Arbeitgeber, der sie letztendlich sang- und klanglos vor die Tür gesetzt hatte. Und das nach all den Überstunden und Entbehrungen, die sie mehr als drei Jahre über sich hatte ergehen lassen. Kein Wort des Dankes, geschweige denn Lob für ihren Einsatz. Nichts. Ein kurzes Telefonat mit der Personalabteilung. Ein unpersönliches Kündigungsschreiben und der leere Blick ihres damaligen Chefs.

Teresa öffnete das Patientenzimmer und wischte die unschönen Erinnerungen beiseite. Dieses Mal würde alles anders werden.

»Guten Morgen, Herr Krämer, wie geht es Ihnen?«, fragte sie schwungvoll und legte die Patientenakte am Fußende des Bettes ab.

Der alte Mann reagierte nicht. Sein Atem ging flach. Die Lider flatterten. Sofort war Teresa bei ihm und fühlte seinen Puls. Anschließend hörte sie die Lunge ab und erschrak. Es blubberte unnatürlich bei jedem Atemzug. Die Pulsfrequenz schoss in die Höhe. Teresa griff zum Telefon und rief Hilfe herbei. Sie wollte unbedingt alles richtig machen. Noch bevor der Kollege erschien, spritzte sie dem Patienten Medikamente zur Stabilisierung. Endlich kam der Arzt herbeigeeilt. Teresa berichtete im Stakkato, was sie unternommen hatte, und erntete einen zustimmenden Blick.

»Ich übernehme den Patienten. Gut gemacht«, lobte sie der Kollege und holte zwei Pfleger.

Teresa sah mit klopfendem Herzen dabei zu, wie der alte Mann abtransportiert wurde. Sie atmete erleichtert auf. Es funktionierte also doch! Sie hüpfte beinahe ins nächste Patientenzimmer und fühlte sich so gut wie schon lange nicht mehr.

12

Über Köln hatte sich die Nacht gesenkt. Regen prasselte gegen die Scheiben von Florians Wagen. Die Scheibenwischer quietschten und fuhren immer schneller über das Glas. Julia fröstelte, obwohl die Heizung aufgedreht war. Sie hatte keine Ahnung, was sie gleich erwarten würde. Sie wusste lediglich, dass ein gewisser Nils Deuss von seiner Ehefrau tot im gemeinsamen Schlafzimmer aufgefunden worden war. Gedankenverloren starrte sie hinaus und sah, wie die Lichter der Stadt vorbeiflogen. Martin Saathoff, der auf der Rücksitzbank Platz genommen hatte, nieste lautstark. Kein Wunder bei der Kälte und dem nassen Wetter. Julia wünschte sich, dass es schneite und die Stadt in klarem Weiß erstrahlte. Aber dieses Phänomen trat im Rheinland nur äußerst selten ein. Stattdessen mussten die Bewohner das unangenehme Schmuddelwetter ertragen und darauf hoffen, dass der Winter bald vorüberging.

Florian fuhr um eine Kurve und bog in ein Wohngebiet ein. Das flackernde Blaulicht der Polizei spiegelte sich tausendfach in den Regentropfen auf der Frontscheibe und wies ihnen den Weg. Florian steuerte direkt auf eine Polizistin zu, kurbelte das Seitenfenster hinunter und hielt ihr seinen Dienstausweis hin. Die etwas korpulente Frau nickte und entfernte die Absperrung.

»Dort hinten können Sie parken. Sie müssen zur Hausnummer fünf in den dritten Stock.«

Schweigend fuhren sie weiter und stiegen vor dem Haus aus. Sie rannten mit über den Kopf gehaltenen Händen zum Hauseingang, um dem platschenden Regen zu entkommen. Julia trat in eine Pfütze und fluchte leise, als sie spürte, wie das eisige Wasser ihre Socken tränkte. Als sie endlich im Hausflur stand, klopfte sie die Wassertropfen vom Mantel und eilte Florian und Martin Saathoff hinterher.

In der dritten Etage tummelten sich etliche Polizisten und auch die Spurensicherung war bereits eingetroffen. Blitzlicht schoss im Sekundentakt aus der Wohnung hinaus in den Treppenflur. Ein junger Polizist lehnte mit blassem Gesicht neben der Eingangstür und nickte matt, als Florian ihn grüßte.

»So etwas Schlimmes habe ich noch nie gesehen«, keuchte er sichtlich mitgenommen. »Ich verstehe gar nicht, wie Sie das in der Kripo aushalten.«

Florian lächelte dem jungen Mann aufmunternd zu. »Man gewöhnt sich an alles. Selbst an die schrecklichsten Grausamkeiten, zu denen Menschen fähig sind. Am Ende ist es nur eine Frage der Zeit. Gehen Sie am besten nach draußen und schnappen Sie frische Luft.«

Der Polizist nickte und stieg die Stufen hinab, während sie die Wohnung betraten. Alle Türen standen offen. Links befanden sich das Badezimmer und die Küche. Rechts das Wohnzimmer und geradeaus, dort wo die Blitzlichter herkamen, musste das Schlafzimmer sein. Trotz der vielen herumwirbelnden Menschen hing ein metallischer Geruch in der Luft. Blut.

Julia erblickte den toten Mann auf dem Bett. Der etwa Dreißigjährige lag auf dem Rücken und hatte die Arme zu beiden Seiten ausgestreckt, sodass er Julia an ein menschliches Kreuz erinnerte. Die Beine waren an den Knöcheln mit Kabelbindern fixiert. Auf dem nackten Oberkörper erkannte Julia Striemen von einer vorangegangenen Fesselung. Die Augen des Mannes waren weit aufgerissen. Die stumpfen Pupillen starrten einen Punkt an der Decke an. Die Zungenspitze steckte zwischen den leicht geöffneten Lippen und am Hals fanden sich mehrere Würgemale. Doch der schlimmste Anblick waren die Hände. Julia konnte ihren Blick kaum losreißen. Ähnlich wie beim vorherigen Opfer die Ohren, waren dem Mann die eigenen Hände abgetrennt und durch fremde, viel kleinere ersetzt worden. Julia kannte diese Hände ganz genau. Ihr waren die zierlichen Finger im Katalog des anatomischen Institutes aufgefallen. Es handelte sich um zwei wunderbar präparierte Kinderhände.

Julia schluckte. Auch nach mehreren Jahren Berufserfahrung überforderte sie dieser Anblick für einige Sekunden. Sie hatten es definitiv mit demselben Täter zu tun. Die kleinen Hände waren stümperhaft mit dem gleichen blauen Faden, der beim ersten Opfer verwendet wurde, auf die viel zu großen Stümpfe aufgenäht worden. Ein hässlicher roter Rand aus Blut und zerfetztem Fleisch rankte um das Präparat herum. Julia widerstand dem Reflex, die Hände mit einer Schere von der Leiche zu trennen. Mit Mühe riss sie den Blick los und konzentrierte sich auf die anderen Körperteile des Leichnams. Dieses Mal wusste sie, wonach sie suchen musste. Der Tote trug keine Schuhe. Sie nahm sich den rechten Fuß vor und leuchtete mit ihrer Taschenlampe in den Zwischenraum der ersten beiden Zehen. Drei dunkelrot verfärbte Einstiche lieferten ihr höchstwahrscheinlich die Todesursache.

»Ich muss es noch vom Labor überprüfen lassen, aber es sieht ganz danach aus, als hätte der Täter erneut mit Insulin zugeschlagen«, verkündete sie und blickte sich um.

Florian und Martin Saathoff standen mit verzogener Miene am Bett. Ihre Augen waren starr auf die Hände des Leichnams gerichtet.

»Jetzt verstehe ich, warum dem Polizisten da draußen übel war«, brummte Saathoff und kniff die Lippen zusammen. »So ein verdammter Mistkerl.«

»Ich begreife immer noch nicht, weshalb er das tut«, sagte Florian. »Wieso trennt er Körperteile ab und ersetzt sie gleich wieder?« Er fuhr sich durch das blonde Haar, ohne den Blick von den Kinderhänden zu nehmen. »Denken wir einmal an Jana Petersmann, das erste Opfer. Sie war eine Diebin. Er schneidet ihr die Ohren ab. So weit, so gut. Doch warum näht er ihr neue an?«

Martin Saathoff zuckte mit den Achseln. »Und was haben die abgetrennten Hände zu bedeuten? Soweit ich mich erinnere, wurden Dieben früher auch die Hände abgehackt. Ist dieser Mann dort also ebenfalls ein Dieb?«

Julia ließ den Fuß der Leiche auf das Laken zurückgleiten und richtete sich auf. »Das kann man so nicht sagen. In vergangenen Zeiten wurden in fast allen Kulturkreisen sogenannte Spiegelstrafen durchgeführt. Die Bestrafung erfolgte an dem Körperteil, mit dem die Strafe begangen wurde. Gestohlen wird üblicherweise mit den Händen, demzufolge wurden sie abgehackt. Auf die Ohren ist man früher bloß ausgewichen, damit die Arbeitskraft nicht geschädigt wird. Es gibt zahlreiche andere Straftaten, die mit den Händen ausgeführt werden. Es muss nicht unbedingt Diebstahl sein.«

Martin Saathoff sah Julia nachdenklich an. »Da die Hände immer im Spiel sind, kann es vom simplen Fälschen bis hin zum Mord alles sein. Vermutlich liegen wir mit dem Motiv völlig daneben.«

Florian seufzte. »Spekulieren nützt nichts. Wir müssen dringend mit Nicole Deuss, der Frau des Toten, sprechen. Sie hat ihn gefunden. Was sagst du zu den Würgemalen am Hals? Das erste Opfer schien gänzlich unversehrt. Hier hat der Täter aber offensichtlich Gewalt angewendet.«

Julia nahm die Würgemale unter die Lupe. Sie waren oberflächlich und hatten die darunter liegenden Hautschichten kaum verletzt. Der Täter hatte vermutlich ein Tuch oder einen Schal benutzt. Ein Seil wäre tiefer eingedrungen und hätte ein Zopfmuster auf der Haut hinterlassen. Sie zupfte an einem Augenlid des Toten, fand jedoch darunter keine Einblutungen.

»Er wurde gewürgt, ist aber nicht daran gestorben.« Sie

deutete auf die Unterarme, die weder Kratzer noch sonstige Verletzungen aufwiesen. »Auch er scheint sich nicht gegen seinen Mörder gewehrt zu haben. Ich gehe davon aus, dass er ebenfalls betäubt wurde.«

»An der Wohnungstür waren keine Einbruchspuren. Er hat seinem Mörder die Tür geöffnet. Wir müssen herausfinden, ob sich Opfer und Täter kannten.« Florian wandte sich ab und ging ins Wohnzimmer. Julia und Martin Saathoff folgten ihm.

Eine magere Frau mit einem zugeschwollenen Auge und einer aufgeplatzten Lippe kauerte zusammengesunken auf einem Sessel. In der Hand steckte ein zerknittertes Papiertaschentuch. Tränen tropften von ihren Wangen auf den ausgeblichenen Pullover.

»Guten Abend, Frau Deuss, es tut mir sehr leid«, begann Florian das Gespräch vorsichtig, wobei er sich neben sie hockte. »Mein Name ist Florian Kessler und das ist mein Partner Martin Saathoff. Wir führen die Ermittlungen durch. Doktor Schwarz ist Rechtsmedizinerin und unterstützt uns.«

Nicole Deuss blickte kurz auf, dann wurden ihre Augen wieder leer und füllten sich augenblicklich mit Tränen. Julia setzte sich mit Martin Saathoff auf die Couch.

»Ich habe ihn auf dem Bett gefunden, als ich aus dem Krankenhaus kam«, schluchzte sie unvermittelt und hatte dabei sichtliche Schwierigkeiten beim Atmen. Julia erhob sich und ging um den Wohnzimmertisch herum. Sie legte der Frau sanft die Hände auf die Schultern. »Versuchen Sie, möglichst gerade zu sitzen. Dann bekommen Sie leichter Luft.« Julia fuhr mit dem Finger über den Rücken von Nicole Deuss und ertastete einen Verband. »Haben Sie sich eine Rippe gebrochen?«

Nicole Deuss nickte. »Ja, aber es ist gar nicht so schlimm. Tut nur ein bisschen weh. Nils hat das nicht mit Absicht gemacht.« Sie knetete das Taschentuch in ihrer Hand. »Er verliert manchmal einfach die Nerven. Das habe ich im Krankenhaus auch schon der Polizistin erklärt. Ich möchte keine Anzeige erstatten und Nils damit in Schwierigkeiten bringen. Wir sind schließlich verheiratet.« Ihr Blick wanderte zur Tür und sie schluchzte laut. »Wir *waren* verheiratet«, fügte sie zitternd hinzu.

Für einen Augenblick sagte niemand etwas. Florians Miene blieb neutral, doch Julia ahnte, was ihm durch den Kopf ging. Dieser Mistkerl von Nils Deuss hatte seine Frau krankenhausreif geschlagen.

»Wann sind Sie nach Hause gekommen?«, fragte Florian.

»Gegen sechs Uhr abends. Die Entlassung aus dem Krankenhaus hat leider so lange gedauert. Ich wollte unbedingt noch Abendessen für Nils machen. Er isst nicht gerne spät und eigentlich hätte es um sechs auf dem Tisch stehen müssen. Ich hatte schon Sorge, er würde wieder böse werden. Aber als ich in die Wohnung kam, war es merkwürdig still, und dann habe ich diesen abscheulichen Geruch bemerkt.« Sie hielt kurz inne und leckte sich über die Lippen. »Ich bin gleich ins Schlafzimmer. Er lag einfach da und rührte sich nicht. Ich habe sofort gesehen, dass er tot ist.« Sie schluchzte abermals und wischte ein paar Tränen weg. »Wissen Sie, wir waren sehr glücklich miteinander, auch wenn es für Außenstehende vielleicht nicht so aussieht. Ich weiß gar nicht, was ich jetzt machen soll. Wie soll ich denn ohne Nils klarkommen?«

»Wir sorgen dafür, dass Sie Hilfe bekommen«, versprach Florian. »Sie können uns helfen, denjenigen zu finden, der Ihrem Mann das angetan hat. Darf ich Ihnen noch weitere Fragen stellen?«

Nicole Deuss nickte entschlossen. »Ich will, dass Sie diesen Drecksack fassen und für immer ins Gefängnis werfen.«

»Wir geben unser Bestes«, erwiderte Florian. »Wann hatten Sie zuletzt Kontakt zu Ihrem Mann?«

Erneut liefen Tränen über Nicole Deuss' Wangen. »Als er mich ins Krankenhaus gebracht hat. Danach nicht mehr«, jammerte sie, wobei ein Hauch von Bitterkeit in ihrer Stimme lag. »Er hat sich nicht wieder blicken lassen. An sein Handy ist er auch nicht gegangen. Ich habe die Ärzte gebeten, mich vorzeitig zu entlassen, weil ich dachte, er wäre sauer. Er sagt immer zu mir, ich wäre eine Mimose und würde maßlos übertreiben. Ein paar blaue Flecke hätten noch niemanden umgebracht.«

Julia hielt den Atem an, um nicht zu schreien. Sie hatte schon mit vielen Gewaltopfern zu tun gehabt, doch die Unterwürfigkeit von Nicole Deuss erschien ihr unübertroffen. Wie konnte sich eine Frau nur derartig mies behandeln lassen? Julia hasste sich für diesen Gedanken, aber sie war beinahe froh, dass der Mistkerl tot auf dem Bett lag. Jetzt hatte diese Frau wenigstens die Chance auf ein gewaltfreies Leben.

»Ist Ihnen in letzter Zeit etwas Ungewöhnliches an

Ihrem Mann aufgefallen? War er vielleicht ruhiger oder auch aggressiver als sonst?«, fragte Florian.

Nicole Deuss zuckte mit der Schulter. »Ich weiß nicht. Er war seit ein paar Wochen arbeitslos und das Rumsitzen tat ihm nicht gut.«

»Hatte er Streit mit Ihnen oder Bekannten?«

Unwillkürlich fuhr Nicole Deuss mit der Hand hinauf zu ihrem geschwollenen Auge. »Er war sauer auf mich, weil er glaubte, ich hätte etwas im Internet eingekauft. Wir wollten sparen, solange er nicht arbeitet. Ansonsten hatte er mit seinem besten Freund Zoff. Jörg hatte ihm Geld geliehen und Nils konnte es nicht zurückzahlen. Es waren zweitausend Euro.«

Florian pfiff durch die Zähne. »Das ist eine Menge Geld.«

Nicole Deuss nickte. »Er hat es für sein Auto gebraucht. Hat den Motor aufgemotzt. Er liebte das Ding und meinte, er könnte es für sehr viel mehr Geld verkaufen.«

Florian ließ sich die Kontaktdaten von Deuss' Freund, Jörg Kannen, geben.

»Ist Ihnen sonst noch etwas aufgefallen?«

»Nein.« Nicole Deuss presste die Lippen aufeinander und unterdrückte einen erneuten Schluchzer.

Florian reichte ihr seine Visitenkarte. »Rufen Sie mich an, falls Sie etwas brauchen oder Ihnen noch etwas Wichtiges in den Sinn kommt.« Er erhob sich.

Julia stand ebenfalls auf. »Soll ich Sie ins Krankenhaus zurückfahren? Ich kann mit der Stationsleitung sprechen. Ihre Verletzung sollte überwacht werden und in Ihrer

Wohnung möchten Sie im Moment bestimmt nicht bleiben. Die Spurensicherung ist noch ein paar Stunden beschäftigt und es ist schon spät.«

Nicole Deuss starrte Julia an, als entstamme sie einem anderen Planeten. Doch dann nickte sie. Julia ging voraus in den Flur. Eine blonde Polizistin kam ihr entgegen.

»Sind Sie die Rechtsmedizinerin?«

»Ja, die bin ich.«

»Wir haben in der Küche ein Paket gefunden, das sollten Sie sich anschauen.«

Julia bat Nicole Deuss um einen Augenblick Geduld und folgte der Polizistin. Auf dem Küchentisch lag ein kleines graues Päckchen. Daneben eine dunkelblaue Plastikbox. Julia erfasste den Inhalt sofort.

»Das gibt es doch nicht«, stieß sie überrascht aus und griff kurz an die Brille. Es gab keinen Zweifel. In der Box befanden sich zwei menschliche Ohren. Sie verströmten die süßliche Note von Verwesung. An den Rändern klebte Blut. Die Haut wirkte gräulich. Offenbar hatte der Täter sich keine Mühe gegeben, die Ohren zu kühlen oder zu konservieren. Ihre Größe ließ nur einen Schluss zu. Sie gehörten einer Frau und mit hoher Wahrscheinlichkeit stammten sie vom ersten Opfer Jana Petersmann. Ein DNS-Test würde Sicherheit geben. Julia fuhr herum und winkte Florian heran, der noch im Eingang stand.

»Wir haben die Ohren von Jana Petersmann«, erklärte sie und betrachtete das Paket genauer. Es klebte ein Etikett darauf, das an Nils Deuss adressiert war. Der Absender fehlte und auch eine Briefmarke oder Trackingnummer.

»Ich denke, ich weiß, wie der Täter Nils Deuss dazu

gebracht hat, die Wohnungstür zu öffnen«, sagte Julia und deutete auf das Etikett. »Er hat dieses Paket persönlich vorbeigebracht.«

»Das wäre gut. Dann taucht der Mistkerl hoffentlich auf einer Überwachungskamera auf. Ich lasse das gleich mal überprüfen.« Florian bat die Polizistin, die Julia in die Küche gebeten hatte, sich nach Kameras vor dem Haus oder auf dem Parkplatz umzusehen. Gegenüber dem Wohnblock befand sich jedenfalls ein kleiner Supermarkt. Vielleicht hatten sie dort Glück.

Florian lief in der schmalen Küche auf und ab. Auf seiner Stirn hatte sich eine Falte über der Nasenwurzel gebildet. Er überlegte angestrengt. Saathoff hatte sich ebenfalls zu ihnen gesellt.

»Was für ein kranker Mistkerl ist das bloß?«, fluchte er und rümpfte die Nase. »Die Dinger stinken fürchterlich. Ich dachte, es wären seine Trophäen, und jetzt finden wir heraus, dass er sie einfach in eine Plastikdose steckt und seinem nächsten Opfer schickt.«

»Das passt alles nicht zusammen«, pflichtete Florian ihm bei. »Nehmen wir an, der Täter übergibt das Paket persönlich. Wie ist er dann in die Wohnung gelangt? Normalerweise hätte Nils Deuss ihm das Päckchen abgenommen, die Tür geschlossen und es dann geöffnet. Der Täter hätte keine Möglichkeit gehabt, einzudringen - jedenfalls nicht, ohne Spuren zu hinterlassen.«

»Ich war dabei, als das Paket ankam«, sagte Nicole Deuss plötzlich, und alle drehten sich erschrocken um. Niemand hatte bemerkt, dass sie in der Küchentür stand und sie beobachtete. Julia fragte sich, ob sie den Inhalt der

Box gesehen hatte. Ihre Gesichtszüge wirkten jedoch entspannt. Offenbar hatte sie keine Ahnung.

»Ich war hier und habe gekocht. Es hat an der Tür geklingelt und Nils hat aufgemacht. Gleich danach ist er mit dem Paket hereingestürmt und wir haben gestritten. Er dachte, ich hätte etwas bestellt, und wurde wütend. So wütend, dass ... na ja ... er hat zugeschlagen und mich ins Krankenhaus gebracht. Das Paket lag noch ungeöffnet auf dem Küchentisch.« Nicole Deuss redete nicht weiter und starrte stattdessen ihre Fußspitzen an.

»Ich verstehe«, sagte Florian nach einer Weile und stellte sich vor die blaue Box, damit Nicole Deuss den Inhalt nicht sah. »Können Sie noch ungefähr sagen, um wie viel Uhr es geklingelt hat?«

»So ziemlich genau halb sechs abends. Ich hatte gerade angefangen, Essen zu kochen, da wurde das Paket abgegeben.«

»Danke für die vielen Informationen«, sagte Florian und schob Nicole Deuss aus der Küche. »Wir fahren Sie jetzt ins Krankenhaus.« Er sah Martin Saathoff um. »Kommst du mit?«

Saathoff schüttelte den Kopf. »Nein, danke. Ich nehme den Bus. Dann bin ich schneller zu Hause.«

Unterwegs telefonierte Julia mit dem diensthabenden Arzt. Es war kein Problem, Nicole Deuss wieder auf der Station aufzunehmen. Sie setzten sie am Eingang des Krankenhauses ab und sahen zu, wie sie durch die Drehtür verschwand.

»Willst du nach Hause?«, fragte Florian und strich Julia über die Schulter.

»Nein«, antwortete sie. »Ich brauche nach diesem fürchterlichen Tag jetzt ein Glas Rotwein und vielleicht etwas Pasta dazu.«

Florian lächelte. »Ich hatte gerade denselben Gedanken. Wir sollten versuchen, ein wenig Abstand zu gewinnen. Lass uns zu Gallo fahren. Die haben bestimmt noch einen Tisch für uns frei.«

Zwanzig Minuten später betraten sie den kleinen Italiener im Herzen von Köln. Es roch nach einer würzigen Mischung aus Knoblauch und Pesto. Julias Magen knurrte erwartungsvoll.

Florian bestellte einen Chianti für sie beide und prostete ihr zu, während sie die Speisekarte studierte.

»Auf uns«, sagte er und lächelte verführerisch. Im Schein der Kerzen wirkten seine blauen Augen wie tiefe Seen und seine blonden Haare leuchteten im Kontrast dazu. Julia erhob ihr Glas.

»Soll ich heute wieder mal bei dir übernachten?«, fragte sie und spürte die Hitze in sich aufsteigen. Normalerweise war sie nicht so direkt und wartete ab, bis Florian sie einlud. Doch er schien sich über ihren Vorschlag zu freuen. Er strahlte sie an und verschlang sie beinahe mit seinem Blick.

»In meiner Wohnung liegt alles, was du für die Nacht brauchst, bereit.« Er grinste frech und legte seine Hand auf ihre. »Du weißt ja, wenn du dieses durchsichtige Nachthemd trägst, kann ich dir nicht widerstehen.«

Julia schob spielerisch seine Hand beiseite und griff nach ihrem Weinglas. Florian hatte ihr unlängst ein Nachthemd und eine Zahnbürste geschenkt, damit sie immer bei ihm übernachten konnte, ohne ihre eigenen Sachen mitzunehmen. Ein bisschen war sie sozusagen bei ihm eingezogen. Sie sah ihn an und bewunderte seine sportliche Figur. Warum wollte dieser wunderbare Mann eigentlich mit einer Rechtsmedizinerin wie ihr zusammen sein? Wenn sie abends heimkam, roch sie nach Tod – oder zumindest nach Desinfektionsmittel. Sie versank in seinem liebevollen, ehrlichen Blick. Sie würde es wohl nie herausfinden, aber vielleicht war das ja auch gar nicht nötig. Sie würde sich an die Worte ihres Vaters halten müssen. Ulrich Schwarz hatte stets einen Satz für sie übrig, sobald sie mit ihm über Florian sprach: Schöne Gefühle kann man nicht erklären. Man sollte sie so nehmen, wie sie sind, und sie hegen und pflegen, damit sie stärker werden und nicht beim ersten Sturm verwehen. Julia hatte eine Ewigkeit mit diesen Worten gehadert. Ihr Vertrauen war schon einmal schwer missbraucht worden. Doch je länger sie mit Florian zusammen war, desto eher sah es danach aus, als ob sie mit ihm einen Volltreffer gelandet hätte.

»Ich nehme ein Stück Lasagne«, verkündete sie und schob die Karte zur Seite.

»Ich brauche nach diesem langen Tag etwas Kräftiges. Ich esse ein Steak«, entschied sich Florian und winkte den Kellner herbei.

Nachdem er bestellt hatte, erhob er sich. »Ich muss mal zur Toilette. Lauf nicht weg.«

»Bestimmt nicht.« Julia lächelte, während Florian das Restaurant durchquerte und am anderen Ende verschwand. Sie ließ ihren Blick über die Gäste schweifen.

Die meisten von ihnen wirkten entspannt und gut gelaunt. Gleich neben ihr saß ein Pärchen – beide vermutlich um die siebzig –, und sie fragte sich unwillkürlich, ob sie mit Florian in diesem Alter auch noch so glücklich sein könnte. Die Vorstellung gefiel ihr. Sie hing diesem Gedanken nach, als sich die Tür öffnete und ein junges Paar eng umschlungen das Restaurant betrat. Verliebt schauten sie einander an, während eine Kellnerin einen freien Tisch für sie suchte. Julia betrachtete den schlanken Mann, der ihr den Rücken zugewandt hatte. Er war höchstens fünfundzwanzig. Seine Freundin, ebenfalls gertenschlank, hatte lange dunkle Haare und trug trotz der Kälte ein kurzes Kleid, das ihre wohlgeformten Beine zur Geltung brachte. Die Kellnerin winkte das Paar in Julias Richtung zu einem Tisch in einer Wandnische, einige Meter entfernt. Der Mann drehte sich um und im gleichen Augenblick erstarrte Julia. Ohne dass sie eine bewusste Entscheidung traf, zog sie das Handy aus der Tasche und machte unauffällig ein Foto. Schockiert sah sie, wie der Mann sich zu der Frau hinunterbeugte und sie auf die Lippen küsste, bevor sie sich setzten. Von ihrer Umgebung nahmen beide nichts wahr. Der junge Mann bemerkte Julia nicht. Er hatte nur Augen für seine Freundin.

»Ist was passiert?«, fragte Florian.

Julia hatte gar nicht mitbekommen, dass er zurückgekehrt war und bereits wieder am Tisch saß. Verwirrt schaute sie ihn an.

»Ich glaube, am Tisch da drüben sitzt Lenjas Freund. Allerdings mit einer anderen.«

13

Zwei Jahre zuvor

Anne fühlte die Gleichgültigkeit, die ihr die Tabletten verschafften. Die Wirkung würde nicht sonderlich lange andauern, weil sie auf eine niedrige Dosis bestanden hatte. Immerhin verschwanden so ihre Ängste für eine gewisse Zeit. Allerdings spürte sie dann kaum noch etwas, denn auch sämtliche positiven Gefühle schienen wie ausgelöscht. Die Tage zogen an ihr vorüber. Einer nach dem anderen. Ihr Mann und ihr gesamtes Umfeld behandelten sie wie ein rohes Ei. Selbst Dr. Reuscher, ihr Therapeut, nickte viel häufiger, als er müsste. Im Gegensatz zu allen anderen Menschen, die um sie herumwuselten, half er ihr. Bei ihm konnte sie sich öffnen. Er verlangte nicht von ihr, die Sache zu vergessen. Eine Vergewaltigung konnte man schließlich nicht so einfach verdrängen. Jeden verdammten Tag erinnerte sie sich an die schrecklichen Momente. Die Erinnerungen schossen urplötzlich in ihr hoch. Manchmal wurden sie durch ein bestimmtes Geräusch ausgelöst. Ein Husten oder ein Knirschen. Es konnte auch eine Person sein. Ein Mann, der dem Täter, Frank Laganis, ähnlich sah oder eine Stimme, die nach ihm klang. In diesen Sekunden spürte sie dieselbe Panik wie in der Nacht, als es passiert war. Sie reiste durch die Zeit zurück und durchlebte alles von Neuem. Dann halfen selbst die Tabletten nicht. Aber seit sie zu Dr. Reuscher ging, konnte sie mit diesen Flashbacks, wie er sie nannte, besser umgehen. Sie hatte gelernt, ihren Atem zu kontrollieren und damit auch ihre Angst. Anne holte automatisch tief Luft.

»Alles in Ordnung mit dir?«

Sie hatte ihren Mann gar nicht bemerkt. Er lag neben ihr im Bett mit einer Zeitschrift in den Händen. Sie hatte den Fernseher eingeschaltet, jedoch überhaupt nicht hingeguckt. Anne war vollkommen mit ihren Gedanken beschäftigt gewesen. Jetzt fiel ihr wieder ein, dass heute Freitag war. Ein Tag, den sie nicht mehr mochte. Früher hatte sie darauf hingefiebert, doch nun graute es ihr davor. Manchmal hatte sie regelrecht Angst vor dem Beginn des Wochenendes und der vielen Zeit, die sie mit ihrem Mann verbringen musste. Zeit, in der er sie ansah mit diesem Funkeln in den Augen. Zeit, in der er ihr nahe sein wollte, während sie sich am liebsten in einen dicken Wattekokon verkriechen würde. Oft, zu oft, gab sie seinen Bedürfnissen nach. Aber damit sollte ab sofort Schluss sein.

Anne blickte zu ihm hinüber. Er lächelte ein wenig

schmallippig. Sie sog hastig die Luft ein und sammelte sich.

»Doktor Reuscher hat gesagt, wir müssen unsere Wochenendroutine für eine Weile unterbrechen«, begann sie vorsichtig.

Die Miene ihres Mannes verzog sich leicht. »Was genau meinst du, Schatz?«

»Ich brauche meinen Freiraum ... mehr Freiraum ... damit ich wieder ich selbst sein kann.« Ihr brach die Stimme und sie wandte den Blick ab.

»Ich dachte, es würde dir inzwischen besser gehen«, murmelte er enttäuscht. »Sollen wir unseren Ausflug morgen absagen? Ich kann das sofort machen.«

»Nein. Nein. So meinte ich es nicht. Ich meinte die andere Sache. Die ... du weißt schon.« Sie brachte es nicht fertig, es auszusprechen. Sie wollte über den Freitagabend-Sex reden, der nahezu regelmäßig bei ihnen auf dem Programm stand. Seit Jahren zelebrierten sie mit ihm den Beginn des Wochenendes und Anne hatte sich dieses Ritual durch die Vergewaltigung eigentlich nicht zerstören lassen wollen. Dr. Reuscher hatte sie allerdings davon überzeugt, dass es im Augenblick wichtiger war, dass sie an sich selbst dachte.

Ihr Mann runzelte die Stirn und blickte sie durchdringend an. Dann schien er zu verstehen.

»Aber du hast doch gesagt, wir sollten uns so normal wie möglich verhalten.«

»Ja, das stimmt. Doktor Reuscher meint jedoch, es tut mir nicht gut.«

»Wir können gerne auf Sex verzichten. Wenn es dir

keinen Spaß macht, bin ich der Letzte, der dich zu irgendetwas zwingen würde.«

Anne sah die Enttäuschung in seinen Augen.

»Ich dachte, langsam wärst du wieder die Alte«, fügte er vorsichtig hinzu.

Sie schüttelte energisch den Kopf. »Du hast es immer noch nicht begriffen. Die alte Anne ist tot. Sie ist an dem Tag gestorben, als sie von einem Monster missbraucht wurde. Ich werde nie wieder die Anne sein, die ich einmal war!« Die Heftigkeit ihrer eigenen Worte erschreckte sie. Doch sie war froh, dass es endlich raus war.

Ihr Mann hob beschwichtigend die Hände. »In Ordnung, Anne. Du weißt, dass ich alles für dich tun würde, und wenn du Abstand brauchst und im Moment keine körperliche Nähe ertragen kannst, akzeptiere ich das natürlich.«

Verdammt! Er war so verflucht verständnisvoll und nett zu ihr, dass ihr glatt die Tränen in die Augen schossen. Einen Mann wie ihn hatte sie überhaupt nicht verdient. Sie sprang aus dem Bett und rannte zum Fenster. Sie öffnete es und spürte die eiskalte Winterluft auf der Haut. Am liebsten wäre sie zu einem Eisklumpen gefroren, dann hätte sie nicht ständig diese ganzen Gefühle in sich. Gefühle, die einfach aus dem Wattemantel der Medikamente auftauchten und mit denen sie nicht umgehen konnte.

»Danke«, hauchte sie erstickt und drehte sich um. »Ich arbeite an mir, wirklich.«

Ihr Mann nickte. »Ich weiß, Anne, und ich gebe dir alle

Zeit, die du brauchst. Wir bekommen das zusammen hin. Da habe ich keinen Zweifel.«

Sie wandte sich wieder ab und starrte aus dem Fenster. Ein Vogel pickte im ergrauten Gras des Vorgartens nach Essbarem. Kurz darauf hatte er genug und flog schimpfend über die niedrig geschnittene Hecke davon. Sie wohnten in einem großen Haus, aber Anne konnte diesen Luxus nicht mehr genießen. Sie blickte hinüber zu den Nachbarhäusern und fragte sich, ob sich fern von der Öffentlichkeit woanders ähnliche Tragödien hinter den Mauern abspielten. Der Mann auf der anderen Straßenseite, der sich lässig gegen die Laterne lehnte, fiel ihr erst auf, als sie das Fenster wieder schließen wollte. Der Lichtkegel erhellte sein Gesicht und Anne blinzelte erschrocken. Sie musste halluzinieren. Frank Laganis saß im Gefängnis. Er konnte nicht unter dieser Laterne stehen. Schnell knallte sie das Fenster zu und kroch kreidebleich zurück ins Bett.

14

Julia öffnete den Brustkorb des Leichnams und rutschte mit der Rippenschere ab.

»Mist«, fluchte sie leise und ignorierte Lenjas fragenden Blick. Normalerweise war sie die Ruhe selbst. Die Rippen eines Toten hatte sie mehr als hundertmal durchtrennt. So gut wie nie rutschte sie dabei ab. Doch Julia war nicht bei der Sache. Sie brachte es nicht einmal fertig, Lenja in die Augen zu sehen. Seit dem frühen Morgen überlegte sie, ob sie ihrer Assistentin von ihrem Besuch beim Italiener erzählen sollte oder lieber nicht. Ständig zweifelte sie, ob der junge Mann wirklich Marcel gewesen war. Andererseits hatte sogar Florian ihn erkannt. Es gab keinen Zweifel. Julias Wunschdenken überblendete die Realität. Sie wollte einfach nicht wahrhaben, dass Marcel fremdging. Sie kannte Lenjas Bedenken an der Beziehung. Untreue zählte jedoch nicht zu den Punkten, die sie auf dem Schirm hatte. Julia wollte ihr nicht wehtun, aber sie konnte sie auch nicht im

Unklaren lassen. Oder besser doch? Vielleicht handelte es sich bloß um einen riesengroßen Irrtum. Sie seufzte unwillkürlich und erntete einen neuen Blick von Lenja.

»Ist alles in Ordnung?«, fragte sie mit Falten auf der Stirn.

»Ich weiß nicht«, gab Julia zu und legte die Schere beiseite. Sie schüttelte den Kopf und wusste nicht, wo und ob sie überhaupt anfangen sollte. Sie beschloss, erst die Obduktion zu Ende zu führen, bevor sie mit Lenja sprach. In der Zeit konnte sie sich sammeln. Sie griff erneut zur Schere und durchtrennte die letzten Rippen.

»Ich befürchte, ich habe heute Morgen was Falsches gegessen«, log sie und versuchte zu lächeln. »Kannst du mir die Klemmen herüberreichen?«

Lenja schien ihre Notlüge zu glauben.

»Okay, ich fasse noch einmal fürs Protokoll zusammen«, fuhr sie fort und startete die Sprachaufnahme. »Der Verstorbene heißt Nils Deuss, einunddreißig Jahre alt, gebürtig in Köln, Größe eins vierundachtzig, Gewicht fünfundachtzig Kilogramm ...« Lenja betete die Daten herunter und holte dabei kaum Luft.

Julia hatte bereits damit begonnen, sich die Lungen anzuschauen. Der Mann hatte stark geraucht. Seine Lungen waren dunkel verfärbt und die Blutgefäße schwer in Mitleidenschaft gezogen. In spätestens zehn Jahren hätte Nils Deuss die ersten gesundheitlichen Probleme zu spüren bekommen. Sie schnitt die inneren Organe heraus, begutachtete sie, entnahm Proben und legte sie anschließend zurück in die Bauchhöhle.

»Kannst du Gewebe um die Einstichstelle entnehmen?

Ich will sichergehen, dass Nils Deuss ebenfalls mit einer Überdosis Insulin ermordet wurde.«

Lenja machte sich sofort an die Arbeit. Julia inspizierte unterdessen den Mageninhalt.

»Die letzte Mahlzeit war bereits ein paar Stunden her«, stellte sie fest und stocherte in den halb verdauten Fleischresten herum. »Sieht so aus, als hätte es mittags ein Schnitzel gegeben.« Julia sah auf den Kalender. »Ich schätze, dass Nils Deuss höchstens fünf Stunden nach der Einlieferung seiner Frau ins Krankenhaus starb. Vielleicht waren es auch nur drei. Der Täter hat jedenfalls nicht lange gefackelt.« Ihr Blick ging noch einmal zurück zu den Würgemalen am Hals. Julia fragte sich, wie diese zustande gekommen waren. Offenbar hatte sich das Opfer nicht gewehrt, da keine Abwehrverletzungen zu verzeichnen waren. Außerdem hatten sie unter den Fingernägeln keine fremden Hautpartikel gefunden, ähnlich wie bei Jana Petersmann. Julia ging davon aus, dass Nils Deuss betäubt worden war. Die Vorstellung, einen ohnmächtigen Mann zu würgen, fand sie trotzdem extrem befremdlich. Dies deutete auf sehr viel Wut und Zorn hin. Es könnte also eine Verbindung zwischen Täter und Opfer gegeben haben. Vielleicht wusste der Täter, dass Deuss seine Frau schlug. Womöglich hatte Nicole Deuss eine Affäre und es handelte sich um einen Racheakt an ihrem gewalttätigen Mann. Nicole Deuss konnte ihren Mann nicht getötet haben, denn sie lag zu diesem Zeitpunkt im Krankenhaus. Doch wie passte dieses Motiv zu dem Mord an Jana Petersmann? Julia hatte keine Antwort darauf. Zumindest noch nicht.

Sie beendete die innere Leichenschau und vernähte die Haut so präzise wie möglich. Es war ihr wichtig, dass die Toten ihre Würde bewahrten, auch wenn Nils Deuss offenkundig kein guter Mensch gewesen war.

»Wollen wir einen Kaffee trinken?«, fragte Julia, nachdem sie den Leichnam zurück ins Kühlfach gelegt hatten.

Lenja sah sie verwundert an. »Irgendetwas ist doch mit dir«, stellte sie fest. »Sag mir, was los ist, und spann mich nicht weiter auf die Folter. Ich werde hoffentlich nicht gefeuert?«

»Nein, natürlich nicht«, gab Julia zurück und bugsierte Lenja in ihr Büro. Sie bat ihre Sekretärin um Kaffee und rührte anschließend so lange in ihrer Kaffeetasse, bis die zwei Zuckerwürfel restlos aufgelöst waren. Kerstin Brandt sortierte schnell ein paar Unterlagen auf ihrem Schreibtisch. Erst als die Tür hinter ihr zuschlug, fing sie an zu reden.

»Ich weiß ehrlich gesagt nicht, ob es sich um ein Missverständnis handelt, aber ich muss dir etwas erzählen. Sei bitte nicht sauer auf mich. Ich tue das, weil du mir wirklich am Herzen liegst und ich sehr gerne mit dir zusammenarbeite. Ich will einfach nicht, dass dir jemand wehtut, indem er dich hintergeht.« Julia biss sich auf die Unterlippe. Lenjas Augen wurden immer größer. Rasch fuhr sie fort: »Ich war gestern Abend mit Florian bei unserem Lieblingsitaliener essen und habe diese Fotos geschossen. Wie gesagt, womöglich irre ich mich. Dann tut es mir leid.« Sie schob Lenja wortlos ihr Handy hin und beobachtete, wie ihre Assistentin über das Display wischte.

»Vielleicht ist es seine Schwester«, fügte Julia hinzu, obwohl sie es selbst nicht wirklich glaubte.

Lenja antwortete nicht sofort. Sie starrte auf das Handy, wobei ihre Zähne an der Unterlippe nagten.

»Marcel hat keine Schwester. Er hat mir erzählt, dass er gestern mit seinen Eltern zum Essen verabredet war«, stieß sie schließlich aus, ohne den Blick von den Fotos abzuwenden. »Sieht wohl nicht so aus, als wäre das auf den Bildern hier seine Mutter.«

»Es tut mir leid«, flüsterte Julia. Sie wusste nicht, was sie tun sollte. Vorsichtig legte sie Lenja eine Hand auf die Schulter. »Wenn du irgendetwas brauchst oder reden willst, dann komm zu mir.«

Lenja nickte. In ihren Augen standen Tränen, doch sie blinzelte sie weg. »Und ich dachte, Marcel hätte ein Alkoholproblem. Dabei hat er sich wohl betäuben müssen, um mit mir zusammen zu sein. Gott sei Dank sind wir noch nicht zusammengezogen. Das hätte ich wirklich nicht erwartet. Ich ...« Sie hielt inne und schnappte nach Luft. »Dieser Mistkerl! Wie kann er mich nur derartig hintergehen? Ich weiß nicht mal, wer diese Frau ist. Ich habe sie noch nie gesehen.« Lenja sprang auf. »Kannst du mir die Fotos bitte weiterleiten?«

»Natürlich.« Julia nahm das Handy und sandte Lenja die Aufnahmen. »Hör zu, Lenja. Wenn du willst, darfst du nach Hause gehen und die Sache erst einmal verarbeiten.«

Lenja starrte sie an. In ihren Augen stand eine Mischung aus Zorn, Entsetzen und Trauer. Schließlich nickte sie.

»Danke.« Sie stürmte aus Julias Büro, ohne sich noch einmal umzudrehen.

Julia blieb mit einem wahnsinnig schlechten Gewissen zurück. Vielleicht hätte sie einen besseren Zeitpunkt aussuchen sollen. Aber hätte das wirklich etwas verändert? Hätte Lenja die Nachricht am Abend anders aufgenommen? Vermutlich nicht. Julia wusste, was Untreue für eine Partnerschaft bedeutete. Sie selbst hatte solch eine Erfahrung mit ihrem Ex-Freund machen müssen. Ihre Beziehung hatte sich nie wieder davon erholt. Das Vertrauen war zerbrochen, und Julia hatte sich jedes Mal unbehaglich gefühlt, sobald Valentin etwas allein unternahm. Irgendwann hatte sie die Notbremse gezogen und Schluss gemacht. Zum Glück. Sonst wäre ihr Florian vielleicht überhaupt nicht aufgefallen. Auch wenn sich das Leben manchmal hart anfühlte, so hielt es doch trotzdem ein ums andere Mal positive Überraschungen bereit. Perspektiven, mit denen man vorher niemals gerechnet hätte.

Die Bürotür wurde aufgestoßen und Kerstin Brandt sah fragend herein.

»Entschuldigen Sie, ich habe nur gerade Lenja Nielsen völlig aufgelöst hinauslaufen sehen. Ist etwas passiert? Ich meine, kann ich irgendwie helfen?«

Julia seufzte und schüttelte den Kopf. »Nein. Es ist eine private Sache.«

Kerstin Brandt wirkte enttäuscht von ihrer knappen Auskunft. Sie schickte sich an, die Tür zu schließen, doch Julia winkte sie zu sich. Sie wollte nicht wieder als die unnahbare Person dastehen und zudem musste sie der

Gerüchteküche unbedingt Einhalt gebieten. Lenja konnte nicht auch noch tuschelnde Kollegen und prüfende Blicke gebrauchen.

»Ich erzähle Ihnen jetzt etwas im Vertrauen, und Sie müssen mir versprechen, es nicht weiterzuverbreiten.«

Kerstin Brandt setzte sich erfreut. Julia vertraute ihr. Sie hatte Manfred Holsten jahrzehntelang die Treue gehalten. Sie war alles andere als eine Tratschtante. Julia berichtete ihr, was sich zugetragen hatte.

»Die Ärmste«, sagte Kerstin Brandt. »Solche Erfahrungen bleiben wohl niemandem erspart. Aber ich bin sicher, dass Lenja schnell damit klarkommt.«

Julia hoffte das ebenfalls. Sie wollte nicht länger als nötig auf Lenja verzichten. Doch sie wusste, dass ihre finnische Assistentin einen sehr weichen Kern hatte. Gedankenverloren blickte sie in ihren Kalender. Die nächste Obduktion stand an. Dieses Mal würde sie wohl ohne Lenja auskommen müssen.

15

Jana Petersmann war eine außergewöhnlich attraktive Frau gewesen, da musste Florian seinem Partner tatsächlich recht geben. Er betrachtete eine Großaufnahme von ihr, die an der Wand neben dem Bett in ihrem Zimmer hing. Normalerweise hätte er bei der Besichtigung ihrer Wohnung Fotos von Reisen oder Bilder irgendwelcher Künstler erwartet. Für Plakate von Popstars war Jana Petersmann mit sechsundzwanzig wohl bereits zu alt. Aber Fotografien von sich selbst ließen auf eine ziemlich selbstverliebte Person schließen.

Inzwischen hatte die Spurensicherung das Zimmer auf den Kopf gestellt. Zudem hatten sie über das erste Opfer einige sehr interessante Informationen zusammengetragen. Jana Petersmann hatte für einen Begleitservice gearbeitet, den sie zusammen mit den Bewohnerinnen ihrer Wohngemeinschaft aufgezogen hatte. Aus Florians Sicht handelte es sich eher um Prostituierte, denn das Angebot auf der Homepage empfand er als ziemlich eindeutig. Doch Janas Mitbewohnerin Carina Mühlheim bestand darauf, dass der Begleitservice bei ihren Dienstleistungen im Vordergrund stand.

»Wann haben Sie Jana Petersmann zuletzt gesehen?«, fragte er und wandte sich von dem riesigen Foto ab.

Carina Mühlheim, eine kleine und sehr zierliche Blondine, saß mit übergeschlagenen Beinen auf Jana Petersmanns Bett und wickelte sich eine lange Haarsträhne um den Finger.

»Das war ganz genau vor vier Tagen. Ich hatte gleich ein komisches Gefühl, als ich am nächsten Morgen nach Hause kam und Jana nicht hier war. Wissen Sie, wir waren einmal zu dritt. Ivy ist vor ein paar Monaten gestorben. Eine Überdosis. Und nun die Sache mit Jana. Ich kann es nicht glauben.«

Florian betrachtete Carina Mühlheim. So richtig traurig erschien sie ihm nicht. Natürlich durfte er keine voreiligen Schlüsse ziehen. Jeder trauerte unterschiedlich. Doch Mühlheims Gesicht wirkte unbewegt. Vielleicht lag das an dem vielen Botox und anderen Schönheitsmitteln, die sie sich offenbar hatte spritzen lassen. Ihre Lippen erinnerten ihn an ein Schlauchboot. Er mochte Mühlheims künstliches Gesicht nicht.

»Und wo waren Sie in der Zwischenzeit? Jana Petersmann ist laut unserer Rechtsmedizin in der Nacht vor drei Tagen gestorben.«

»Ich habe einen Kunden begleitet. Wir haben uns ein Konzert angeschaut. Klassische Musik und anschließend sind wir in ein edles Restaurant gefahren.«

»Und danach?«, fragte Martin, der im Türrahmen lehnte und auf seinem Notizblock kritzelte. »Was haben Sie nach dem Essen getan?«

Carina Mühlheim betrachtete Martin feindselig und fixierte sich dann wieder auf Florian, so als ob sie seine Frage überhört hätte.

»Wir waren intim«, hauchte sie und lächelte ihn wissend an.

»Wann sind Sie nach Hause gekommen?«

Das Lächeln von Carina Mühlheim verbreiterte sich.

»Gar nicht«, erklärte sie. »Der Kunde zählt zu meinen Stammkunden. Ich bleibe jedes Mal über Nacht bei ihm.«

Florian ließ sich den Namen und die Adresse geben, damit sie Carina Mühlheims Angaben überprüfen konnten.

»Und Jana Petersmann hatte vermutlich ebenfalls einen Kunden, bevor sie verschwand. Haben Sie Zugriff auf ihren Kalender?«

»Natürlich. Ich kann Ihnen den Namen heraussuchen. Aber glauben Sie mir, Jana hatte keine intimen Beziehungen zu Kunden. Wir haben zwar einen gemeinsamen Webauftritt, doch Jana war eher an – wie soll ich es sagen – einmaligen Begegnungen interessiert. Sie hat ihre Kunden in einem Stundenhotel getroffen.«

Florian runzelte die Stirn. »Was wollen Sie damit andeuten? Jana Petersmann hat sich mit ihren Kunden in einem Stundenhotel verabredet, ohne Sex? Was hat sie denn stattdessen gemacht?«

Carina Mühlheim rollte die Augen nach oben. »Es war nicht meine Idee, sondern Ivys. Jana ist als Kind von ihrem

Onkel missbraucht worden. Sie konnte kaum Nähe zu Männern ertragen, wenn Sie verstehen. Deshalb hat sie sich mit ihnen getroffen, etwas getrunken und gewartet, bis sie eingeschlafen waren.«

Florian ahnte, worauf Carina Mühlheim hinauswollte. »Das heißt, sie hat ihnen was in den Drink getan und sie anschließend ausgenommen?«

Mühlheim nickte kaum merklich. »Ich erzähle Ihnen das bloß, damit sie den Mistkerl verhaften. Und jetzt schaue ich in den Kalender.« Sie erhob sich und stolzierte hinüber in ihr Zimmer. Kurz darauf kehrte sie mit einem Laptop zurück.

»Wir haben alle einen Kalender gemeinsam benutzt, für den Fall, dass mal was schiefgeht. Jeder Termin wurde mit Namen und Telefonnummer des Kunden eingetragen.« Sie klappte den Laptop auf und tippte mit spitzen Fingern auf ein paar Tasten.

»Georg Findel war ihr letzter Kunde. Sie hat ihn über *Tinder* aufgetrieben. Er wollte es normal.«

Florian schluckte. »Was heißt denn normal?«

Carina Mühlheim zuckte mit den Achseln. »Na ja, kein Fetisch oder sonstiges schräges Zeug. Es gibt Typen, denen geht einer ab, wenn sie an deinen Zehen lutschen. Jana mochte das nicht. Sie hat sich Normalos rausgefischt und ihnen das Geld aus dem Portemonnaie geklaut.«

»Hatte Jana Petersmann in letzter Zeit Probleme? Hat sie sich auffällig verhalten?«

»Nein. Sie hat um Ivy getrauert. Die beiden waren beste Freundinnen und kannten sich schon lange. Ich bin erst vor zwei Jahren dazugestoßen.«

»Hatte sie einen Freund?«

Carina Mühlheim blickte Florian an, als stamme er aus einer anderen Welt. »Das ist nicht Ihr Ernst, oder? Wie sollte das in unserem Business funktionieren? Außerdem wollte Jana keinen Freund. Ihr ging es nur um die Kohle.«

»Was ist mit ihrer Familie, hatte sie noch Kontakt?«

»Nein. Sie hat nie über die gesprochen. Wir haben alle den Kontakt zu unseren Eltern und Geschwistern abgebrochen. War nicht gerade das beste Umfeld.«

Die Härte, die sich bei diesen Worten in Carina Mühlheims Augen spiegelte, ließ tief blicken. Florian wollte lieber nicht wissen, was der jungen Frau widerfahren war und sie in die Prostitution getrieben hatte. Trotzdem konnte er sie nicht einfach so zurücklassen. Sie hatte ihr ganzes Leben noch vor sich, und Florian wusste, welchen Gefahren sie sich täglich aussetzte. Der Mord an Jana Petersmann war das beste Beispiel.

»Ich kenne eine sehr nette Sozialarbeiterin, die Ihnen bei der Suche nach einer neuen Wohnung behilflich sein kann. Die Miete haben Sie sich bisher bestimmt aufgeteilt. Allein dafür aufzukommen, könnte schwierig sein.« Florian redete nicht weiter, denn er sah, wie Carina Mühlheim sich verschloss. Sie würde Zeit brauchen, um über den Verlust ihrer Mitbewohnerin hinwegzukommen und sich mit der neuen Situation zurechtzufinden.

Er drückte ihr seine Visitenkarte in die Hand. Dann verließ er mit Martin die Wohnung. Auf dem Weg zurück ins Revier kreisten seine Gedanken um die beiden Mordfälle, bei denen nichts so richtig zusammenpassen wollte. Abgetrennte Ohren und abgetrennte Hände. Eine tote

Frau und ein toter Mann. Warum hatte der Täter sie ausgewählt? Weil Jana Petersmann eine Diebin war und Nils Deuss ein Schläger? Die Vermutung lag nahe. Florian dachte an all die anderen Präparate, die aus dem Institut für Anatomie gestohlen worden waren. Bei dieser Vorstellung flutete eine Welle der Übelkeit seinen knurrenden Magen.

»Findest du es nicht merkwürdig, dass Jana Petersmann sich prostituiert hat und ihre Leiche ausgerechnet von einem Pornodarsteller gefunden wurde?«, platzte Martin in Florians Gedankenwelt hinein. »Ich meine, womöglich wollte er einen Film mit ihr drehen, und sie hat sich geweigert. Er hat sie ruhiggestellt und anschließend umgebracht.«

»Zeit genug hatten sie in jener Nacht«, stimmte Florian ihm zu und hielt vor einer roten Ampel. »Laut des IT-Experten haben Pavlo Burakow und Alina Petrowa beim Videodreh zahlreiche Pausen eingelegt.« Florian wischte die Erinnerung an das Videomaterial beiseite. Es hatte ihn angewidert, wie der Glatzkopf über die zierliche Frau hergefallen war. Sex an außergewöhnlichen Orten! Warum musste es eigentlich ein heruntergekommener Lagercontainer sein? Er fragte sich ernsthaft, wer sich freiwillig solche Videos anschaute, zumal Pavlo Burakow alles andere als ein Hingucker war.

»Wie viel Zeit haben wir noch, bis wir mit Alina Petrowa sprechen?«, wollte er wissen und trat das Gaspedal durch, als die Ampel auf Grün wechselte.

»Dreißig Minuten«, antwortete Martin. »Vielleicht sollten wir versuchen, die beiden eine Nacht lang auf dem

Revier zu behalten. Die haben doch bestimmt Dreck am Stecken, oder was meinst du?«

»Sie hatten auf alle Fälle die Gelegenheit und waren zum Todeszeitpunkt in der Nähe des Fundortes. Allerdings leuchtet mir nicht ein, was Burakow und Petrowa mit Nils Deuss zu schaffen haben könnten.«

»Die Technik ist noch dabei, Deuss' Computer auszuwerten. Vielleicht hat er sich diese Pornos ja reingezogen«, brummte Martin und schaute grimmig aus dem Fenster. »Das Einzige, was ich diesem Burakow nicht zutraue, sind diese verdammten Insulinspritzen. Das erscheint mir irgendwie zu umständlich. Dieser Glatzkopf wirkt nicht besonders feinfühlig. Den sehe ich eher mit einem Messer oder einer anderen Waffe. Hinzu kommt die Beschaffung von Insulin. Das ist auf dem Schwarzmarkt zwar kein Problem, aber ein Messer bekommt man in jedem Supermarkt.«

Auch bei dieser Einschätzung musste Florian seinem Partner recht geben. Sie standen immer noch sehr weit am Anfang ihrer Ermittlungen. Sie mussten nicht nur mit Alina Petrowa sprechen, sondern ebenfalls mit dem Freund von Nils Deuss. Schließlich hatte dieser ihm Geld geliehen und nicht zurückbekommen. Damit hatte Jörg Kannen schon mal ein Motiv. Und sie konnten auch nicht ausschließen, ob Nicole Deuss eine Rolle bei den Morden spielte. Sie war mehr als einmal von ihrem Ehemann krankenhausreif geprügelt worden. Trotz ihrer Aussage würde es Florian nicht wundern, wenn sie nach einem Ausweg gesucht hätte, ihren Mann loszuwerden.

Florian parkte den Wagen vor dem Revier. Noch bevor

sie ihr Büro erreichten, kam ihnen eine aufgeregte Kollegin entgegen.

»Ich habe keine guten Nachrichten«, plapperte sie drauflos. »Alina Petrowa weigert sich, mit uns zu sprechen.«

»Aber warum ist sie denn hergekommen?«, fragte Florian fassungslos. Die Frau war mindestens eine wichtige Zeugin. Sie brauchten ihre Aussage.

»Sie sagt, sie spricht bloß mit einer Frau«, fuhr die Polizistin fort. »Mit mir möchte sie allerdings ebenfalls nicht reden. Sie will diese Rechtsmedizinerin. Sie redet nur mit Julia Schwarz.«

16

Julias Handy brummte in der Hosentasche, während sie gerade den Dünndarm eines dreiundachtzigjährigen Mannes inspizierte. Die Familie hatte auf einer Obduktion bestanden. Offenbar lagen sich die einzelnen Familienmitglieder wegen des Erbes in den Haaren und wollten ausschließen, dass ihr Oberhaupt eines unnatürlichen Todes gestorben war. Unvorstellbar, dass sich Angehörige untereinander des Mordes beschuldigten. Sie ließ die Darmschlingen zurück in die Edelstahlschale gleiten, zupfte einen Handschuh ab und zog das Telefon aus ihrer Tasche.

»Schwarz«, meldete sie sich, ohne aufs Display zu schauen.

»Ich brauche deine Hilfe«, hörte sie Florians Stimme. »Alina Petrowa will sich nur von dir befragen lassen. Anscheinend hat ihr Anwalt ihr das eingeredet. Frag mich nicht, warum. Möglicherweise wegen ihres Aufenthaltsstatus. Du gehörst nicht zur Polizei, und sie hofft darauf, dass sie dir vertrauen kann.«

Julia warf einen Blick auf den Toten. Sie hatte die Autopsie fast beendet, doch Lenja war nicht da und so konnte sie nicht einfach davonstürmen.

»Warte kurz. Ich melde mich gleich wieder«, bat sie Florian und ging aus dem Autopsiesaal, um Dr. Neumann zu suchen. Wenn sie sich richtig erinnerte, obduzierte er parallel zu ihr im Nebenraum. Sie stieß die schweren Türen auf und erblickte ihren Kollegen, der gerade ein Leinentuch über den Leichnam auf dem Obduktionstisch legte.

»Doktor Neumann, könnten Sie mir vielleicht einen großen Gefallen tun und eine Autopsie für mich beenden? Ich muss die Kriminalpolizei in einer dringenden Angelegenheit unterstützen.« Julia erklärte ihm, wie weit sie mit ihrer Arbeit vorangeschritten war.

Dr. Neumann nickte. »Das tue ich gerne. Übrigens ...« Er kam auf sie zu und begann zu flüstern: »Wie geht es Lenja Nielsen? Sie ist heute Vormittag weinend aus dem Gebäude gerannt. Ich habe ihr meine Hilfe angeboten, allerdings hat sie mich gar nicht wahrgenommen. Ich hoffe, es ist kein Trauerfall in der Familie.«

»Nein, nein. So schlimm ist es nicht, aber es ist etwas Unschönes in ihrem Privatleben passiert. Ich habe sie nach Hause geschickt.«

Dr. Neumann sah Julia neugierig an. Julia befürchtete schon, er würde sie fragen, worum es genau ging. Doch er sagte nur: »Verstehe. Ich behalte es natürlich für mich.«

»Danke.« Julia fühlte sich erleichtert. Sie wartete, bis

die Leiche aus Dr. Neumanns Autopsiesaal herausgeschoben wurde, und begleitete ihn dann hinüber zu ihrer eigenen Obduktion. Dr. Neumann zögerte nicht lange und übernahm die Autopsie, während Julia ihre Sachen zusammensuchte.

»Danke für Ihre Unterstützung«, sagte sie zum Abschied und verließ das Institut.

Unterwegs informierte sie Florian und traf ungefähr eine Viertelstunde später im Polizeirevier ein. Florian drückte ihr einen flüchtigen Kuss auf die Wange.

»Alina Petrowa wartet im Verhörraum fünf. Sie ist ohne ihren Anwalt hineingegangen. Das ist der blonde Schnösel, der auch Burakow vertritt. Frag sie doch mal, was sie in den Drehpausen gemacht hat und ob Pavlo Burakow die ganze Zeit bei ihr war. Vielleicht verstrickt sie sich in irgendwelche Widersprüche. Und zeig ihr bitte ein Foto von Nils Deuss. Ich will sehen, was sie für ein Gesicht macht und ob sie den Mann kennt.« Florian drückte Julia sein Notizbuch und einen Stift in die Hand. »Martin und ich warten hinter dem Spiegel. Falls du unterbrechen willst, sag einfach, dass du eine Pause brauchst.«

Julia nickte. Sie hatte bereits etlichen Befragungen beigewohnt, allerdings immer mit Florian oder Martin Saathoff zusammen. So ganz auf sich allein gestellt, fühlte sie sich ein wenig überrumpelt. Sie ließ sich jedoch nichts anmerken und öffnete die Tür.

Alina Petrowa, eine kleine, zierliche Frau mit unglaublich langen Haaren, saß kerzengerade auf ihrem Stuhl und drehte den Kopf zu Julia, als sie eintrat.

»Sind Sie Doktor Schwarz?«, fragte sie und streckte die rechte Hand aus, um Julia zu begrüßen.

»Die bin ich. Kriminalkommissar Florian Kessler hat mir gesagt, dass Sie lieber mit mir sprechen möchten und nicht mit der Polizei.«

»Das stimmt. Pavlo hat Sie in dem Containerlager gesehen. Er meinte, Sie seien Ärztin und bestimmt nicht darauf aus, mir Probleme zu machen.« Alina Petrowa sprach mit einem deutlich russischen Akzent. Sie wirkte selbstsicher und trotzdem bildete sich auf ihrer Stirn ein feiner Schweißfilm. Sie hielt die Hände unter dem Tisch versteckt. Die Bewegungen ihrer Schultermuskulatur verrieten, dass sie ihre Finger knetete. Die Frau war so dünn, dass ihr Gesicht eingefallen aussah und das Kinn stark hervorstach. Julia mochte sich nicht vorstellen, in welchen schwierigen Verhältnissen sie leben musste.

»Können Sie mir beschreiben, was Sie in der fraglichen Nacht in dem Containerlager getan haben? Mich interessieren dabei besonders die Drehpausen.«

»Wir haben einen Porno gedreht. Natürlich haben wir einige Pausen gemacht, das ist normal.«

»Und wo hat sich Pavlo Burakow in diesen Zeiten aufgehalten? Waren Sie zusammen?«

Alina Petrowa richtete ihren Blick an die Decke und dachte angestrengt nach. Sie nahm die Hände auf den Tisch und begann die Finger nacheinander auszustrecken. Offenbar zählte sie.

»Ich denke, es waren vier oder fünf Pausen. Die ersten beiden war Pavlo bei mir, doch dann musste er dringend pinkeln. Bei der nächsten Unterbrechung hat er kurz Luft geschnappt. Sie wissen, wie das bei Männern ist ... er ... wie soll ich es sagen? Er war nicht so gut drauf in dieser Nacht.«

»Verstehe«, sagte Julia und machte sich eine Notiz. Es war mehr eine Verlegenheitsgeste, denn sie wusste, dass Florian und sein Partner das Gespräch mitverfolgten und jedes Wort aufzeichneten. Sie hatte einfach noch nicht richtig in ihre Rolle gefunden. Doch dann fiel ihr die nächste Frage ein.

»Warum sind Sie eigentlich nicht zusammen in den Containerpark gefahren? Soweit ich informiert bin, ist Pavlo Burakow bereits eine Stunde vor Ihnen angekommen.«

»Er hat die Vorbereitungen getroffen. Ich habe noch geduscht und mich für den Dreh fertig gemacht.«

Julia runzelte die Stirn. »Was hat er denn vorbereitet? Er hatte schließlich gar keinen Wagen. Mit dem sind Sie doch später gekommen.«

»Das stimmt. Das ganze Zeug haben wir schon mittags in den Container gebracht. Die Polizei kann das leicht kontrollieren. Sie müssen sich bloß die Aufnahmen der Überwachungskamera ansehen. Wir haben aber nichts aufgebaut. Pavlo ist früher los und hat die Kameras aufgestellt. Wir filmen immer aus verschiedenen Perspektiven, und da wir keinen Kameramann haben, muss vorher alles richtig ausgerichtet werden.«

»Verstehe«, murmelte Julia. »Wie lange waren Sie denn in den besagten Pausen alleine?«

»Puh ... Sie stellen mir Fragen. Das kann ich nicht so genau sagen. Vielleicht zehn oder zwanzig Minuten?«

Ausreichend Zeit, um jemanden zu überwältigen und eine Überdosis Insulin zu spritzen, dachte Julia. Allerdings nicht genug, um auf den Eintritt des Todes zu warten, die Ohren zu amputieren und anschließend zwei fremde anzunähen. Julia überlegte. Es wäre natürlich möglich, dass Burakow sein Werk über mehrere Pausen hinweg vollbracht hat. Sein Opfer war betäubt und wehrlos. Er musste nicht daneben stehen und zusehen, wie das Herz aufhörte zu schlagen. Er hätte die tödliche Dosis verabreichen und zum Pornodreh zurückkehren können, ohne dass es Alina Petrowa aufgefallen wäre. Oder hatten die beiden zusammen gehandelt? Die Möglichkeit hätten sie zweifelsohne gehabt.

»Haben Sie schon öfter in diesem Containerpark gearbeitet?«

»Eigentlich nicht. Ich glaube, insgesamt waren wir in den letzten Wochen nur dreimal dort. Natürlich immer mit einem anderen Thema.«

Julia sah Petrowa fragend an. Im Grunde genommen wollte sie die Antwort gar nicht wissen. Sie mochte sich überhaupt nicht vorstellen, wie sich eine Frau für Geld oder aus Zwang heraus einem Mann hingab. Für Julia gehörten diese Dinge in düstere Vorzeiten, und sie hoffte darauf, dass sie irgendwann endgültig aus einer freien und gleichberechtigten Welt verschwanden.

»Von Kuschelsex mit einer Jungfrau bis zum harten Sex im Container der Domina ist da alles drin. Wir bemühen uns um Abwechslung«, erklärte Petrowa.

Julia erwiderte nichts. Sie räusperte sich und suchte auf ihrem Notizblock nach der nächsten Frage. Glücklicherweise fiel ihr das Foto von Nils Deuss, das Florian zwischen die Seiten geklemmt hatte, ins Auge. Sie zog es heraus.

»Kennen Sie diesen Mann?«

Alina Petrowa betrachtete das Bild lange. Schließlich schüttelte sie den Kopf.

»Den Kerl habe ich noch nie gesehen.«

»Sicher?« Julia glaubte, einen Funken in Petrowas Augen wahrgenommen zu haben.

»Ganz sicher.«

»Dann habe ich vorerst keine weiteren Fragen an Sie.« Julia erhob sich und vermied es, zum Spiegel zu schauen. Alina Petrowa stand ebenfalls auf und drängte sich in der Tür eng an Julia vorbei. Dabei streifte sie kaum merklich Julias freie Hand.

»Danke, dass Sie mit mir gesprochen haben. Vielleicht reden wir bald wieder.« Ein merkwürdiger Ausdruck lag in Petrowas Augen. Julia nickte irritiert. Die Russin hatte ihr etwas in die Hand gedrückt. Einen Zettel. Sie machte eine Faust und begleitete die zierliche Frau den Gang hinunter. Die Tür des Nebenraums öffnete sich und Florian trat zusammen mit Martin Saathoff hinaus. Julia hätte ihnen am liebsten den Zettel übergeben, aber sie wusste, dass diese Nachricht nur für sie bestimmt war. Eine Polizistin wartete am Ende des Ganges auf sie.

»Ich bringe Frau Petrowa zurück zu ihrem Anwalt. Er sitzt unten im Eingangsbereich.«

»Auf Wiedersehen, Frau Schwarz«, sagte Alina Petrowa und sah Julia tief in die Augen.

Sie nickte und verabschiedete sich. Alina Petrowa

schwebte an der Seite der Polizistin über den grauen Teppichboden, bis sie eine Feuerschutztür erreichten und dahinter verschwanden. Julia sah zu Florian und deutete auf die Toilette, die sich nur ein paar Meter entfernt befand. Sie ging hinein und faltete neugierig den kleinen Zettel auseinander.

»Um zehn im Kino. Alleine. Film: Batman. Reihe 17 Sitz 12, letzte Reihe links. Sprechen Sie mit niemandem! Alina.«

Julia las die Nachricht zweimal. Auf der Rückseite standen die Anschrift und der Name des Kinos. Julia kannte es. Es lag im Norden von Köln. Ihr Herz klopfte so schnell, dass es in ihren Ohren rauschte. Die ganze Zeit hatte sie das Gefühl gehabt, dass Alina Petrowa etwas verschwieg, und jetzt schien sich genau das zu bestätigen. Aber wie sollte sie die Russin treffen, ohne Florian davon zu erzählen? Sie konnte ihm das unmöglich verheimlichen. Andererseits würde Florian sie niemals allein in dieses Kino lassen, und dann würden sie nie erfahren, was Alina Petrowa ihr mitteilen wollte. Vielleicht hatte sie den Täter gesehen. Es wurden zwanzig Präparate gestohlen. Sie mussten um jeden Preis weitere Morde verhindern.

Julia setzte nachdenklich die Brille ab und wog die Vor- und Nachteile ihrer Möglichkeiten ab. Objektiv betrachtet hatte es keinen Sinn, die Polizei außen vor zu lassen. Julia war keine Ermittlerin, auch wenn sie oft genug mithalf. Sie durfte die Ermittlungen nicht gefährden, und das würde sie tun, falls sie Florian nicht informierte. Sie faltete den Zettel wieder zusammen und ging hinaus auf den Flur.

»Ich muss dir etwas zeigen«, sagte sie zu Florian, der

auf sie wartete. Julia achtete darauf, dass sie niemand hörte, und zog ihn ein Stückchen mit sich. »Es ist absolut vertraulich«, flüsterte sie und überreichte ihm den Zettel.

Florian las die Nachricht, und als er fertig war, bildete sich eine tiefe Falte über seiner Nasenwurzel.

»Du weißt, dass ich dich auf keinen Fall alleine zu diesem Treffen lasse.«

Julia seufzte. »Ich habe damit gerechnet. Doch wenn du alle Möglichkeiten in Betracht ziehst und die Vor- und Nachteile abwägst, wirst du feststellen, dass uns nichts anderes übrig bleibt.« Sie nahm ihm die Nachricht wieder ab und winkte ihn mit sich.

»Wo willst du hin?«, fragte Florian überrascht.

»Vorbereitungen treffen«, gab Julia zurück und drehte sich nicht mehr um.

17

Julia war seit Ewigkeiten nicht mehr im Kino gewesen. Sie starrte einige Sekunden auf das grelle Plakat, das den Film ankündigte, und kaufte eine Karte. In ihrem Ohr knisterte es. Florian hatte darauf bestanden, sie zu verkabeln. Immerhin hatte sie ihn dazu überreden können, allein ins Kino zu gehen. Sie wollte unbedingt herausfinden, was Alina Petrowa ihr zu sagen hatte. In Julias Bauch grummelte es. Vor lauter Aufregung hatte sie keinen Bissen hinunterbekommen, obwohl Florian ihr extra ein Sandwich besorgt hatte. Florian und Martin Saathoff hatten sich auf dem großen Parkplatz hinter dem Kino in Stellung gebracht und würden jedes Wort mithören, das gesprochen wurde. Polizisten in Zivil hatten sich an den Eingängen und im Inneren des Kinos platziert.

Julia blickte sich um. Es roch nach Popcorn und Nachos. Die Stimmen der Besucher hatten sich zu einem Dauersummen formiert, welches das komplette Foyer erfüllte. Heute Abend waren viele Menschen unterwegs. An den Kassen hatten sich lange Schlangen gebildet. Die Gesichter verschwammen in der gedämpften Beleuchtung zu undeutlichen Masken. Sie suchte nach einer zierlichen Frau, fand sie jedoch nicht. Bestimmt saß Alina Petrowa bereits im Kinosaal und wartete auf sie. Julia marschierte los und musterte auf dem Weg jede Frau, die Alina Petrowa ähnlich sah. Ohne Erfolg.

Julia betrat den Kinosaal Nummer neun. Es war Viertel vor zehn. Der Film hatte noch nicht angefangen. Dafür lief Werbung auf der riesigen Leinwand. Ein dünnes Model im knappen Bikini lutschte an einem Stieleis. Julia fröstelte sofort. Sie mochte im Winter kein Eis. Die hintere Reihe war gänzlich unbesetzt. Sie suchte den Platz Nummer 12 und setzte sich. Julia starrte durch die Dunkelheit in Richtung Eingang und harrte mehrere Minuten aus, aber nichts geschah. Das Treffen sollte um zehn stattfinden. Ungeduldig wackelte sie mit dem Knie. Die Spannung war zum Greifen nahe. Doch auch eine Minute vor der vereinbarten Zeit erschien die Russin nicht.

»Ist sie da?«, dröhnte Florians Stimme in ihrem Ohr.

»Nein. Nichts«, zischte Julia leise. »Hoffentlich versetzt sie mich nicht. Vielleicht hat sie uns zusammen gesehen.«

»Glaube ich nicht. Wir warten«, erwiderte Florian, und dann war es in ihrem Ohr wieder still.

Der Film ging los. Eine schwarze Fledermausgestalt huschte über die Leinwand. Vor Julia hatten einige Teenager Platz genommen und aßen Kartoffelchips. Der Geruch strömte zu ihr herüber. Sie blickte abermals zum Eingang. Nichts. Die Besucher saßen längst auf ihren Plätzen. Wer jetzt noch kam, der fiel auf. Julia konnte sich nicht vorstellen, dass Alina Petrowa darauf aus war. Ihr Verstand sagte ihr, dass sie nicht mehr kommen würde. Sie überlegte, warum die Russin sie in dieses Kino gelockt hatte. Niemand handelte ohne Grund. Alles, was passierte, folgte einer gewissen Logik. Julia ließ sich die Nachricht auf dem Zettel erneut durch den Kopf gehen. Dann kam ihr ein Gedanke. Petrowa hatte nicht geschrieben, dass sie hier sein würde. Vorausgesetzt, sie hatte weder die Polizei vor dem Kino entdeckt noch war sie durch irgendetwas aufgehalten worden, könnte sie etwas auf oder vielleicht unter dem Sitz platziert haben. Grundlos hatte sie Julia nicht hierhergeführt. Das stand fest.

Julia schaltete die Taschenlampe ihres Handys ein und leuchtete den Kinosessel ab, allerdings ohne fündig zu werden. Sie inspizierte die Ritzen. Nichts.

»Hey, mach das Licht aus!«, schimpfte einer der Teenager und drehte sich wütend zu ihr um.

Julia hielt den Finger auf das Handy, sodass kein Licht mehr entwich. Als der Junge sich wieder dem Film zuwandte, klappte sie den Sitz hoch. Tatsächlich klebte darunter eine Schachtel von der Größe eines Handys. Julia schlug das Herz bis zum Hals. Sie riss die Schachtel ab und setzte sich wieder hin. Vorsichtig blickte sie hinein. Ein kleines Kärtchen mit Magnetstreifen lag darin. Sie nahm es heraus und betrachtete es. Julia hatte keine Ahnung, was sie damit anfangen sollte, und steckte die Karte in ihre Hosentasche. Sie untersuchte die Schachtel. Irgendwo musste ein Hinweis versteckt sein, ansonsten ergab die ganze Sache keinen Sinn. Sie leuchtete in die Verpackung. Der Boden war mit samtigem Papier ausgekleidet und die Innenseiten waren unbeschriftet. Sie drehte die Schachtel zu allen Seiten, aber da war nichts. Schließlich zupfte sie an dem samtigen Papier. Es bewegte sich. Sie löste es heraus und wendete es.

»Damentoilette, zweite Kabine, unter dem WC.«

Julia las die Nachricht leise vor, damit Florian sie hören konnte.

»Verdammt«, zischte er. »Ich habe kein gutes Gefühl bei der Sache.«

»Ich gehe kurz nachschauen.«

Julia schaltete das Handylicht aus und eilte zur Damentoilette im hinteren Teil des Kinogebäudes. Da die Vorstellungen gerade liefen, schien sie allein zu sein. Sie hockte sich hin und linste unter die Kabinen, um sicherzustellen, dass außer ihr wirklich niemand hier war. Dann suchte sie die zweite Kabine auf und tastete das WC nach einer Nachricht ab. Tatsächlich fand sie eine weitere Box mit einem zusammengefalteten Zettel.

»Lege dein Telefon hier rein. In der ersten Kabine findest du ein neues«, las sie.

»Himmel«, fluchte Florian. »Mach das bloß nicht.«

»Okay«, erwiderte Julia und behielt ihr Telefon. Sie befestigte die leere Box wieder unter dem WC. Dann holte sie den Karton mit dem anderen Telefon aus der ersten Kabine. Das Handy war eingeschaltet. Sie sah sich die Box genauer an. Auf dem Boden stand eine Telefonnummer. Sie tippte sie ein. Es klingelte fünfmal, bis endlich jemand abhob. Julia hielt aufgeregt den Atem an.

»Schalten Sie auf Videoanruf um«, verlangte Alina Petrowa.

Julia drückte auf das Symbol. Die Russin erschien im Display. Der Hintergrund war dunkel, sodass Julia nicht erkennen konnte, wo Petrowa sich befand.

»Zeigen Sie mir die Box mit Ihrem Telefon. Ich will wissen, ob es auch dort ist.«

Julias Puls begann zu rasen. Sie schwieg und ging in die andere Kabine. Als sie die Box öffnete, sagte sie: »Ich habe es noch nicht hineingelegt.«

Die Russin grinste. »Das habe ich erwartet. Legen Sie das Handy in die Box und drehen Sie die Kamera so, dass ich es sehen kann.«

Julia tat, wie ihr geheißen.

»Sehr gut. Jetzt verlassen Sie die Toilette und wenden sich nach links. Sie laufen ungefähr dreißig Schritte, bis Sie auf eine Tür mit der Aufschrift *Personal* stoßen. Gehen Sie hinein und nehmen Sie die Treppe nach unten. Folgen Sie dem grünen Schild zum Notausgang. Draußen wartet ein roter Wagen. Steigen Sie hinten ein.« Drei kurze Pieptöne drangen an ihr Ohr. Dann war die Leitung tot. Alina Petrowa hatte aufgelegt.

»Julia, du kannst nicht in ein unbekanntes Fahrzeug einsteigen. Auf eine Verfolgung sind wir nicht vorbereitet. Komm auf den großen Parkplatz. Wir blasen die Sache ab.«

»Auf gar keinen Fall«, erwiderte Julia und machte sich auf den Weg. »Ich bin verkabelt. Ihr könnt mich tracken.«

»Julia, bitte.«

»Ich will wissen, wozu die Karte aus der ersten

Schachtel dient. Sie könnte zu einer Schließfachanlage gehören.«

Florian seufzte. »Ich weiß nicht. Die Sache scheint aus dem Ruder zu laufen.«

»Mir wird schon nichts passieren.«

»Pass bitte auf dich auf!«, sagte er schließlich. Sie konnte die Angst in seiner Stimme deutlich hören. Doch für Julia gab es kein Zurück mehr. Spätestens seit sie das Kino betreten hatte, war das ausgeschlossen. Petrowa würde sich nicht solche Mühe geben, wenn sie ihr nicht etwas Wichtiges mitteilen oder zeigen wollte.

»Mach ich«, erwiderte sie entschlossen und marschierte auf den Personalausgang zu. Dahinter verbarg sich ein unbeleuchtetes Treppenhaus, nur die grünen Schilder, die zum Notausgang führten, leuchteten in der Dunkelheit auf. Sie schaltete das Licht ein und stürmte die Treppe hinunter. Sie passierte einen schmalen muffigen Gang, an dessen Ende sich eine Tür befand. Julia riss sie schwungvoll auf und erblickte das rote Auto. Es sah genauso aus wie das von Burakow, das sie auf den Überwachungsaufnahmen des Containerparks gesehen hatte. Am Steuer saß Alina Petrowa. Sie überlegte nicht lange und stieg hinten ein.

»Sind Sie alleine?«, fragte die Russin und musterte sie im Rückspiegel.

Julia nickte. Sie brachte kein Wort heraus aus Angst, Petrowa würde die Lüge an ihrer Stimme bemerken. Sie fuhren in einem halsbrecherischen Tempo durch eine Einbahnstraße und bogen danach etliche Male ab. Julias Magen fühlte sich an wie ein Stein. Was, wenn etwas schiefging und die Polizei ihnen nicht folgen konnte? Zwar war ihre Position durch das Tracking bekannt, aber im Zweifel wäre Florian zu spät zur Stelle, um ihr zu helfen. Von nun an musste sie davon ausgehen, dass sie auf sich allein gestellt war.

»Warum sagen Sie mir nicht einfach, worum es geht«, bat sie die Russin, doch die schüttelte heftig den Kopf.

»Sind Sie verrückt? Ich opfere nicht mein Leben. Burakow bringt mich um. Ich habe alles so arrangiert, dass er mich nicht erwischen kann.«

»Wir könnten zur Polizei gehen. Die bringen Sie in Sicherheit.«

»Sicherheit? Dass ich nicht lache. Ich bin nicht mal legal in Deutschland. Was sollen die schon für mich tun?« Sie schüttelte abermals den Kopf. »Na los. Das, was Sie gleich finden, wird Burakow sehr schnell vermissen. Sie beeilen sich also am besten.«

»Okay«, sagte Julia und hielt sich am Griff über der Seitenscheibe fest, als Petrowa scharf um eine Kurve bog. »Wohin fahren wir?«

Die Russin antwortete nicht sofort. Mit schwindelerregendem Tempo nahm sie die nächste Abbiegung. Dann stoppte sie so abrupt, dass Julias Kopf nach vorn flog.

»Steigen Sie aus!«

»Was?«, fragte Julia entsetzt und blickte nach draußen. Es war stockdunkel. Vermutlich hatte Petrowa den Wagen in einer Unterführung geparkt.

»Na los«, forderte die Russin. »Machen Sie schon.«

Julia löste ihren Sicherheitsgurt und zog unentschlossen am Türgriff. Die Russin war bereits ausgestiegen und um das Auto herumgekommen. Sie riss die Tür auf.

»Bitte steigen Sie aus und nehmen Sie die Arme hoch. Ich muss Sie abtasten.«

Julia wurde ganz flau. Sie überlegte eine Sekunde lang, einfach wegzulaufen, doch dann hob sie die Hände und spürte, wie die Finger der Russin ihren Rücken hinaufwanderten. Sie fuhren bis zur Schulter und blieben am Kabel stehen. Julias Herz gefror zu Eis.

»Verdammt. Damit habe ich gerechnet«, fluchte Petrowa. Sie rupfte die Kabel ab. Der Knopf in Julias Ohr schabte ihr schmerzhaft über die Haut. Die Russin zog Julia das fremde Handy aus der Hosentasche. »Das behalte ich«, erklärte sie.

Julia schwieg. Sie konnte nur hoffen, dass Alina Petrowa nicht ausrastete.

»Einsteigen!«, befahl die Russin, und Julia gehorchte.

Sie fuhren mit Vollgas weiter. Julia hatte keine Ahnung, wohin. Ohne die Verkabelung wusste niemand mehr, wo sie war. Vielleicht endete sie als Leiche in einem Fluss oder einem einsamen Waldstück. Ohne Handy konnte sie nicht mal einen Notruf absetzen. Julia spürte die Angst mit jedem Herzschlag, der in ihrer Brust donnerte. Trotzdem bereute sie nichts.

18

Florian rührte sich mehrere Sekunden lang nicht. Er lauschte dem Rauschen in seinem Ohr und wünschte sich, noch einmal Julias Stimme zu hören. Doch sie war fort. Sein Herz krampfte sich zusammen. Die Vorstellung, dass ihr etwas passieren könnte, nahm ihm die Luft zum Atmen.

Martin raste so schnell durch die Straßen, als säße ihnen der Teufel persönlich im Nacken. Leider hatten sie Julia hinter dem Kino verloren. Ein Polizist hatte den roten Wagen noch kurz zu Fuß verfolgt, doch dann war das Fahrzeug verschwunden. Sie hatten nicht damit gerechnet, dass die Russin Julia mit einem Auto abholen würde. Die ganze Aktion war auf ein Treffen im Inneren des Kinos ausgerichtet gewesen. Zwar hatten sie auch einen Streifenwagen an der Hauptzufahrt des Kinos positioniert, aber dort war Julia nicht vorbeigekommen. Sie musste vorher abgebogen sein.

»Ich fahre zu ihrer letzten Position und du schnaufst

jetzt mal tief durch. Wir finden sie. Sämtliche Teams halten nach dem Wagen Ausschau.«

Florian fand keine Worte. Er nickte nur matt. Hätte er Julia bloß von diesem verrückten Vorhaben abgehalten. Er hatte die ganze Zeit ein schlechtes Bauchgefühl gehabt. Verzweifelt zerrte er am Sicherheitsgurt, der sich verhakt hatte. Er ließ ihn los und probierte noch einmal, ihn anzulegen. Martin fuhr wie ein Henker um die Kurve. Florian krallte sich am Sitz fest und schaffte es endlich, den Gurt einzurasten. Es dauerte eine halbe Ewigkeit, bis sie zu der Stelle kamen, an der sie den Kontakt zu Julia verloren hatten. Martin brauste in eine Unterführung und legte eine Vollbremsung hin.

»Hier ist es!«, brüllte er, während Florian bereits aus dem Auto sprang.

Er leuchtete mit seiner Taschenlampe den schwarzen Asphalt ab und entdeckte die Verkabelung und den kleinen Knopf, den Julia im Ohr getragen hatte. An den Kabeln hingen noch die Pflaster, mit denen sie zuvor auf Julias Haut festgeklebt waren. Florian hob beides auf und verfolgte die Reifenspuren, die sich im Dreck der Straße abgezeichnet hatten. Florian kam bis zum Ende der Unterführung, doch dort verloren sich die Spuren. Er wusste nicht, ob Julia geradeaus oder nach rechts gefahren war. Die Chancen lagen also bei fünfzig Prozent, die richtige Strecke zu erwischen. Er schloss ganz kurz die Augen und rannte wieder zum Wagen.

»Wir fahren nach rechts«, rief er Martin zu, und dieser trat aufs Gas.

Sie lagen fünf, höchstens sechs Minuten hinter Julia

und Petrowa zurück. Noch war alles offen. Trotzdem konnten die beiden bereits sonst wo stecken. Florian erkundigte sich in der Zentrale nach Neuigkeiten. Unglücklicherweise war Petrowas Auto bisher nicht gesichtet worden. Köln verfügte über ein weit verzweigtes Straßennetz. Es war unmöglich, jede Strecke zu überwachen. Petrowa brauchte im Grunde genommen nur auf die kleinen Nebenstraßen auszuweichen und keine Streife würde sie so schnell erwischen.

»Fahr in die schmale Straße da vorne links«, bat er Martin und hielt nach dem roten Wagen Ausschau, in dem Julia in diesem Moment vermutlich unter Todesangst litt. Er mochte sich nicht ausmalen, wie sie sich fühlte, und er war dafür mitverantwortlich. Er konnte die Risiken einschätzen. Julia hingegen nicht. Sie gehörte nicht zur Polizei und kannte das Böse kaum halb so gut wie er. Verflucht! Warum hatte er ihrem Willen nachgegeben?

»Hier sind sie nicht«, schnaufte Martin und preschte über eine rote Ampel auf das Stadtzentrum zu.

Florian starrte die Kabel an, die er auf dem Asphalt gefunden hatte, als ob er dadurch eine Antwort erhalten würde. Etwas Feuchtes fiel ihm ins Auge. Er schaltete seine Taschenlampe an. Schockiert schnappte er nach Luft. Ein Tropfen Blut klebte an dem Knopf aus Julias Ohr. Die Angst übermannte ihn nun vollends. Ohne Julia hätte er kein Leben mehr.

19

Zwei Jahre zuvor

Wurde sie langsam verrückt? Frank Laganis saß im Gefängnis. Anne hatte den Tag seiner Freilassung im Kalender angekreuzt. Bis dahin blieb noch fast ein ganzes Jahr. Er konnte es nicht gewesen sein. Trotzdem ging ihr der Mann unter der Laterne nicht mehr aus dem Kopf. Er hatte sie angestarrt. Sofort überlief sie eine Gänsehaut. Sie stürzte ihren Kaffee hinunter und schaute auf die Uhr. Sie hatte zwanzig Minuten Zeit, dann erwartete sie Dr. Reuscher. Sie freute sich auf ihren Therapeuten und auf seine Ratschläge. Er sah die Welt vollkommen anders als sie. So unkompliziert, beinahe wie ein Kind. Er betrachtete sie nicht als Opfer, sondern konzentrierte sich auf die Gegenwart. Die Spannungen in ihrer Ehe hatten sich unter seiner Therapie zwar nicht verbessert, aber darum ging es ja auch gar nicht. Anne wollte endlich ihr Trauma loswerden. Doch dazu musste sie aufhören, ständig an Frank Laganis zu denken. Der Mann hatte sie benutzt. Er hatte seinen gestörten Sexualtrieb an ihr ausgelebt. Mehr nicht. Sie musste anfangen, die Sache als das zu sehen, was es war. Eine Vergewaltigung. Kein Mordversuch. Genau da lag das Problem. Sie wurde die Todesangst, die sie während der Tat erlebt hatte, einfach nicht los. Aus unerfindlichen Gründen begann ihr Puls mehrmals am Tag zu rasen. Ihr Körper erinnerte sich bei den kleinsten Signalen an Laganis und Anne konnte nichts dagegen tun. Jedenfalls fast nichts. Sie musste erst ihre Gedanken ändern und dann folgten die Emotionen. So hatte Dr. Reuscher es ihr erklärt. Leider bekam sie ihren Kopf ganz und gar nicht in den Griff. Ständig rauschten irgendwelche Bilder durch ihr Bewusstsein, und egal wie sehr sie sich auch bemühte, sie ließen sich nicht wegschieben.

Anne konnte nicht anders. Sie nahm ihre Kaffeetasse und stieg die Treppe hinauf ins Schlafzimmer. Sie schaute aus dem Fenster und für den Bruchteil einer Sekunde stand es wieder da. Das Monster, das sich zwischen ihre Beine gedrängt und ihr furchtbar wehgetan hatte. Jemand klingelte an der Tür und sie zuckte zusammen.

Verdammt! Sie durfte nicht derartig schreckhaft sein.

Sie stellte die Tasse ab und huschte die Stufen hinunter ins Erdgeschoss. Zuerst sah sie durch den Spion. Der Postbote wartete mit ungeduldiger Miene davor und klingelte zum zweiten Mal. Anne öffnete die Tür und sein

Gesicht erhellte sich. Er drückte ihr das Paket in die Hand und eilte zu seinem Transporter.

»Schönen Tag noch«, rief er und schlug die Fahrertür zu.

Anne starrte zu der Laterne. Wie von einem Magneten angezogen lief sie aus dem Haus über den schmalen gepflasterten Weg im Vorgarten genau darauf zu. Sie drehte sich um und schaute zum Schlafzimmer hinauf.

Verflucht. Wer auch immer hier gestanden hatte, er konnte problemlos durch das Fenster hineinsehen. Nachts, wenn das Licht brannte, sah er in dem verspiegelten Schlafzimmerschrank vielleicht sogar das Bett. Trotzdem, es blieb dabei, ihr Vergewaltiger saß hinter Gittern. Er hatte sie nicht beobachtet. Anne überlegte, ob Frank Laganis womöglich einen Bruder hatte. Oder ob er jemanden aus dem Knast heraus zu ihr schickte, um ihr Angst zu machen. Sie hatte schließlich gegen ihn ausgesagt und ihm die Freiheitsstrafe eingebrockt. Sie würde niemals seinen eiskalten Blick vergessen, den er ihr bei der Urteilsverkündung zugeworfen hatte.

Ihr Handy klingelte und Anne schreckte zusammen. Dr. Reuscher wollte sie erreichen. Mit klopfendem Herzen hob sie ab.

»Hallo«, flüsterte sie ins Telefon.

»Anne, hier spricht Doktor Reuscher. Wo sind Sie denn? Wir sind seit fünf Minuten verabredet.«

Fassungslos blickte Anne auf die Uhr und fragte sich, wo die Zeit geblieben war. Eben waren es doch noch mehr als zwanzig Minuten gewesen. Hatte sie so lange an dieser Laterne gestanden? Ungläubig blinzelte sie.

»Tut mir leid. Mir ist etwas dazwischengekommen. Ich bin gleich da.«

Dr. Reuscher legte auf und sie rannte ins Haus. Glücklicherweise hatte sie alles vorbereitet. Sie schlüpfte aus den Hausschuhen und streifte die Pumps über. Dann griff sie die Autoschlüssel und die Handtasche und hastete zu ihrem Wagen. Sie schaffte die Strecke in Rekordzeit und saß keine Viertelstunde später auf Dr. Reuschers Couch.

»Sie sind ja ganz aufgedreht. Ist etwas vorgefallen?« Ihr Therapeut musterte sie mit wissendem Blick.

Anne bemühte sich, ihren Atem unter Kontrolle zu bekommen.

»Alles in Ordnung«, antwortete sie dennoch kurzatmig und überlegte, ob sie Dr. Reuscher von dem Mann an der Laterne vor ihrem Haus berichten sollte. Sie wollte ihn nicht enttäuschen, denn er hielt sie für eine starke Frau und würde dieses Ereignis sicherlich als Rückfall einstufen. Andererseits war er der einzige Mensch auf der Welt, von dem sie sich verstanden fühlte. »Vorgestern habe ich Frank Laganis auf der Straße vor unserem Haus gesehen. Er hat mich beobachtet«, platzte es aus ihr heraus.

Auf Dr. Reuschers Stirn erschien eine Armada von Falten.

»Ich weiß natürlich, dass er es nicht gewesen sein kann. Er sitzt ja im Gefängnis«, fügte Anne schnell hinzu.

Doch die Falten auf Dr. Reuschers Stirn verschwanden nicht. Im Gegenteil, sie schienen sich zu vertiefen. Überhaupt wirkte er sehr ernst und auch ein wenig besorgt. Vollkommen anders als sonst. Sie biss sich auf die Unterlippe. Hätte sie bloß die Klappe gehalten.

»Anne, ich bin mir nicht so sicher, ob Sie wirklich verinnerlicht haben, dass Frank Laganis Sie nicht verfolgen kann.«

Anne senkte ihren Blick. Dr. Reuscher durchschaute sie ganz offensichtlich.

»Werde ich paranoid?«, fragte sie ein bisschen ängstlich.

Dr. Reuscher antwortete nicht sofort. Er betrachtete sie zuerst nachdenklich.

»Wir müssen an Ihrem Trauma arbeiten«, erklärte er dann. »Sie sind heute sichtlich nervös und aufgebracht. Es ist wichtig, dass Sie sich auch körperlich entspannen. Atmen Sie am besten einmal tief durch.«

Anne tat, wie ihr geheißen.

»Sehr gut«, lobte Dr. Reuscher sie nach ein paar Minuten. Sie wiederholten diese Übung und fügten noch weitere Entspannungstechniken hinzu. Als die Stunde um war, fühlte Anne sich tatsächlich besser. Dr. Reuscher lächelte zufrieden und verabschiedete sie.

Anne fuhr entspannt nach Hause. Sogar die Sonne brach ab und an durch die dicke Wolkendecke hindurch. Der Wagen ihres Mannes stand auf der Einfahrt. Endlich kam er mal früher von der Arbeit. Sie verbrachten viel zu wenig Zeit miteinander. Gut gelaunt öffnete Anne die Tür. Ihr Mann saß auf der Couch im Wohnzimmer. Er erhob sich, als er sie bemerkte.

»Anne. Ich muss dir etwas Wichtiges sagen. Etwas, was dich bestimmt nicht fröhlich stimmt. Aber ich verspreche dir, dass wir damit umgehen können. Du bist eine starke Frau und ich werde natürlich immer für dich da sein.« Er machte eine Pause und sah sie durchdringend an. Annes Puls beschleunigte sich in schwindelerregende Höhen.

»Was ist denn passiert?«, fragte sie mit merkwürdig piepsiger Stimme.

Ihr Mann schritt auf sie zu und nahm sie in den Arm.

»Ich habe gerade einen Anruf erhalten und bin sofort nach Hause geeilt. Also ...« Er drückte sie fester an sich. »Ich habe erfahren, dass Frank Laganis vor zwei Tagen überraschend aus der Haft entlassen wurde. Die Begründung lautete wegen guter Führung. Ich denke eher, das Gefängnis ist überbelegt und völlig überlastet. Wie auch immer. Wir schaffen das, Anne.«

Anne hatte das Gefühl, dass ihr Herz aufhörte zu schlagen. Die Lunge schien ihr ebenfalls den Dienst zu versagen, denn sie schnappte erfolglos nach Luft. Ein schwarzer Schleier breitete sich über ihr aus. Sie sackte zusammen, die Worte ihres Mannes zu verarbeiten. Doch in ihrem Kopf herrschte völliges Chaos. Sie brachte nicht einen einzigen Gedanken zu Ende.

»Bleib ganz ruhig«, flüsterte ihr Mann. »Ich beschütze dich. Alles wird gut.« Er hielt sie in seinen Armen und sie konnte seine Stärke spüren, aber tief in ihrem Inneren wusste sie, dass er falschlag. Frank Laganis würde ihr wieder wehtun. Warum sonst hatte er direkt nach seiner Entlassung vor ihrem Haus gestanden? Anne würgte. Ihr war übel. Sie richtete sich auf, nur um gleich darauf erneut zusammenzusacken. Sie befand sich im freien Fall und nichts konnte ihren Absturz aufhalten.

20

Julias Herz pochte so laut gegen die Rippen, dass es sogar das Motorengeräusch übertönte. Sie schaute in den Rückspiegel. Die Russin hatte ihre eiskalten Augen auf die Straße gerichtet und beachtete sie nicht. Julia durfte nicht daran denken, dass sie keinen Kontakt mehr zu Florian hatte. Sie wollte nicht sterben, aber sie musste auch verhindern, dass der Täter erneut zuschlug.

»Haben Sie die Karte dabei?«, fragte Alina Petrowa plötzlich und warf ihr einen prüfenden Blick zu. »Ich habe sie gestohlen und das wird bald auffallen.«

»Ja, natürlich«, entgegnete Julia und sah die Lichter der Straßenlaternen und der entgegenkommenden Autos an sich vorbeifliegen. Erst nach einer Weile begriff sie, dass sie auf das Stadtzentrum zurasten. Der Verkehr nahm zu und endlich mussten sie langsamer fahren. Taxis kreuzten ihren Weg. Sie steuerten auf den Kölner Hauptbahnhof zu. Hoffentlich musste sie nicht auch noch in eine Bahn steigen. Petrowa machte in einiger Entfernung eine Vollbremsung und deutete mit einem Nicken auf den Haupteingang des Bahnhofs.

»Schieben Sie die Karte einfach in die Schließfachanlage. Sie müssen sehen, was Burakow dort hineingelegt hat. Und jetzt laufen Sie und drehen Sie sich nicht um. Auf Wiedersehen und viel Glück.«

Julia stieg aus. Kaum dass sie die Tür zugeschlagen hatte, preschte Petrowa mit quietschenden Reifen davon. Sie blickte ihr kurz hinterher und rannte dann über den Platz in den großen Bahnhof hinein. Sie hatte keine Ahnung, wo sich die Schließfachanlage befand. Sie zerrte die Magnetkarte aus der Hosentasche und rückte ihre Brille zurecht. Auf der Anzeigetafel über ihr war der Fahrplan angegeben, jedoch kein Hinweis zur Gepäckaufbewahrung.

Julia lief die Bahnhofshalle ab. Reisende stürmten an ihr vorüber. Ein Ellenbogen traf sie, aber sie ließ sich nicht aus dem Konzept bringen. Gerade hatte sie ein neues Hinweisschild entdeckt. Sie sah ein Koffersymbol und folgte dem Pfeil. Die Schließfachanlage lag im vorderen Teil des Bahnhofs. Sie musste versehentlich vorbeigelaufen sein. Julia hastete in die angegebene Richtung und erreichte mehrere Automaten. Sie blieb gleich am ersten stehen und steckte mit zitternden Fingern die Karte in den Schlitz. Es dauerte eine Weile, dann öffnete sich ein Gepäckfach. Julia starrte hinein. Eine dunkelgrüne Tasche lag darin. Sie holte die schwere Tasche heraus und zog den Reißverschluss auf. Das Erste, was ihr auffiel, war das Glas. Julias Herz donnerte in der Brust, denn als Nächstes nahm sie die Flüssigkeit wahr und das, was in ihr schwamm. Verdammt! In dem Glas befand sich ein menschlicher Fuß. Es handelte sich definitiv um eines der gestohlenen Präparate aus dem anatomischen Institut.

Julia schloss die Tasche sofort wieder, bevor es jemand sehen konnte. Sie hatte recht behalten. Alina Petrowa wollte ihr etwas Wichtiges zeigen. Wenn Pavlo Burakow tatsächlich dieses Präparat in das Schließfach gelegt hatte, dann war er mit hoher Wahrscheinlichkeit der Täter. Das hätte sie nicht für möglich gehalten. Jetzt wurde Julia klar, warum Alina Petrowa sich so angestellt und sie mit ihren Spielchen durch halb Köln gelotst hatte. Burakow war ein Mörder und sie hatte Angst vor ihm. Und die Polizei wollte die Russin abhängen. Denn mit dem Fund des Präparates hätte man Alina Petrowa mit Sicherheit in Gewahrsam genommen. Vermutlich hatte sie Sorge, dass ihr noch im Gefängnis etwas zustieß oder Burakow ihr spätestens bei ihrer Entlassung auflauerte. Julia sah sich um. Sie musste Florian anrufen, doch ihr Handy hatte sie in der Toilette des Kinos zurückgelassen.

»Entschuldigen Sie bitte«, sprach sie eine junge Frau an, die ein völlig übermüdetes vier- oder fünfjähriges Kind hinter sich herzog. »Dürfte ich kurz Ihr Handy benutzen? Ich müsste dringend mit der Polizei sprechen.«

Die junge Mutter starrte sie entsetzt an und lief an ihr vorbei. Nach ein paar Metern hielt sie an und drehte sich um. Sie musterte Julia von oben bis unten und öffnete schließlich die Handtasche, um ihr Handy herauszuholen.

»Tut mir leid. Ich habe Sie erst nicht richtig verstanden«, entschuldigte sie sich und reichte Julia das Telefon.

»Danke«, sagte Julia und tippte hastig Florians Nummer ein. Es klingelte und klingelte. Dann sprang die Mailbox an. Verzweifelt drückte sie auf Wahlwiederholung. Sie kannte Martin Saathoffs Handynummer nicht auswendig und im Polizeirevier musste sie es um diese Uhrzeit auch nicht probieren. Wieder ertönte der Klingelton. Als sie schon fast aufgeben wollte, hörte sie Florians Stimme.

»Florian Kessler hier. Mit wem spreche ich?« Er klang verzerrt. Im Hintergrund dröhnte ein Automotor.

»Ich bin es, Julia«, erwiderte sie.

»Julia? Wo bist du?«

»Es geht mir gut. Ich bin im Hauptbahnhof bei den Schließfächern. Kommt bitte schnell hierher.«

Julia hörte, wie Florian Martin Saathoff zum Bahnhof dirigierte.

»Rühr dich nicht von der Stelle. Wir brauchen zehn Minuten.« Er legte auf und Julia gab der Frau das Handy zurück.

»Ich kann hier mit Ihnen warten«, bot die junge Mutter an. »So lange, bis die Polizei eintrifft. Vielleicht rufen die ja noch mal an.«

Julia deutete auf den kleinen Jungen, der sich inzwischen auf den Boden gesetzt hatte und kurz davor war, einzuschlafen.

»Ich danke Ihnen vielmals. Aber das ist nicht nötig. Der Kleine braucht Schlaf.«

Die Frau nickte. »Wir waren bei seinen Großeltern. Eine bessere Zugverbindung gab es leider nicht. Ich wünsche Ihnen alles Gute.« Sie nahm ihren Sohn auf den Arm und verschwand langsam aus Julias Blickfeld.

Julia blieb vor dem Schließfach stehen. Ihr Körper war so vollgepumpt mit Adrenalin, dass sie leicht zitterte. Ihre Gedanken drehten sich um das Präparat und um Pavlo Burakow. Sie mussten den Mistkerl so schnell wie möglich festnehmen, bevor er Alina Petrowa etwas antat. Im Grunde hätte sie die Russin aufhalten müssen. Die Frau gehörte unter Polizeischutz. Sie dachte an den Behälter mit dem präparierten Fuß und hoffte, dass sie Burakows Fingerabdrücke darauf finden würden. Dann wäre der Kerl geliefert. Sie tigerte unruhig auf und ab. Es dauerte eine gefühlte Ewigkeit, bis sie endlich aus der Ferne ihren Namen hörte.

»Julia!«

Sie sah auf und entdeckte Florian, der mit seinem Partner auf sie zugestürmt kam. Florian zog sie an sich und nahm sie so fest in den Arm, dass ihr fast die Luft wegblieb.

»Ich bin so froh, dass dir nichts geschehen ist.« Er küsste sie auf die Stirn und strich ihr zärtlich eine Haarsträhne zur Seite. »Diese verdammte Petrowa wird ihr blaues Wunder erleben. Ich habe alle verfügbaren Einheiten zur Fahndung auf sie angesetzt. Sie wird dafür bezahlen, dass sie dich in Gefahr gebracht hat.«

»Sie hat mir etwas Wichtiges gezeigt«, erwiderte Julia und löste sich ein wenig aus Florians Griff. »Ich denke, sie ist unschuldig.«

»Was ist denn in der Sporttasche?«, fragte Martin Saathoff und betrachtete sie neugierig. »Darf ich?«

Julia nickte. »Nur zu. Alina Petrowa hat behauptet, dass Burakow die Tasche ins Schließfach gelegt hätte.«

Saathoff ging in die Hocke, öffnete den Reißverschluss und holte den Glasbehälter heraus.

»Verdammt!«, fluchte er angewidert, als er erkannte, was in der Flüssigkeit schwamm. »Dieser Mistkerl. Ich wusste doch die ganze Zeit, dass Burakow uns an der Nase herumführt. Von wegen nur harmloser Pornodreh an besonderen Orten. Wer weiß, ob dieser Perverse nicht auch noch das qualvolle Sterben von Jana Petersmann aufgenommen hat.«

Florian blieb stumm. Er starrte auf das Präparat und rieb sich nachdenklich das Kinn.

»Und woher wollen wir wissen, dass Alina Petrowa nicht lügt? Vielleicht steckt sie ja mit Pavlo Burakow unter einer Decke.«

Julia schüttelte den Kopf. »Das kann ich mir nicht vorstellen. Sie wirkte sehr ängstlich. Warum sollte sie uns das Präparat zeigen, wenn sie mit ihm gemeinsame Sache macht? Ich hoffe jedenfalls, dass Burakow nicht schon das nächste Opfer in seiner Gewalt hat. Ihr solltet den Mann festnehmen, bevor er noch mehr Unheil anrichtet.« Sie seufzte. »Immerhin ist mir inzwischen klar, warum sie ohne ihren Anwalt mit mir sprechen wollte. Schließlich berät er auch Burakow und hätte alles brühwarm weitergetragen. Die Frau muss Todesängste ausgestanden haben.«

»Sie hätte dich trotzdem nicht gleich entführen müssen«, knurrte Florian. »Freiheitsberaubung ist eine schwere Straftat.«

Julia winkte ab. »Sie wollte nicht von Burakow erwischt

werden. Sie hat ihm die Karte geklaut und ahnte, dass er bald danach suchen wird. Er würde früher oder später hierherkommen und das Präparat vermutlich in Sicherheit bringen. Wir hätten es ohne sie niemals gefunden.«

Florian zuckte mit der Schulter. »Sie hätte dir die Karte einfach während des Gespräches geben können. Es hätte keinen großen Unterschied gemacht.«

Julia sah das anders. »Ich denke, sie traut der Polizei nicht. Deshalb hat sie meine Verkabelung entfernt und diese Irrfahrt durch Köln unternommen. Vielleicht hat Burakow auch permanent ein Auge auf das Schließfach und deswegen hat sie mich vorgeschickt.«

»Moment mal«, platzte Martin Saathoff plötzlich dazwischen. »Es wurden insgesamt zwanzig Präparate entwendet. Drei haben wir wieder. Wo hat Burakow denn die restlichen siebzehn versteckt?« Er machte eine ausschweifende Handbewegung und deutete in Richtung Keller. »Doch nicht etwa in den anderen Schließfächern?«

»Verflucht. Das ist eine unterirdische Schließfachanlage, die vollautomatisch funktioniert. Wir müssen sofort alles absperren und den Betrieb stoppen«, stieß Florian aus.

Julia schwieg perplex. Dieser Gedanke war ihr noch gar nicht gekommen. Es gab bestimmt Hunderte Schließfächer im Hauptbahnhof. Die Abgabe von Sachen erfolgte komplett anonym. Um die Fächer zu prüfen, brauchten sie Zutritt in den Keller, wo sich die Aufbewahrungsanlage befand. Ihr Blick wanderte zur Uhr.

»Mist. Wir haben zwei Uhr nachts. Die Bahnhofsverwaltung öffnet erst in ein paar Stunden wieder.« Sie gähnte, als ihr klar wurde, wie spät es bereits war.

»Entschuldige«, sagte Florian und legte ihr den Arm um die Schulter. »Du musst dich ausruhen und schlafen. Ich sorge dafür, dass Burakow festgenommen wird. Das kann eine Streife übernehmen.« Er wandte sich Martin Saathoff zu. »Forderst du ein paar Kollegen an, die hier absperren? Die Spurensicherung sollte morgen die Schließfachanlage überprüfen.«

»Klar. Wird gemacht«, erwiderte Saathoff und grinste. »Ich wünsche euch eine gute Nacht.«

»Danke. Wir dir auch.« Florian begleitete Julia nach draußen zu seinem Wagen.

Als sie später eng umschlungen bei ihm im Bett lagen, flüsterte er: »Ich bin so froh, dass dir nichts geschehen ist. Weißt du eigentlich, dass du mir alles bedeutest? Du bist meine ganze Welt.«

»Ich liebe dich«, erwiderte Julia und stellte erstaunt fest, dass ihr diese Worte mit einer Leichtigkeit über die Lippen kamen, die sie lange nicht hatte aufbringen können. Sie hatte nicht mehr das Bedürfnis, Florian auf Abstand zu halten. Sie fühlte sich sicher in seinen Armen. So sicher, dass sie auf der Stelle einschlief.

21

Teresa wusch sich die Hände und betrachtete sich dabei im Spiegel. Ihre Augen wirkten gerötet. Kein Wunder. Es war mitten in der Nacht. Sie war die ganze Zeit von einem Patienten zum nächsten gehetzt. Es war die Hölle los, wie so oft in den vergangenen Wochen. Niemand schien auf das Klinikpersonal Rücksicht zu nehmen. Auch die Pflegerinnen und Pfleger pfiffen auf dem letzten Loch. Teresa sah es an ihren blassen Gesichtern und den dunklen Rändern unter ihren Augen. Sie spürte einen leichten Schwindel und hielt sich am Waschbecken fest. Der Nachtdienst ging bis zum Morgen. Ein paar Stunden würde sie noch durchhalten müssen. Sie kramte eine Packung Traubenzucker aus der Tasche ihres Arztkittels und verzehrte zwei Stücke. Kurz darauf verschwand der Drehwurm und sie fühlte sich ein wenig besser. Sie löste das Gummiband aus ihrem Haar und machte sich einen neuen Zopf. Dann drehte sie den Wasserhahn auf und spritzte sich das kalte Nass ins

Gesicht und auf den Hals. Sie tupfte sich mit den billigen grauen Papiertüchern trocken und eilte zurück auf die Station zu dem Patienten, der vor zwei Stunden mit Atemnot eingeliefert worden war. Der sechzigjährige, stark übergewichtige Mann lag teilnahmslos auf seinem Bett. Er nahm Teresas Anwesenheit kaum wahr. Sie überprüfte die Sauerstoffsättigung seines Blutes. Der Wert war gefährlich niedrig. Teresa gab dem Patienten mehr Sauerstoff und kontrollierte die anderen Vitalwerte. Fieber hatte er nicht. Der Blutdruck war zu hoch, was sie bei dem Übergewicht nicht wunderte. Sie notierte die Werte und beschloss, in einer halben Stunde wieder nach ihm zu schauen.

Sie musste sich noch um eine weitere Neuaufnahme kümmern. Eine Frau mit Bauchkrämpfen, die nur deshalb auf ihrer Station gelandet war, weil die Gynäkologie und die Gastroenterologie wegen Überfüllung geschlossen waren. Teresa hatte keine Ahnung, warum es der Frau so schlecht ging. Sie stöhnte unaufhörlich. Teresa hatte ihr ein krampflösendes Medikament verabreicht, doch es schien nicht zu wirken.

»Frau Burkhart, geht es Ihnen besser?«, fragte sie trotzdem.

Die Frau schüttelte kraftlos den Kopf. »Es ist noch genauso schlimm«, jammerte sie und presste beide Hände auf den Unterleib.

Teresa wusste, dass sie zumindest einen Ultraschall machen musste. Vielleicht hatte die Frau freie Flüssigkeit im Bauchraum. Solche gynäkologischen Notfälle kamen häufiger vor, insbesondere bei Frauen, die zur Zystenbildung neigten. Es konnte aber ebenso gut etwas mit dem

Darm zu tun haben. Teresa kramte in ihrem Gedächtnis. Sie versuchte sich zu erinnern, wie eine Blinddarmentzündung zuverlässig diagnostiziert wurde. Doch der Stress schien ihr gesamtes Wissen weggeblasen zu haben. Sie überlegte, einen Kollegen hinzuzuziehen. Das hatte sie in den letzten Stunden allerdings so oft getan, dass es bestimmt langsam auffiel. Sie musste sich dringend über ihre Bücher setzen und ihr Wissen auffrischen. Aber wie sollte sie das bei diesem extremen Arbeitsanfall schaffen? Es war schlichtweg unmöglich.

»Die Medikamente wirken gleich«, beruhigte sie Frau Burkhart, deren Haut aschfahl und schwitzig wirkte.

Sie kontrollierte den Puls, der viel zu hoch war. Teresa konnte nur hoffen, dass die Patientin sich stabilisierte. Auch nach ihr würde sie in einer halben Stunde wieder schauen. Mit einem flauen Gefühl im Magen verließ sie das Patientenzimmer und nahm sich ein paar leichtere Fälle vor. Der Patient in Zimmer fünf konnte morgen früh entlassen werden. Mit ihm gab es keine Probleme. Teresa seufzte. Warum war es bloß so schwer, ihren Traum zu leben? Sie wollte doch einfach nur helfen. Ärztin sein.

Das sterbende Gesicht eines jungen Mädchens kam in ihr hoch. Sie versuchte, die Erinnerung wegzuwischen, aber es funktionierte nicht. Das Mädchen starrte sie vorwurfsvoll an.

»Ich weiß, was du getan hast«, flüsterten die blassen toten Lippen.

»Es ist bloß ein Stück Papier«, erwiderte Teresas Gewissen. »Papierkram, der nichts wert ist. Auf das Herz kommt es an und auf den Willen zu heilen.«

Das tote Mädchen schüttelte den Kopf. Teresas Herz hüpfte im wilden Galopp. Sie rannte auf die Toilette und spritzte sich erneut etwas kaltes Wasser ins Gesicht. Sie schloss die Augen, aber das Mädchen verschwand nicht aus ihrer Erinnerung.

»Geh weg«, schrie sie und ließ sich auf den Boden sinken. »Geh doch endlich weg.« Tränen liefen ihr über die Wangen. Ihr Atem ging so schnell, dass der Schwindel zurückkehrte. Sie vergrub das Gesicht in den Händen und weinte.

Nach einer Weile hatte Teresa jedes Zeitgefühl verloren. Sie rappelte sich auf und trocknete ihre Wangen. Sie durfte nicht einfach aufgeben. Mit wackeligen Knien wankte sie auf den Flur. Sie musste nach der Patientin mit den Krämpfen schauen. Der Zeiger auf der Stationsuhr hatte sich fast eine Stunde weitergedreht. Höchste Zeit!

Teresa ging in das Zimmer und schaute zum Bett. Frau Burkhart lag da, als ob sie schliefe. Mit flauem Magen trat Teresa näher. Die Patientin konnte nicht schlafen, denn ihre Augen standen auf. Sie starrten sie an. Unwillkürlich berührte sie die kalte, schlaffe Haut. Kein Puls!

Teresa zog die Hand zurück. Das durfte nicht sein. Nicht schon wieder. Sie drehte sich um und rannte hinaus. Mit zittrigen Fingern wählte sie die Nummer des Oberarztes.

»Ich komme sofort«, versprach der Arzt.

Teresa stürmte erneut in das Krankenzimmer und begann hektisch mit der Herzdruckmassage. Sie musste retten, was zu retten war. Vielleicht war es noch nicht zu spät.

22

Julia hatte die ersten Stunden des neuen Tages mit Florian im Polizeirevier verbracht. Lenja war nach ihrer kleinen Auszeit unerwartet am frühen Morgen im rechtsmedizinischen Institut erschienen und für sie eingesprungen. Julias Kopf dröhnte. Sie hatten versucht, die Strecke zu rekonstruieren, die Alina Petrowa mit ihr in der Nacht gefahren war. Allerdings gab es ein paar Lücken, die Julia absolut nicht füllen konnte. Sie kannte nicht jede Straße in Köln, und sosehr sie sich auch bemühte, ihre Angaben blieben mit Unsicherheit behaftet. Sie hatten definitiv Schleifen gedreht, vermutlich um die Polizei in die Irre zu führen. Sie tippte auf den Stadtplan, der an der Wand in Florians Büro klebte.

»Es könnte diese oder die Parallelstraße gewesen sein. Tut mir leid.« Sie wandte sich um und zuckte mit der Schulter. »Ist es denn so wichtig, den genauen Weg zu rekonstruieren?«

»Die Spurensicherung könnte Beweise auf der Strecke finden«, erwiderte Florian.

Julia wischte gedankenverloren über das Display ihres Handys, das die Polizei aus der Damentoilette des Kinos geholt hatte. Sie fühlte sich miserabel. Ein Polizist könnte sich bestimmt an alle Details haarklein erinnern. Julia hingegen hatte viel zu viele Ängste ausgestanden und sich überhaupt nicht auf den Weg konzentriert. Wenigstens war Pavlo Burakow noch in der Nacht festgenommen worden. Leider stritt er jegliche Beteiligung an den Mordfällen ab. Eigentlich interessierte diesen Mistkerl nur, wo Alina Petrowa steckte. Julia hatte den Zorn in seinen Augen gesehen. Burakow durfte die Russin auf keinen Fall in seine Finger bekommen. Unglücklicherweise sah die Beweislage, was Burakow anging, dünn aus. Die Spurensicherung hatte auf dem Glas lediglich Julias und Martin Saathoffs Fingerabdrücke sichergestellt. Auch auf der Zugangskarte für das Schließfach fanden sich keinerlei Spuren von Burakow. Die Untersuchung der Schließfachanlage war noch in vollem Gange. Sie waren also auf die Aussage von Alina Petrowa angewiesen und die schien untergetaucht zu sein. Weder sie noch Burakows Wagen waren bisher gesichtet worden. Und das, obwohl eine bundesweite Fahndung lief.

»Ich bin wohl keine große Hilfe gewesen«, murmelte Julia und setzte sich. Sie ließ sich gegen die Lehne von Florians Bürostuhl sinken und massierte sich den schmerzenden Nacken.

Genau in diesem Moment wurde die Tür aufgerissen und Florians Vorgesetzter schaute herein.

»Schlechte Nachrichten«, begann Hermann Meier und trat ein. »Die Richterin stellt keinen Haftbefehl aus. Pavlo Burakow kann gehen. Ich bin stinksauer. Sein Anwalt schlägt vor Freude Purzelbäume.«

Im Büro wurde es mucksmäuschenstill. Niemand rührte sich. Die Vorstellung, dass ein potenzieller Serienkiller wieder auf freien Fuß gesetzt wurde, war ungeheuerlich.

»Was ist mit dem Durchsuchungsbeschluss für die Wohnung?«, fragte Florian, der schneller geschaltet hatte als alle anderen. »Dürfen wir rein? Dort müssen Beweise liegen.«

Hermann Meier schüttelte den Kopf. »Alles abgelehnt. Die Beweislage ist zu dünn und außerdem besteht angeblich keine Fluchtgefahr.«

»Der Kerl hat möglicherweise zwei Menschen auf dem Gewissen. Zählt das denn gar nicht?«, beschwerte sich Martin Saathoff entrüstet. »Vielleicht informiert die Richterin beim nächsten Opfer höchstpersönlich die Angehörigen, damit sie mal merkt, wie bescheiden sich das anfühlt. Wir reden hier von einem potenziellen Serienkiller. Der Täter hat ganze zwanzig Präparate entwendet!«

»Ich weiß, aber ich kann leider nicht mehr tun. Sie müssen die Schlinge um den Hals des Verdächtigen enger zusammenziehen. Schaffen Sie Beweise heran und nicht nur Mutmaßungen. Wir brauchen Zeugen oder aussagekräftige Spuren. Telefonanrufe, irgendetwas Handfestes.« Hermann Meier hob kopfschüttelnd die Hände. »Machen Sie sich besser sofort wieder an die Arbeit. Ich spreche noch einmal mit der Richterin, doch Sie wissen selbst, dass wir nicht sonderlich viel in der Hand haben.« Er wandte sich ab und marschierte aus dem Büro. Die Tür knallte zu und für eine Weile herrschte abermals betroffenes Schweigen.

Dieses Mal war Julia die Erste, die sich rührte. Sie erhob sich und ging zum Whiteboard, auf dem Florian und Saathoff die bisherigen Ergebnisse notiert hatten.

»Okay, beginnen wir noch einmal von vorn.« Sie betrachtete die Notizen zum ersten Opfer Jana Petersmann. Sie hatte jeglichen Kontakt zu ihrer Familie vor Jahren abgebrochen. Die Eltern und Geschwister wohnten mehr als einhundert Kilometer entfernt. Die junge Frau hatte sich ihren Lebensunterhalt mit einem Begleitservice verdient und mit zwei weiteren Frauen in einer Wohngemeinschaft gelebt. Eine von ihnen war an einer Überdosis Drogen gestorben. Die andere, Carina Mühlheim, hatte ein Alibi für die Nacht des Mordes. Zumindest hatte ihr Stammkunde ihr eines gegeben. Julias Finger flog zu einem anderen Namen auf der Tafel.

»Was ist mit Georg Findel? Das war der letzte Kunde, mit dem Jana Petersmann sich vor ihrem Tod getroffen hat.«

»Das ist ein Fake-Profil«, erklärte Martin Saathoff und strich sich über den Schnauzbart. »Angeblich hat er sie bei Tinder kontaktiert. Das sagt zumindest die Mitbewohnerin. Allerdings haben wir das Handy des Opfers bisher nicht sicherstellen können, und die Plattform weigert sich, den Chat herauszurücken. Auch mit einem richterlichen Beschluss kann es noch Wochen dauern, bis wir mehr erfahren. Das Profil wurde jedenfalls schon wieder gelöscht, und die letzte Nummer, mit der Jana Petersmann telefoniert hat, kam von einem Prepaid-Handy, das wir nicht nachverfolgen können.«

Julia nickte nachdenklich und betrachtete die restlichen Namen auf dem Whiteboard. Pavlo Burakow war rot eingekreist. Alina Petrowa stand mit einem Fragezeichen daneben. Julias Blick wanderte zum zweiten Opfer Nils Deuss. Gegen ihn lagen mehrere Anzeigen wegen häuslicher Gewalt vor. Allerdings waren diese nicht weiterverfolgt worden, weil Nicole Deuss von ihrem Zeugnisverweigerungsrecht Gebrauch gemacht hatte. Seine Frau war zum Zeitpunkt seines Todes im Krankenhaus. Zurzeit wurde überprüft, ob sie gegebenenfalls eine Affäre hatte. Auch ein Freund von Nils Deuss gehörte zum Kreis der Verdächtigen: Jörg Kannen. Er hatte Deuss Geld geliehen und es hatte diesbezüglich Streit gegeben. Allerdings hatte Kannen ein Alibi von seiner Frau. Während der Befragung hatte Kannen sich kooperativ gezeigt, war wegen des Geldes, das Deuss ihm schuldete, jedoch trotzdem als Verdächtiger eingestuft worden. Er hätte theoretisch ein Motiv.

»Wir sollten bei Georg Findel und Jörg Kannen noch einmal von vorn beginnen«, schlug Julia vor. »Es fehlt nach wie vor eine Verbindung zwischen den beiden Opfern. Florian hat ja bereits vermutet, dass die Opfer nicht zufällig ausgewählt wurden. Dafür waren die Morde zu aufwendig. Das Abtrennen und Annähen von Körperteilen hat eine Bedeutung, sei es eine Bestrafung oder irgendein Ritual. Irgendwo muss da ein Zusammenhang sein.« Sie pochte auf die Tafel. »Und wenn wir den finden, kommen wir vielleicht auch an Beweise, damit wir Pavlo Burakow verhaften können.«

»Wie sollen wir denn etwas über Georg Findel herausfinden, wenn dieser Name nur ein Fake-Profil ist?«, brummte Martin Saathoff. »Ich hoffe ehrlich gesagt, dass Hermann Meier die Richterin doch noch überzeugen kann, einen Haftbefehl für Pavlo Burakow auszustellen. Wir werden den Kerl so lange verhören, bis er gesteht, und damit wäre der Fall endlich erledigt.«

»Die Richterin muss sich an die Unschuldsvermutung halten«, warf Florian ein. »Von daher bleibt uns wohl nichts weiter übrig, als unsere Hausaufgaben zu machen. Vielleicht hat sich dieser Georg Findel noch auf anderen Plattformen mit seinem Fake-Namen angemeldet. Tinder war bestimmt nicht sein einziger Versuch.« Er tippte den Namen in eine Suchmaschine seines Computers ein. Julia gesellte sich zu ihm und studierte die Ergebnisse. Ohne jeglichen Erfolg. Sie probierten es bei Facebook und Instagram. Auch hier gab es den Namen nicht. Die Profilsuche bei Dating-Anbietern verlief ähnlich frustrierend. Nach einer Weile seufzte Julia und rieb sich die Augen.

»Lass uns die Kommentare auf der Seite des Begleitservice von Jana Petersmann durchgehen«, sagte sie, weil sie einfach nicht aufgeben wollte.

Florian las sich die Onlinekommentare durch, während Martin Saathoff sich durch die Akte blätterte. Er schob Julia eine Liste zu.

»Das ist die Kundenliste des Begleitservice. Eine Kollegin hat sie mit dem Terminkalender und den Kontodaten abgeglichen und vorhin abgegeben. Ich habe noch nicht draufgeschaut.«

Julia nahm sich die Aufstellung vor. Der Begleitservice schien gut zu laufen, jedenfalls für Carina Mühlheim. Auf ihren Namen liefen die meisten Kunden. Bei Jana Petersmann verhielt es sich anders. Sie hatte im Monat höchstens vier Männer getroffen, manchmal auch nur einen. Geld war nie geflossen, auf jeden Fall nicht über ein Konto. Carina Mühlheim hingegen ließ sich sogar mit Paypal bezahlen. Das passte zu Mühlheims Aussage, dass Jana Petersmann sich mit ihren Kunden bloß einmal verabredet und sie dann bestohlen hatte. Vermutlich hatte sie sich an Bargeld und Kreditkarten bedient. Da wäre es naheliegend, dass sich einer der Betrogenen an ihr rächen wollte.

Plötzlich hatte sie eine Idee. »Habt ihr eigentlich überprüft, ob Nils Deuss ein Kunde des Begleitservice war?«

Florian schaute Julia an, als hätte ihn der Schlag getroffen.

»Wir haben versucht, herauszufinden, ob er Jana Petersmann kannte. Allerdings nicht, ob er womöglich mit Carina Mühlheim oder der dritten Mitbewohnerin verkehrt hat«, sagte er. »Aber das kläre ich sofort.«

»Auf der Liste steht sein Name jedenfalls nicht«, erwiderte Julia und überlegte, ob sich Deuss hinter dem Fake-Profil Georg Findel verbergen könnte.

Florian klemmte sich ans Telefon und ließ die Telefonliste des Begleitservice mit der Nummer von Nils Deuss und mit seinen Kontodaten abgleichen. Nach einer Weile schüttelte er den Kopf.

»Sieht nicht so aus, als ob es da einen Zusammenhang

gäbe.« Er zuckte mit den Achseln. »Wir müssen weitersuchen.«

Die Tür ging auf und Anna Schubert, die Leiterin der Spurensicherung, grüßte sie reihum.

»Ich dachte mir, ich berichte sofort«, erklärte sie und ließ sich gegen Martin Saathoffs Schreibtisch sinken. »Wir haben Stunden damit zugebracht, die Schließfachanlage im Hauptbahnhof zu überprüfen.« Sie fuhr sich durch die graue Haarpracht. »Nichts. Nur dieses eine Präparat. Wurden nicht zwanzig gestohlen?«

»Das ist richtig. Ein Paar Ohren und Hände wurden den Opfern angenäht und eines lag im Schließfach. Ich hätte eigentlich erwartet, dass sich in den Schließfächern noch weitere Präparate befinden.« Florian machte ein nachdenkliches Gesicht. »Vielleicht war der Täter vorgewarnt und hat die Fächer leer geräumt.«

Anna Schubert schüttelte energisch den Kopf. »Das glaube ich nicht. Wir haben uns angesehen, wie viele Fächer am Tag der Abgabe belegt wurden. Es passt einfach nicht. Das Präparat wurde schon vor einer Woche eingelagert. An diesem Tag gab es Hunderte andere Einlagerungen, allerdings ist unser Präparat zusammen mit einem Koffer das einzige Objekt, das so lange aufbewahrt wurde. Den Koffer haben wir kontrolliert. Er ist mit Kleidung gefüllt und harmlos. Es wäre ziemlich auffällig, wenn jemand mit achtzehn großen und schweren Gläsern zur Schließfachanlage geht. Nichts. Die meisten Fächer werden nach einem Tag wieder geleert.«

»Es gibt auch andere Schließfachanbieter in Köln. Vielleicht hat der Täter die Präparate aufgeteilt.« Julia versuchte sich vorzustellen, wie sie zwei oder drei dieser Glasbehälter in eine Tasche steckte. Da kamen schnell mehr als zehn Kilogramm zusammen.

Plötzlich schnipste Martin Saathoff, der die ganze Zeit über in die Akten vertieft gewesen war, mit dem Finger.

»Ich bin da auf etwas gestoßen.« Er blickte in die Runde und hob die Augenbrauen. »Jörg Kannen, der seinem Freund, Nils Deuss, Geld geliehen hat, ist ein Kunde von Carina Mühlheim.«

23

Interessanterweise wohnte Jörg Kannen nur dreihundert Meter von Nils Deuss entfernt. Der heruntergekommene Häuserblock beherbergte mehr als zwanzig Einheiten. Die Farbe blätterte an etlichen Stellen ab und im Treppenhaus roch es muffig, nach einer Mischung aus abgestandener Luft, Essen und Schweiß. Julia stieg hinter Florian und Martin Saathoff die Stufen zum dritten Stock hinauf und überlegte, wie viele Minuten Jörg Kannen wohl bis zur Wohnung von Nils Deuss benötigte. Sie schätzte, maximal fünf. Theoretisch hätte er einen Mord inklusive der Wegstrecke in knapp einer Stunde verüben können. Bis zum jetzigen Zeitpunkt hatte die Polizei Jörg Kannen nur wenig Aufmerksamkeit geschenkt. Aber seit Martin Saathoff über die Kontonummer herausgefunden hatte, dass er unter dem Namen *X-Man* mit Carina Mühlheim verkehrte, hatte sich das Blatt gewendet. Natürlich behielten sie Pavlo Burakow als Hauptverdächtigen nach wie vor im Auge. Eine Zivilstreife überwachte jeden seiner Schritte. Doch die Tatsache, dass Burakow bisher keine Verbindung zu den beiden Opfern hatte – Jörg Kannen hingegen schon –, ließ sie an seiner Schuld zweifeln.

»Hier ist es«, sagte Florian und klingelte.

Gleich darauf öffnete sich die Tür. Eine abgemagerte Frau mit langen strähnigen Haaren erschien und winkte sie herein.

»Sind Sie von der Polizei?«, fragte sie scheinbar desinteressiert und deutete in einen Raum auf der rechten Seite des schmalen Flures. »Setzen Sie sich. Ich hole meinen Mann.«

Jörg Kannen wirkte bis auf einen kleinen Bauchansatz durchtrainiert. Er trug die Haare kurz rasiert und einen Dreitagebart. Seine Augen musterten Julia und ihre beiden Begleiter kalt.

»Mein Name ist Florian Kessler, ich bin von der Kripo. Das sind mein Partner Martin Saathoff und unsere Rechtsmedizinerin Julia Schwarz.«

»Ich habe Ihren Kollegen doch schon alles erzählt«, murrte Kannen und ließ sich schwer auf einen Sessel fallen. »Die haben mitgeschrieben. Mehr habe ich nicht zu sagen. Ich war zu Hause. Meine Frau kann das bestätigen.«

»Das ist uns bekannt«, entgegnete Florian. »Es gibt jedoch neue Erkenntnisse im Rahmen unserer Ermittlungen, denen wir auf den Grund gehen müssen.«

»Haben Sie den Mörder von Nils geschnappt?«, fragte Jörg Kannen ungläubig.

»Wir stehen noch am Anfang.«

»Schon gut. Mich interessiert eigentlich nur, ob ich

jetzt meine Kohle wiederbekomme. Ihre Kollegen hatten davon keine Ahnung, aber vielleicht wissen Sie es ja, Herr Kriminalkommissar.«

»Kessler«, sagte Florian ruhig. »Sie dürfen mich einfach mit *Herr Kessler* ansprechen. Was Ihr Geld anbelangt, müssten Sie sich an die Hinterbliebenen wenden. In diesem Fall wäre das Nicole Deuss.«

»Nicole?« Jörg Kannen schüttelte den Kopf. »Die hat doch keinen Cent. Wie soll die denn zweitausend Euro auftreiben?«

»Mehr kann ich dazu nicht sagen. Sie sollten einen Anwalt kontaktieren. Der wird Ihnen die Rechtslage genauer erklären können und die Möglichkeiten, die Sie nun haben.«

»So ein blödes Arschloch«, polterte Jörg Kannen los und ballte die Hände zu Fäusten. »Der hat es echt verdient, dass er jetzt unter der Erde liegt. Wussten Sie eigentlich, dass er seine Frau geprügelt hat?«

»Dazu können wir nichts sagen. Uns interessiert, ob Sie diese Frau kennen?« Florian legte ein Foto von Jana Petersmann auf den zerkratzten Wohnzimmertisch.

Jörg Kannen betrachtete das Bild aufmerksam. »Die ist sehr hübsch, ich kenne sie aber nicht.«

»Und was ist mit dieser Frau?« Florian schob ein Foto von Carina Mühlheim daneben.

Jörg Kannen lief auf der Stelle rot an. »Keine Ahnung, wer das ist«, knurrte er und schnipste die Fotos über den Tisch zurück zu Florian.

»Kommt Ihnen diese Internetseite vielleicht bekannt

vor?« Florian hielt ihm einen Ausdruck der Startseite des Begleitservice vor die Nase.

Kannens Blicke wanderten unruhig zur Wohnzimmertür. »Muss das jetzt sein? Vor meiner Frau?«, zischte er, sprang auf und schloss die Tür. »Wollen Sie mich ruinieren? Meine Frau wirft mich raus. Schlimm genug, dass ich die zweitausend Euro vermutlich nie wiedersehe.«

»Was ist nun mit diesem Begleitservice? Haben Sie diesen Dienst schon einmal in Anspruch genommen?«

Jörg Kannen rieb sich angestrengt den Nacken. »Vielleicht ein- oder zweimal. Öfter nicht«, räumte er ein und starrte Florian feindselig an.

Martin Saathoff schürzte die Lippen und holte ein Blatt Papier aus der Tasche.

»Laut meinen Informationen haben Sie alleine dieses Jahr den Service zehnmal gebucht.«

Jörg Kannen begann zu schwitzen. Die Befragung war ihm sichtlich unangenehm.

»Was hat das denn mit dem Mord an Nils Deuss zu tun?«, wollte er wissen.

Florian ging nicht darauf ein. »Sie kennen also diese beiden Frauen. Warum haben Sie das nicht gleich gesagt? Die Tür ist zu. Ihre Frau kann uns nicht hören.«

»Würden Sie zugeben, dass Sie Geld für Sex ausgeben?«

Florian nickte. »In einer Mordermittlung ganz bestimmt.«

»Also gut, mit Carina bin ich öfter mal zusammen. Die andere wollte nicht. Ich glaube, sie heißt Jana oder so.«

»Jana Petersmann, um es genau zu sagen. Was haben Sie heute vor einer Woche gemacht?«

Jörg Kannen verzog das Gesicht. »Ich habe gearbeitet. Ich bin Pfleger im Krankenhaus. Jetzt erzählen Sie mir bloß nicht, dass diese Frau tot ist.« Er deutete auf das Foto von Jana Petersmann.

Florian schwieg einen Moment. Dann fragte er: »Was haben Sie nach der Arbeit getan?«

Jörg Kannen presste die Lippen zusammen. Er schüttelte langsam den Kopf.

»Ohne einen Anwalt sage ich gar nichts mehr«, stieß er schließlich aus und stürmte aus dem Zimmer.

»Na toll«, stöhnte Florian. »So kommen wir kein Stück weiter. Ich frage jetzt die Frau nach seinem Alibi.« Er erhob sich und verließ ebenfalls das Wohnzimmer. Saathoff folgte ihm auf den Fuß, während Julia sich noch einmal umsah.

Die Wohnung war nicht sonderlich groß. Die Einrichtung wirkte alt und verschlissen. Auf einem Regal erblickte sie das Hochzeitsfoto von Jörg Kannen und seiner Frau. Damals hatte sie sehr glücklich ausgesehen, nicht verhärmt und knochendürr wie heute. Julia wandte sich ab und sah, dass die Tür am hinteren Ende des Zimmers nur angelehnt war. Neugierig linste sie durch den Spalt und entdeckte das Schlafzimmer. Sie schob die Tür ein wenig auf. Den größten Teil des muffigen Raumes nahm ein breites Doppelbett ein. Daneben stand ein Kleiderschrank, der ebenfalls seine besten Tage lange hinter sich hatte. Eine der Spiegeltüren war zersplittert und die andere hing schief in den Angeln. Der runde Teppich vor dem Bett sah verblasst aus, die Fasern waren platt getreten. Julia betrachtete den restlichen Raum. Ein Gegenstand auf dem Nachttisch erweckte ihre Aufmerksamkeit. Sie huschte durch die Tür in das Zimmer und inspizierte das Möbelstück näher. Doch noch bevor sie es in die Hand nehmen konnte, hörte sie jemanden hinter sich.

»Stöbern Sie hier etwa herum?« Jörg Kannen stand plötzlich in der Tür und musterte sie mit hartem Blick. Julia hatte ihn nicht kommen hören.

»Nein, ich habe ein Geräusch gehört. Als ob ein Schlauch geplatzt wäre und ich wollte nachschauen«, log Julia. Sie stellte erstaunt fest, dass ihre Stimme ziemlich ruhig klang, obwohl ihr Puls in die Höhe schoss.

»Sie sind ein sehr schönes Paar«, fügte sie hinzu und drückte sich an Kannen vorbei ins Wohnzimmer. »Ich habe Ihr Hochzeitsfoto gesehen.«

Jörg Kannen räusperte sich. »Ist lange her.«

Julia erwiderte nichts. Sie eilte in den Flur, wo Florian und Martin Saathoff bereits auf sie warteten. Kannen kam ihr verdammt unheimlich vor. Sie rauschte aus der Wohnung und stieg die Treppe hinab. Als sie wieder im Auto saßen, verkündete Julia, was sie gerade im Schlafzimmer entdeckt hatte:

»Jörg Kannen ist Diabetiker. Er hat einen Insulin-Stick neben seinem Bett liegen, und er brauchte noch nicht einmal fünf Minuten, um in die Wohnung von Nils Deuss zu gelangen.«

24

Er konnte sich nicht sattsehen. Das vor zwei Wochen aufgenommene Video hatte er intensiv bearbeitet. Nun war es perfekt und ging auch schon viral. Über tausend *Likes* in nur drei Tagen hatte sein Werk bekommen. Er grinste zufrieden und starrte so lange auf den Bildschirm, bis ihm die Augen tränten. Dann griff er sich in den Schritt und massierte sein bestes Stück. Er stellte sich vor, wie es wäre, die Frau im Video anzufassen und nicht bloß zu filmen. In letzter Zeit tat er das häufiger. Die Bilder genügten ihm plötzlich nicht mehr. Früher hatte er sich mit einem einzigen Foto über Wochen befriedigen können. Jetzt waren es Videos, und immer häufiger folgte er Frauen, die ihm gefielen. Seine Fingerspitzen kribbelten. Er wusste, dass er sich eigentlich keinen Fehltritt erlauben konnte. Jedenfalls nicht so lange, wie seine Bewährungshelferin ihm ständig auf die Finger schaute. Als er die attraktive Brünette zum ersten Mal sah, hatte er sich fast an seinem Kaugummi verschluckt.

Mareike war die einzige Bewährungshelferin, bei der er noch nicht einen Termin verpasst hatte. Erstaunlicherweise erschien er sogar stets pünktlich. Wenn er ehrlich zu sich selbst war, dann musste er zugeben, dass er auf der Straße nach dieser Art Frau Ausschau hielt. Er suchte einen Ersatz, jemanden, der für ihn erreichbar war. Mareike würde er nie bekommen. Sie spielte in einer anderen Liga. Das war ihm völlig klar. Er war ja nicht blöd. Ihre Blicke sagten alles. Sie strahlten komplettes Desinteresse an ihm als Mann aus. Da war nicht ein Funke, auf den er aufbauen könnte.

Er zog die Unterhose aus und warf das feuchte Stück Stoff in den Wäschekorb. Nachdem er sich frisch angezogen hatte, verließ er das Haus mit einer Sporttasche. Zuerst fuhr er ziellos durch die Gegend, in der Hoffnung, einer interessanten Frau zu begegnen. Doch im Winter war auf den Straßen nicht allzu viel los. Außerdem waren die meisten Menschen dick eingepackt. Er seufzte. Im Sommer hatte er es bedeutend leichter. Er liebte es, durch volle Einkaufsstraßen zu schlendern und seine Kamera unauffällig unter kurze Röcke zu schwenken. Das war nicht nur ein Riesenspaß, im Netz kam es ebenfalls super an. Er konnte gar nicht genug davon bekommen. In der kalten Jahreszeit jedoch musste er sich mit dem Wenigen begnügen, das da war. Er steuerte auf das Schwimmbad zu und parkte so weit vom Eingang entfernt, dass sein Wagen nicht von der Überwachungskamera über der Tür aufgenommen wurde. Er setzte seine Baseballmütze auf und zog sie tief in die Stirn. Mit gesenktem Kopf und der Tasche in der Hand betrat er das Gebäude und ging schnurstracks in die Umkleidekabine für Männer. Dort entkleidete er sich und warf einen rosafarbenen Bademantel über. Wie gut, dass gerade niemand hier war. Als er die Umkleide verließ, holte er eine blonde Langhaarperücke hervor und setzte sie auf. Dann verschwand er in der Frauentoilette. Die Tür der ersten Kabine stand offen. Perfekt. Er eilte hinein und schloss ab. Im Laufe der Zeit hatte er seine Techniken immer weiter verfeinert. Während er früher mitunter Stunden auf einer Toilette verbracht hatte, bis endlich jemand in die Nachbarkabine kam und er die Kamera unter der Kabinenwand hindurchschob, installierte er heute lieber versteckte Kameras. In der Kabine nebenan hatte er eine unterhalb des großen, runden Toilettenpapierhalters und eine oben auf der Kabinenwand angebracht. Die Aufnahmen liefen seit vierundzwanzig Stunden und er hoffte auf eine fette Ausbeute. Voller Vorfreude entfernte er die winzigen Geräte und steckte sie in die Bademanteltasche. Gerade als er die Tür öffnen wollte, kam jemand herein. Er hielt inne und lauschte. Es waren offenbar zwei, nein, sogar drei Mädchen. Sie lachten und unterhielten sich.

»Ich finde, Tom ist ziemlich durchtrainiert, und wie er dich vorhin angesehen hat«, scherzte eine hohe Stimme.

»Ich weiß nicht, ob er wirklich auf mich steht. Gestern auf dem Schulhof hat er sich an Maja rangeschmissen.«

»Ach, Quatsch. Der hat doch seit Wochen nur Augen für dich. Verdammt, ich muss mal.«

Ohne Vorwarnung rüttelte eines der Mädchen an seiner Tür.

»Besetzt«, säuselte er mit hoher Stimme.

Sogleich wurde die Kabinentür neben ihm geöffnet und wieder geschlossen. Der Toilettendeckel knallte gegen die Wand. Er stellte sich vor, wie das Mädchen die Hose herunterzog und sich auf die Toilettenbrille setzte. Ihm wurde ganz heiß bei diesem Gedanken. Schnell holte er eine Kamera hervor und schob sie unter der Kabinenwand hindurch. Er hörte das Plätschern, als sie sich erleichterte, und grinste wollüstig. Schade, dass sie nicht allein war. Das Geräusch brachte ihn richtig auf Touren. Und sie brauchte so lange. Er liebte es.

Als das Mädchen fertig war, dachte er ernsthaft darüber nach, ihm zu folgen. Doch dann endete es womöglich wie beim letzten Mal und er hatte keine Lust auf einen weiteren Aufenthalt im Gefängnis. Er musste sich zusammenreißen. Mit Bedauern nahm er wahr, wie sie die Spülung drückte und mit ihren Freundinnen aus der Toilette verschwand. Er legte sich auf den Boden und erhaschte einen flüchtigen Blick auf ihren rosafarbenen Bikini-Slip. Die Kleine wackelte mit ihrem knackigen Hintern hinaus und er konnte sich sekundenlang nicht rühren. Vielleicht sollte er vor dem Schwimmbad auf sie warten? Er könnte ihr folgen, herausfinden, wo sie wohnte, und noch ein paar Videos von ihr aufnehmen. Eine Stimme in seinem Inneren warnte ihn, aber er ignorierte sie. Er musste die Frau wiedersehen, koste es, was es wolle. Er würde sie nicht anrühren. Niemand konnte etwas dagegen haben, wenn er sie nur ein wenig beobachtete. Er tat ihr ja nichts. Selbst falls er sie kurz anfasste, würde ihr das nicht schaden. Er schlug sie ja nicht. Er wollte bloß über ihre Haut streichen. Ganz sanft. Und sollte es ihr gefallen, könnte er weitergehen. Seine Hände würden unter ihr T-Shirt wandern und vielleicht auch noch woandershin. Frauen hatten schließlich genauso große Lust wie Männer. Es war ungesund, keinen Dampf abzulassen. Er wäre der Richtige für sie. Das konnte er spüren.

Mit klopfendem Herzen drehte er den Riegel seiner Kabine auf. Genau in diesem Moment betrat abermals jemand die Damentoilette. Er konnte es nicht fassen, wie viel um diese Uhrzeit los war. Schnell schloss er wieder ab und wartete. Erneut wurde an seiner Tür gerüttelt. Dieses Mal zückte er sofort die Kamera. Er hatte Glück, die Frau wählte die Nachbarkabine. Er platzierte die Kamera unter der Kabinenwand und hörte, wie der Toilettendeckel geöffnet wurde. Erwartungsvoll lauschte er, doch das Plätschern ließ auf sich warten. Es raschelte. Vermutlich zog sie gerade die Hose herunter. Er leckte sich die Lippen.

Plötzlich schürfte etwas über die Fliesen. Er hatte Angst, dass seine Kamera entdeckt worden war, und holte sie schnell zurück. Eine blaue Plastikbox wurde unter der Kabine zu ihm hinübergeschoben. Verwundert starrte er sie an. Ohne weiter nachzudenken, hob er sie auf und öffnete den Deckel. Ein fürchterlicher Geruch wehte ihm entgegen, der allerdings weniger schlimm war als der Inhalt. Zwei abgetrennte Hände befanden sich in der Box. Sie wirkten täuschend echt. Entsetzt tippte er mit der Fingerspitze auf die gräuliche Haut. Verdammt! Das war kein Gummi. Instinktiv klappte er den Deckel wieder zu. Noch bevor sein Gehirn diese Information richtig verarbeiten konnte, flog die Toilettentür auf und krachte gegen seinen Kopf. Ein heftiger Schmerz durchfuhr ihn. Vor seinen Augen tanzten grelle Blitze. Jemand packte ihn und zerrte ihn hinaus.

»Du kommst jetzt mit, und wehe, du machst auch nur einen Mucks.«

Etwas Hartes stieß ihm in die Rippen. Er fügte sich benommen und wankte vor dem Unbekannten her. Erst als er geknebelt im Kofferraum des fremden Wagens lag, wurde ihm klar, dass sein letztes Stündlein geschlagen hatte.

25

Zwei Jahre zuvor

Anne lief durch die Einkaufsstraße wie ein gehetztes Tier. Seit sie wusste, dass Frank Laganis wieder auf freiem Fuß war, lebte sie in permanenter Angst. Inzwischen verstand sie niemand mehr, doch Frank Laganis verfolgte sie. Obwohl ihr Ehemann die vorzeitige Entlassung Laganis' keinesfalls guthieß, hielt er das für ein Hirngespinst. In den ersten Tagen hatte er sie noch überallhin begleitet, um ihr Sicherheit zu geben. Sie hatte ihren Peiniger mehrfach gesehen, aber ihr Mann leider nicht. Sie waren im Supermarkt gewesen und Anne hatte Frank Laganis an der Fleischtheke entdeckt. Er hatte sie angestarrt mit diesem bösen dunklen Blick. Sie hatte ihren Mann angetippt und auf Laganis gezeigt. Wie durch Zauberei war er plötzlich verschwunden. Ihr Mann hatte die Fleischverkäuferin sogar auf Frank Laganis angesprochen, doch die hatte nur verständnislos den Kopf geschüttelt.

»Meinen Sie Herrn Volgmann? Der kommt seit Jahren hierher und geht bereits auf die siebzig zu.«

Ihr Mann hatte sie angeschaut, als wären etliche Schrauben in ihrem Kopf locker. Sie hatte sich nie in ihrem Leben derart unverstanden gefühlt. Wann hatte ihr Mann die Seiten gewechselt? Seitdem sie keinen Sex mehr hatten? Sie rechnete zurück. Das kam hin. Und dann war da die Sache im Park gewesen. Frank Laganis hatte sie auf dem Fahrrad verfolgt. Sein Helm war so tief in die Stirn gezogen, dass nur noch die bösen Augen darunter hervorschauten. Er versteckte sich jedes Mal, sobald Anne ihren Mann auf ihn hinwies. Es war zum Verzweifeln. Sie brachte ihn dazu, hinter einem Baum und ein paar Büschen nachzuschauen, doch Laganis blieb unsichtbar.

»Ich verstehe dich, Anne. Du siehst diesen Mann tatsächlich. Trotzdem ist er nicht da. Was sagt Doktor Reuscher denn zum Fortschritt deiner Therapie?«, hatte er schließlich gefragt und Anne war entrüstet davongelaufen. Seit diesem Vorfall sprach Anne nicht mehr mit ihrem Mann über Frank Laganis. Selbst dann nicht, wenn sie ihn in ihrer Nähe entdeckte.

Anne blieb vor einem Schaufenster stehen und blickte sich vorsichtig um. Frank Laganis war nicht zu sehen. In ihrem Magen brodelte es. Sie wusste genau, dass er hier war. Anne ging in den Laden und tat so, als suchte sie nach einem Kleid. Den Eingang behielt sie im Auge. Sie durchwühlte eine Ablage mit Angeboten und probierte anschließend ein Paar Schuhe an. In diesem Moment schlich das Monster an der Schaufensterfront vorbei. Ihre Blicke trafen sich und Annes Herz setzte für ein paar Schläge aus. Da war er, dieser Mistkerl! Sie ließ die Schuhe fallen und rannte barfuß zur Tür.

Doch als sie im Menschengewühl vor dem Laden nach ihm suchte, war er wie vom Erdboden verschluckt.

»Ist alles in Ordnung?«, fragte eine Verkäuferin.

»Haben Sie diesen großen dunkelhaarigen Mann auch gesehen?«

Die Verkäuferin schüttelte den Kopf. »Nein. Mir ist niemand aufgefallen. Ihre Schuhe und Ihre Handtasche stehen noch in unserem Laden.«

Anne bedankte sich und holte gedankenverloren ihre Sachen. Allmählich drehte sie durch. Inzwischen war sie selbst nicht mehr sicher, ob Frank Laganis tatsächlich vor dem Laden entlanggelaufen war. Womöglich hatte ihr Mann doch recht und sie fing langsam an, Dinge wahrzunehmen, die gar nicht existierten. Wurde sie verrückt?

Völlig aus der Bahn geworfen trat sie den Rückweg an. Sie hatte nichts eingekauft, obwohl sie extra deshalb in die Stadt gefahren war. Sie wollte sich ursprünglich etwas Schönes gönnen und einen Hauch von Normalität spüren. Sie fühlte sich wie eine Versagerin. Nicht mal mehr das Geldausgeben wollte ihr gelingen. Frustriert und ausgelaugt erreichte sie ihr Auto. Sie wusste nicht, wie lange sie noch so leben konnte. Eine Träne rollte ihr über die Wange. Als sie die Fahrertür aufriss, fiel ihr das Paket auf. Es lag auf der Motorhaube und es stand ihr Name darauf. Hässliche unförmige Buchstaben, die sie anstarrten.

Anne

Sie gab dem Päckchen einen Schubs. Es rutschte vom Wagen und sie ließ es einfach im Staub liegen. Hastig startete sie den Motor und fuhr mit quietschenden Reifen davon. In ihrem Schädel hämmerte es. Das Paket kam von ihm. Laganis wollte sie ins Irrenhaus treiben. Sie überlegte, ihren Mann anzurufen. Doch der würde ihr bestimmt nicht glauben. Er würde sie bald verlassen, wenn sie nicht endlich mit diesem Theater aufhörte. Aber sie konnte nicht. Laganis war da draußen und er verfolgte sie. Es ging um Leben und Tod.

Im Moment war Anne gar nicht mehr so sicher, ob sie überhaupt noch leben wollte. Sie verspürte eigentlich bloß den Wunsch, diese schrecklichen Gefühle loszuwerden. Diese Mischung aus Panik, Verzweiflung und Wut. Sie brauchte Ruhe und Frieden. Plötzlich kam ihr der Tod wie ein Freund vor. Er könnte ihr genau das geben, wonach sie sich so sehr sehnte.

Auf einmal fand sich Anne zu Hause auf der Einfahrt wieder. Sie musste die ganze Strecke wie ferngesteuert gefahren sein. Wenigstens hatte sie keinen Unfall gebaut. Sie stieg aus und hastete auf den Hauseingang zu. Eine warme Dusche würde all die bösen Gedanken aus ihrem Kopf verscheuchen. Vor der Eingangsstufe blieb sie abrupt stehen und traute ihren Augen nicht. Anne schnappte nach Luft und blickte sich um. Wo steckte dieses Monster bloß und warum tat es ihr das an?

Auf der Türschwelle lag das Päckchen, das sie eben erst weggeworfen hatte.

26

Es war seit Stunden dunkel. Julia fühlte sich mindestens so müde, wie Florian und Martin Saathoff aussahen. Sie hatten eine zermürbende Zeit hinter sich. Drei Verdächtige standen auf ihrer Liste und keinem konnten sie die Morde nachweisen. Pavlo Burakow schien keine Verbindung zum zweiten Opfer Nils Deuss zu haben. Außerdem fanden sich auf dem Präparat aus dem Hauptbahnhof keine Fingerabdrücke von ihm oder sonstige Spuren. Das brachte sie zu der zweiten Verdächtigen Alina Petrowa. Die Frau war wie vom Erdboden verschluckt. Obwohl sie Julia zu dem Präparat geführt hatte, durften sie die Russin ebenfalls nicht ausschließen. Eine gemeinschaftliche Tat mit Burakow war genauso wenig von der Hand zu weisen. Und Nummer drei war der Freund des zweiten Opfers Jörg Kannen. Er hatte die Gelegenheit und ein Motiv, da er Nils Deuss eine Menge Geld geliehen hatte und es nicht zurückbekam. Im

Gegensatz zu den ersten beiden Verdächtigen konnten sie eine Verbindung zur ermordeten Jana Petersmann herstellen. Kannen hatte regelmäßigen Kontakt zu ihrer Mitbewohnerin Carina Mühlheim gepflegt, und es war nicht auszuschließen, dass es ebenfalls ein Treffen mit dem ersten Mordopfer gegeben hatte. Da Jana Petersmann ihre Kunden bestahl, hatte Kannen möglicherweise auch in diesem Fall ein Motiv. Zwar gab ihm seine Ehefrau ein Alibi, doch das taten Angehörige oft. De facto hätte er sich nachts hinausschleichen können, ohne dass seine schlafende Frau davon aufgewacht wäre.

Julia parkte ihren alten Golf vor Lenjas Haus. Sie war nicht nur müde, sie hatte dazu noch ein schlechtes Gewissen. Ihre Assistentin hatte sie den kompletten Tag vertreten und Julia wollte sich zumindest revanchieren. Lenja ging nicht ans Handy, deshalb hatte sie beschlossen, bei ihr vorbeizufahren. Vielleicht konnten sie sich bei einem Pizzaservice eine Kleinigkeit bestellen. Julia stieg aus und marschierte auf den Eingang zu. Lenjas Appartement lag unterm Dach in der fünften Etage. Aus dem Augenwinkel nahm sie eine Bewegung wahr. Eine Zigarette glomm rot auf. Jemand rauchte vor dem Haus. Julia ignorierte die Person und klingelte.

Niemand öffnete.

Julia versuchte es ein weiteres Mal und griff dann zum Handy. Doch sie konnte Lenja nicht erreichen. Vielleicht war ihre Assistentin mit einer Freundin unterwegs. Die Sache mit Marcel hatte sie sichtlich mitgenommen. Bestimmt suchte sie Trost. Einen Moment lang fühlte Julia sich noch schlechter. Sie hatte Lenja versprochen, für sie da zu sein, und stattdessen hatte sie den ganzen Tag einen Killer gejagt und ihr dazu weitere Arbeit im Institut aufgebürdet. Sie seufzte und wollte sich gerade abwenden, da nahm sie abermals eine Bewegung an der Hauswand wahr. Wieder glomm eine Zigarette auf. Dieses Mal jedoch viel näher. Julia erkannte einen Mann, der sie offenbar beobachtete. Sie machte einen Schritt auf ihn zu, denn er kam ihr irgendwie bekannt vor.

»Marcel Stöcker?«, fragte sie, doch die Zigarette ging aus und der Mann lief weg.

Julia blickte ihm irritiert hinterher. Vielleicht hatte sie sich geirrt. Sie gähnte und lief zurück zu ihrem Wagen.

Eine Viertelstunde später erreichte sie ihre eigene Wohnung. Sie überlegte kurz, noch bei Florian vorbeizuschauen, entschied sich jedoch dagegen. Sie brauchte dringend Schlaf und das würde bei Florian nicht klappen. Sie lächelte bei diesem Gedanken und öffnete die Haustür. Ihre Wohnung befand sich im Erdgeschoss. Julia wartete, bis der Bewegungsmelder das Licht im Treppenhaus anschaltete, und erschrak, als sie jemanden vor ihrer Tür hocken sah.

»Lenja? Du liebe Güte, was machst du denn hier im Dunkeln? Komm erst mal rein.« Sie schloss auf und lotste Lenja, ohne eine Antwort abzuwarten, ins Wohnzimmer.

Ihre Assistentin setzte sich auf die Couch und übergab ihr eine Packung Schokolade mit Schleifenband.

»Das ist ein Dankeschön von Oberstaatsanwalt Kreitz an dich. Sein Mitarbeiter, dieser Christian Möller, hat es heute vorbeigebracht. Sie haben diesen Serienvergewaltiger dank deiner Hilfe überführen können. Du hattest eines der Opfer untersucht. Das Kondom lag tatsächlich in den Büschen und die DNS konnte eindeutig zugeordnet werden. Der Kerl saß wohl schon mal hinter Gittern.« Lenja seufzte schwer und legte die Schokolade auf den Tisch. »Ich habe es zu Hause nicht mehr ausgehalten«, erklärte sie dann. »Ich habe mit Marcel Schluss gemacht und seitdem bombardiert er mich mit Nachrichten.«

»Das tut mir echt leid«, sagte Julia und öffnete eine Weinflasche. »Schokolade und Wein, das sollte für ein wenig Entspannung reichen. Ich bin wirklich froh, dass dieser Wolfsmann-Fall endlich aufgeklärt werden konnte.« Sie goss die rot leuchtende Flüssigkeit in ein Glas und reichte es Lenja. Anschließend schenkte sie sich selbst ein und prostete Lenja zu.

»Ich hatte gehofft, es gäbe eine Erklärung für Marcels Auftritt beim Italiener«, gestand Julia. »Es wirkte alles so harmonisch bei euch beiden.«

Lenja schüttelte den Kopf. »Du hast ihn mit seiner Ex-Freundin erwischt. Sie hat zwei Auslandssemester in Frankreich verbracht. Sie ist Halb-Französin. Da kann ich nicht mithalten. Ich bin nur eine hemdsärmelige Finnin.«

Julia schenkte Lenja nach. »Jetzt mach dich bloß nicht klein. Jeder Kerl schaut dir hinterher. Diese Französin kommt nicht annähernd an dich heran. Ich habe sie ja gesehen.«

»Danke«, sagte Lenja und lächelte gequält. »Dieser Idiot hat mir echt das Herz gebrochen. Er wollte Zeit von mir, um sich zu entscheiden. Stell dir das mal vor. Da kehrt diese Tussi aus Frankreich zurück, und er weiß nicht mehr, wo er hingehört. Noch vor einer Woche hat er mir die große Liebe geschworen und konnte nicht schnell genug mit mir zusammenziehen.« Sie zuckte mit den Schultern. »Nun hat er jedenfalls Zeit. Das lasse ich mir nicht gefallen. Ich spiele doch nicht das fünfte Rad am Wagen.«

»Und warum bombardiert er dich mit Textnachrichten?«

Lenja verzog das Gesicht, als hätte sie in einen sauren Apfel gebissen. »Ich denke, er hat nicht damit gerechnet, dass ich die Reißleine ziehe. Angeblich will er jetzt doch mit mir zusammen sein. Aber wie gesagt, ich habe kein Interesse mehr.«

»Ich hatte auch mal so einen Freund«, erzählte Julia. »Wir haben es nach seinem Fehltritt noch einmal miteinander versucht, aber es hat sich nie wieder so angefühlt wie früher. Ich war ein reines Nervenbündel und kurz davor, ihm hinterherzuspionieren. Das Vertrauen war einfach komplett zerbrochen.«

Lenja blickte Julia erstaunt an. »Echt? Du wirkst immer so kontrolliert, als wenn du alles im Griff hättest. Ich dachte schon, ich wäre ein Jammerlappen.«

»Nein. Du bist sehr stark und in ein paar Wochen wirst du darüber hinweg sein. Ich bin mir sicher, dass du bald jemanden kennenlernst, der viel besser zu dir passt und dich verdient hat.«

Lenja nickte und plötzlich rollten Tränen über ihre Wangen. »Ich weiß, aber im Augenblick fühle ich mich trotzdem schrecklich. Darf ich bei dir übernachten? Ich will nicht nach Hause. Bestimmt wartet Marcel dort auf mich.«

Sofort schoss die Erinnerung an den Mann mit der Zigarette in Julia hoch.

»Sag mal, raucht Marcel?«

»Leider, ja. Er wollte ständig aufhören, hat es aber nicht geschafft. Jetzt ist es nicht mehr mein Problem.«

»Kann es sein, dass er vor deinem Haus gewartet hat?«, fragte Julia. »Es war irgendwie unheimlich. Der Mann sah wie Marcel aus und rauchte in einiger Entfernung vom Eingang. Als ich ihn mit seinem Namen angesprochen habe, ist er abgehauen.«

Lenja schienen ihre Worte nicht sonderlich zu beunruhigen.

»Er hat mir geschrieben, dass er vorbeikommt«, erklärte sie und entsperrte das Display auf ihrem Handy. »Mal sehen, ob er immer noch Nachrichten schreibt.«

Lenja runzelte die Stirn und las. Ihre Tränen versiegten und nach einer Weile hielt sie Julia das Handy hin.

»Siehst du, er hört nicht auf, mich zu bombardieren.«

Julia überflog die vielen Nachrichten. »Bestimmt beruhigt er sich in ein paar Tagen und akzeptiert, dass es vorbei ist.« Sie blickte auf die Uhr. »Wir sollten dringend schlafen, ansonsten sehen wir beide morgen aus wie Nachteulen.«

Lenja gähnte unwillkürlich. »Du hast recht. Es ist viel wichtiger, dass wir endlich diesen Killer schnappen. Immerhin fehlen noch siebzehn gestohlene Körperteile aus dem anatomischen Institut. Ich will mir lieber nicht ausmalen, was der Täter alles damit anstellen könnte.«

Julia nickte. Zwischen dem ersten und zweiten

Leichenfund waren nicht einmal achtundvierzig Stunden vergangen. Wenn der Täter im selben Tempo weitermachte, dann konnte es nicht mehr lange dauern, bis sie ein weiteres Opfer fanden. Inzwischen war es vier Tage her, seit sie Nils Deuss ermordet aufgefunden hatten, und sie glaubte nicht eine Sekunde, dass er das letzte Opfer sein würde. Julia klappte ihre Couch auf, die auch als Gästebett diente, und bezog sie mit einem frischen Laken. Lenja verschwand im Badezimmer, während Julia Bettwäsche zusammensuchte. Als sie kurz darauf im Bett lag, schlief sie auf der Stelle ein.

Drei Stunden später klingelte Julias Handy. Schlaftrunken tastete sie danach und hob ab.

»Schwarz«, murmelte sie benommen und spürte ein scharfes Pochen vom Rotwein hinter der Stirn.

»Julia? Tut mir leid, dass ich dich mitten in der Nacht wecke. Ich weiß, dass du schlafen wolltest, aber wir haben eine neue Leiche vor dem Eingang des Kölner Zoos gefunden, und ich möchte, dass du dir das so schnell wie möglich ansiehst.«

Florians Stimme alarmierte sie so sehr, dass sie sofort hellwach war. Sie ließ sich die Adresse geben und sprang aus dem Bett. Lenja schlief tief und fest auf der Couch.

»Lenja, wach auf«, flüsterte sie und rüttelte leicht an Lenjas Schulter.

Die Finnin richtete sich augenblicklich auf.

»Was ist passiert?«, fragte sie schlaftrunken.

»Es gibt einen neuen Leichenfund. Opfer Nummer drei. Ich muss zum Fundort und einen Blick darauf werfen. Willst du mitkommen?«

»Auf alle Fälle.« Lenja war sofort hellwach.

Sie schlüpften in ihre Sachen und fuhren mit Julias Golf los. Es war vier Uhr nachts. Die Kölner Straßen hatten sich bis auf ein paar Autos völlig geleert. Julias Kopf fühlte sich schwer an, und sie überlegte, wie viel Restalkohol sie noch vom Wein im Blut hatte. Vermutlich überschritt sie die erlaubten 0,5 Promille nicht. Trotzdem achtete sie auf ihre Geschwindigkeit und zwang sich, langsamer zu fahren, als sie es unter diesen Umständen normalerweise tun würde. Die Leiche in der Nähe des Eingangstors war von einer Frau entdeckt worden, die einen nächtlichen Spaziergang mit ihrem Hund unternommen hatte.

Schon von Weitem sahen sie die Blaulichter, die die dunkle Winternacht erhellten. Mehrere Polizisten hatten sich vor dem Eingang des Zoos postiert. Rot-weißes Absperrband flatterte vor ihnen im Wind. Julia und Lenja stiegen aus. Die eisige Kälte fuhr Julia sofort unter den Mantel. Sie fröstelte und eilte auf Florian zu, den sie neben einer Parkbank entdeckt hatte. Er drehte sich zu ihr um und lächelte.

»Gut, dass du hier bist.« Sein Blick fiel auf Lenja. »Das gilt natürlich auch für Sie«, fügte er höflich hinzu und murmelte: »Ich dachte, du wärst auf direktem Weg hierhergekommen.«

»Lenja hat bei mir übernachtet«, erwiderte Julia und registrierte, wie Florians Lächeln verschwand.

Er zog sie ein Stückchen beiseite und fragte leise: »Warum hast du mir das nicht gesagt? Du wolltest doch eine ruhige Nacht verbringen.«

Zum ersten Mal, seit sie zusammen waren, sah Julia etwas in seinen Augen aufblitzen, was ihr nicht gefiel. Eifersucht. So kannte sie Florian gar nicht, vielleicht lag das an der Müdigkeit und den schlimmen Mordfällen.

»Sie hat sich von ihrem Freund getrennt«, gab sie zurück, obwohl sie sich eigentlich nicht rechtfertigen wollte. Immerhin hellte sich Florians Miene auf.

»Verstehe«, murmelte er und deutete auf die Parkbank. »Der Tote liegt hier. Ihr werdet sehen, dass wir es sehr wahrscheinlich wieder mit demselben Täter zu tun haben.« Florian ließ Julia den Vortritt.

Die Spurensicherung hatte bereits einen Strahler installiert, sodass Julia jedes Detail des Leichnams gut erkennen konnte. Sie schluckte, als sie die groteske Aufmachung sah. Vor ihr lag ein Mann von vielleicht fünfundzwanzig Jahren. Er trug eine Perücke mit langen blonden Haaren und war in einen rosafarbenen Bademantel gehüllt. Die Füße waren nackt und die Hände auf der Brust gefaltet wie zum letzten Gebet. Das Schlimmste jedoch waren die stumpf in den Himmel gerichteten Augen, die nicht in die Augenhöhlen des Mannes passen wollten. Die Lider fehlten, und die blutigen Ränder zeigten, dass die echten Augen des Mannes herausgetrennt und durch andere ersetzt worden waren. Lenja neben ihr sog scharf Luft ein.

»Ich kann das nicht glauben. Was ist das bloß für ein kranker Mistkerl?«, stieß sie aus und wandte sich ab.

Julia holte die Taschenlampe hervor und betrachtete die Wundränder an den Lidern genauer.

»Auf alle Fälle haben wir es mit jemandem zu tun,

der sich mit der menschlichen Anatomie auskennt. Die Schnitte sind zwar nicht besonders exakt ausgeführt, aber der Täter wusste, wo er das Skalpell ansetzen musste, um die Augen am Stück herauszutrennen. Er hat möglicherweise eine entsprechende Ausbildung genossen. Er ist kein Chirurg, jedenfalls kein guter, doch er könnte vielleicht Metzger, Tierarzt oder etwas in der Art sein.« Sie öffnete ihren Instrumentenkoffer und nahm eine Pinzette in die Hand. Vorsichtig löste sie das linke Auge heraus, um die Höhle eingehend zu betrachten. Der Täter hatte die Schnitte genau an den richtigen Stellen ausgeführt. Es war nicht mehr Gewebe zerstört worden als nötig.

»Ich habe den Katalog aus dem anatomischen Institut nicht dabei«, sagte Julia. Sie ließ das Auge in eine Asservatentüte fallen und holte anschließend das andere aus der Höhle. »Aber die Augen gehören bestimmt zu den gestohlenen Präparaten. Es sind keine frischen Leichenteile und außerdem riechen sie stark nach Formaldehyd.«

»Wann hat er die Augen denn herausgetrennt?«, fragte Martin Saathoff, der etwas abseits stand und sich bemühte, möglichst nicht in Richtung des Leichnams zu schauen.

»Das war post mortem«, beruhigte ihn Julia. »Anderenfalls hätte es viel mehr Blut gegeben. Ich gehe davon aus, dass diese Parkbank nicht der Tatort ist.«

»Vermutlich nicht, aber das müssen wir noch herausfinden.« Saathoff rümpfte die Nase und machte einen weiteren Schritt rückwärts. »Tut mir leid, beim Anblick dieser Augenhöhlen wird mir wirklich flau.«

Lenja, die sich in der Zwischenzeit die Füße des Toten angeschaut hatte, meldete sich zu Wort.

»Ich habe drei Einstiche zwischen den ersten beiden Zehen des rechten Fußes entdeckt, genau wie bei den anderen Opfern. Vermutlich hat der Täter wieder eine Überdosis Insulin verabreicht.«

Julia nickte nachdenklich und betrachtete den rosafarbenen Bademantel und die blonde Perücke des Toten. Hatte der Täter diesen Mann demütigen wollen oder handelte es sich um einen Transvestiten? Was zum Teufel hatte dieser Aufzug bloß zu bedeuten? Weder Jana Petersmann noch Nils Deuss hatten in einem Bademantel gesteckt. Diese merkwürdige Bekleidung wich eindeutig vom bisherigen Muster ab. Oder etwa doch nicht? Sie versuchte logisch zu denken und musterte dabei die dunkelblaue Männer-Badehose, die das Opfer trug. Wäre ein Bikini in diesem Fall nicht passender gewesen?

Als wenn Florian ihre Gedanken lesen könnte, sagte er: »Ich komme immer noch nicht mit dem Motiv des Täters klar. Könnt ihr euch vorstellen, dass Pavlo Burakow einen Mann in einen rosa Bademantel zwingt?« Er schüttelte den Kopf. »Und bei Jörg Kannen gelingt mir das ebenfalls nicht. Vielleicht wäre Alina Petrowa derartig verrückt, aber was sollte sie damit bezwecken?«

»Ist doch sowieso alles total durchgeknallt«, erwiderte Saathoff, ohne einen Schritt näher zu treten. »Alleine die Geschichte mit den abgetrennten Körperteilen jagt mir einen Schauer über den Rücken. Da wirkt der Bademantel regelrecht harmlos dagegen.«

»Ich will ja nicht zu viel spekulieren, aber der Mann

könnte diesen Bademantel auch freiwillig getragen haben«, mutmaßte Lenja.

Julia durchsuchte unterdessen die Taschen des Bademantels und zog einen kleinen Plastikchip heraus.

»Ich glaube, ich habe eine Erklärung für diesen Aufzug. Zumindest für die Badehose«, sagte Julia und übergab Florian den Chip, damit er die Inschrift entziffern konnte. »Das Opfer scheint im Schwimmbad gewesen zu sein. Es erklärt natürlich nicht die Perücke und das rosafarbene Frotteeteil.«

»Das Schwimmbad kenne ich«, stieß Florian aus. »Das liegt in Chorweiler, im Norden. Vielleicht ist der Mann dort Stammgast und jemand kann ihn identifizieren.«

»Ich habe noch etwas gefunden«, verkündete Julia und ruckelte an ihrer Brille. »Was ist denn das?« Sie konnte mit dem kleinen schwarzen Plastikteil nichts anfangen.

Florian hingegen schon, denn er antwortete sofort: »Das ist eine Spionagekamera. Das gibt es doch nicht.«

Stirnrunzelnd betrachtete er das Fundstück und drehte es zwischen seinen Fingern hin und her.

»Ist noch mehr in den Taschen?«, fragte er.

Julia überprüfte den Bademantel zur Sicherheit ein weiteres Mal. »Das war alles. Kein Ausweis, kein Führerschein. Hoffentlich hat der Killer nicht schon sein nächstes Opfer im Visier.«

Florian nickte. »Mir ist klar, dass du lieber erst die Obduktion durchführst, aber kannst du einschätzen, wann dieser Mann gestorben ist?«

Julia zog die Stirn kraus und betrachtete den Toten. »Die Leichenflecke sind noch nicht stark ausgeprägt. Ohne

Gewähr würde ich sagen, dass dieser Mann seit ungefähr zehn Stunden tot ist.«

»Danke«, sagte Florian und entsperrte sein Handy. »Ich frage die Streife, was Pavlo Burakow in diesem Zeitraum gemacht hat. Vielleicht kriegen wir den Täter schneller, als wir denken.«

27

Es war fast so, als würde sie nur noch einen Zustand kennen. Sie war müde und ausgelaugt. Teresa schlurfte über den Gang und versuchte, die stechenden Kopfschmerzen zu ignorieren. Seit dem Vorfall mit Frau Burkhart, der Patientin mit den Bauchkrämpfen, fühlte sie sich wie eine Gefangene unter Beobachtung. Sie wurde das Gefühl nicht los, dass ihre Kollegen ihr hinterherspionierten. Erst heute Mittag, als sie in das Arztzimmer gekommen war, trat von einer Sekunde auf die andere Stille ein. Alle hatten sie angestarrt. In ihren Augen hatte Teresa die Vorwürfe gesehen.

Wie konntest du eine krampfende Patientin bloß eine Stunde allein lassen?

Am liebsten hätte sie laut aufgeschrien, doch sie hatte sich nicht getraut und sich stattdessen schweigend auf ihren Platz gesetzt. Als wenn sie die Einzige wäre, der mal ein Fehler unterlief. Sie kannte mindestens zwei weitere Vorfälle mit gleichem Ausmaß, bei denen die Kollegen sich hinterher nicht so verhielten. Und letztendlich war ja auch alles gut gegangen. Teresas Handflächen wurden feucht bei der Erinnerung daran, wie sie mit ganzer Kraft versucht hatte, Frau Burkhart wiederzubeleben. Der Oberarzt war erschienen und wollte sie gerade beiseitenehmen. Genau in diesem Moment hatte das Herz der Patientin erneut begonnen zu schlagen. Sie hatten die Frau stabilisiert und in den OP gebracht. Frau Burkhart litt an einem Blinddarmdurchbruch und um ein Haar hätte sie es nicht geschafft. Doch inzwischen ging es ihr wieder besser. Sicher, man konnte ihr vorwerfen, dass sie diese Diagnose nicht schon früher gestellt hatte. Aber das galt auch für die Kollegen in der Notaufnahme. Im Nachhinein deuteten allerdings alle Symptome darauf hin. Im Stress, allein in der Nacht und völlig übermüdet sah die Welt jedoch anders aus.

»Das wird ein Nachspiel haben«, hatte der Oberarzt gesagt, und seitdem zitterte Teresa jedes Mal, wenn er ihr im Krankenhaus begegnete.

Bisher waren sie jedoch nur aneinander vorbeigehetzt, ohne ein einziges Wort zu wechseln. Während der Visite gab es auch keine Zeit. Teresa hoffte, dass er die Sache einfach vergaß.

Sie ging in ein Patientenzimmer und kontrollierte den Verband eines frisch operierten Mannes. Alles schien in Ordnung zu sein. Sie begab sich zum nächsten Bett und wiederholte die Prozedur. In dem Zimmer waren drei Patienten untergebracht, und als sie gerade fertig war, stand der Oberarzt plötzlich im Türrahmen.

»Frau Buchholz, ich müsste Sie kurz sprechen.«

Teresa zuckte zusammen. Die Art, wie er sie ansah, gefiel ihr nicht.

»Natürlich«, erwiderte sie so gelassen wie möglich und folgte ihm durch den Flur und die Treppe hinunter in sein Büro.

»Setzen Sie sich bitte«, forderte er sie auf, und Teresa tat, wie ihr geheißen. Sie war bisher nicht oft hier gewesen, und merkwürdigerweise fiel ihr dieses Mal auf, wie klein und schäbig sein Büro war. Die Deckenleuchte flackerte mit kaltem Licht und ließ die Gesichtszüge des Oberarztes noch strenger erscheinen als sonst. Teresas Hände begannen zu schwitzen. Sie wusste, dass dieses Gespräch nichts Gutes bedeuten konnte. Vermutlich bekam sie eine Verwarnung. Sie ahnte, wie solche Prozesse abliefen. Höchstwahrscheinlich hatte man sämtliche Kollegen nach ihr ausgefragt. Hatte sich erkundigt, wie häufig sie Fehler machte, wie schnell sie arbeitete und ob sie sich gut ins Ärzteteam einpasste. Bei den Blicken, die ihr heute im Ärztezimmer entgegengeschlagen waren, konnte sie sich ungefähr ausmalen, was die Kollegen über sie erzählt hatten.

Der Oberarzt räusperte sich umständlich und durchsuchte einen Stapel Papiere, der auf seinem Schreibtisch lag.

»Ich wollte die Gelegenheit nutzen und Ihnen Rückmeldung zu Ihrer Arbeitsleistung geben.« Er machte eine Pause und sah sie durchdringend an. Teresa rutschte unruhig auf ihrem Stuhl hin und her. »Ich bin insgesamt mit Ihrem Engagement und der Betreuung der Station zufrieden. Aber Vorfälle wie der unerkannte Blinddarmdurchbruch schaden dem Ruf unserer Klinik und deshalb habe ich mir aus der Personalabteilung Ihre Zeugnisse kommen lassen.« Er nahm ein Blatt Papier und überflog den Text.

»An Ihren Noten gibt es nichts auszusetzen. Umso erstaunlicher finde ich es, dass Ihnen die richtige Diagnose nicht rechtzeitig gelungen ist. Ich habe mich natürlich auch ein wenig umgehört und Erkundigungen eingezogen.« Wieder machte er eine Pause, und Teresa hatte Schwierigkeiten, ruhig sitzen zu bleiben. Am liebsten wäre sie aufgesprungen und rausgerannt.

»Die Kollegen arbeiten weitgehend gerne mit Ihnen zusammen.«

Teresa brauchte eine Weile, bis sie die Worte begriff. Schließlich nickte sie erfreut. Doch etwas im Gesicht des Oberarztes hielt sie davon ab aufzuatmen. Er legte ihr ein Dokument hin.

»Umso mehr interessiert mich, wie Sie zu dieser Referenz kommen. Ich habe mit Professor Palem sehr lange zusammengearbeitet. Wir kennen uns aus dem Studium. Gestern haben wir miteinander telefoniert. Verstehen Sie mich nicht falsch, ich kann mir durchaus vorstellen, dass man sich bei dem täglichen Stress nicht an alles erinnern kann. Professor Palem ist für seine Schussligkeit bekannt.« Der Oberarzt beugte sich zu ihr vor und tippte auf das Blatt. »Aber eines müssen Sie mir erklären. Warum kann er sich nicht an eine Assistenzärztin entsinnen, die zwei Jahre an seiner Seite gearbeitet haben will?«

28

»Angeblich ist er in seiner Wohnung«, sagte Florian ungläubig und ließ das Telefon sinken. »Pavlo Burakow war den gesamten Tag zu Hause.«

Julia sah die Enttäuschung in seinen Augen. Plötzlich fiel ihr etwas ein.

»Was ist mit einem Hinterausgang? Die Streife hat doch bestimmt nur vor dem Wohnblock gestanden.«

Florian warf ihr einen kurzen Blick zu.

»Okay. Wir sehen selbst nach.« Er zog Julia mit sich.

»Du kannst ihn nicht einfach aus dem Schlaf klingeln«, gab Martin Saathoff zu bedenken und schaute auf die Uhr. »Es ist mitten in der Nacht. Hermann Meier reißt uns den Kopf ab. Stell dir nur mal vor, die Presse bekommt davon Wind. Ich kann mir die Schlagzeile schon vorstellen. Kripo holt Verdächtigen ohne Haftbefehl oder Durchsuchungsbeschluss zur Unzeit aus der Wohnung.«

»Ist mir egal«, knurrte Florian und deutete auf den Leichnam, der gerade von der Parkbank in einen Leichensack verfrachtet wurde. »Irgendwo liegen sechzehn menschliche Körperteile herum, und ich warte nicht darauf, bis dieser Verrückte sich das nächste Opfer schnappt, um ihm eines davon anzunähen.«

Saathoff nuschelte etwas in seinen Bart und warf ihm die Autoschlüssel zu.

»Du fährst.«

Das ließ Florian sich nicht zweimal sagen. Er winkte sie mit sich zum Wagen und fuhr los, kaum dass sie sich angeschnallt hatten.

»Was ist mit Jörg Kannen? Wird der auch überwacht?«, wollte Lenja wissen. Sie klammerte sich am Griff oberhalb der Seitenscheibe fest, während Florian buchstäblich in der letzten Sekunde über eine Ampelkreuzung preschte.

Martin Saathoff, der auf dem Beifahrersitz saß, drehte sich um und verzog das Gesicht.

»Keine Chance«, erklärte er. »Die Sache mit dem Insulin ist zwar ein Indiz. Doch solange seine Frau ihn deckt, sehen wir alt aus. Keine Sorge, wir nehmen uns die Ehefrau noch einmal vor. Sobald sie erfährt, was ihr Mann in seiner Freizeit alles so anstellt, ändert sie womöglich ihre Meinung.«

Florian schaffte es, sie in Rekordzeit durch das nächtliche Köln zu manövrieren. In weniger als fünfzehn Minuten erreichten sie das Wohngebiet, in dem Pavlo Burakow lebte. Florian steuerte auf das Zivilfahrzeug der Polizisten zu, die den Verdächtigen überwachten, und parkte direkt dahinter. Sie sprangen alle fast gleichzeitig aus dem Wagen. Florian klopfte an die Seitenscheibe, hinter der ein verschlafener, blasser Beamter saß. Er ließ mürrisch die Scheibe herunter.

»Was ist denn heute Nacht bloß los?«, schimpfte er und blickte Florian und Julia aus verquollenen Augen an. Neben ihm hockte eine Frau, die nicht viel wacher wirkte. Kein Wunder, es war fast fünf Uhr morgens.

»Hat das Haus einen Hintereingang?«, fragte Florian den überraschten Beamten.

»Halten Sie uns für blöd?«, blaffte der zurück. »Natürlich nicht.«

»Welches Fenster ist es?«

Der Polizist streckte den Finger in Richtung des Hauses aus.

»Erster Aufgang, zweiter Stock links. Da ist seit Stunden alles dunkel.«

»Danke«, sagte Florian und huschte im Schutz der Nacht über die schmale Straße. Julia folgte ihm, ebenso Lenja und Martin Saathoff mit einigem Abstand.

Der Hauseingang war unverschlossen, sodass sie ungehindert bis zu Burakows Wohnungstür gelangten. Florian drückte den Klingelknopf. Sie warteten einen Augenblick, doch nichts tat sich. Florian klingelte noch einmal.

Nichts.

Er pochte gegen die Tür.

»Pavlo Burakow«, sagte er laut. »Öffnen Sie die Tür. Hier ist die Polizei.«

Auf der anderen Seite des Treppenabsatzes ging eine

Wohnungstür auf. Das zerknautschte Gesicht einer älteren Frau kam zum Vorschein. Sie musterte sie kritisch aus rot unterlaufenen Augen.

»Polizei? Mitten in der Nacht?«

Florian hielt der Nachbarin seinen Dienstausweis unter die Nase.

»Wir sind auf der Suche nach Pavlo Burakow. Wissen Sie, ob er zu Hause ist?«

»Macht er nicht auf?«, fragte die Alte und zog die Augenbrauen hoch. »Dann wird er wohl im Keller sein.«

»Im Keller? Um diese Uhrzeit?«

Die Nachbarin nickte. »Er arbeitet da, manchmal Tag und Nacht. Dreht irgendwelche Filmchen. Hat sogar meinen Keller mit angemietet, damit er mehr Platz hat. Hat er was ausgefressen?«

Florians Miene wirkte undurchdringlich. »Wissen wir noch nicht. Wann haben Sie ihn denn zuletzt gesehen?«

Die Frau zog ihren Morgenmantel enger zu. »Als ich gestern früh den Müll runtergebracht habe, war er jedenfalls weg. Wenn er in seiner Wohnung ist, hört er nämlich meist laut Musik.«

Julia stürmte als Erste die Treppen wieder hinunter. Im Keller schlug ihr ein muffiger Geruch entgegen. Sie tastete nach einem Lichtschalter. Etwas streifte ihre Hand, aber sie unterdrückte einen Schrei. Nachdem das bläuliche Neonlicht die nackten Betonwände erhellte, sah sie eine kleine Spinne davonkrabbeln. Julia rümpfte die Nase und blickte sich um. Links und rechts befand sich jeweils eine Kellertür.

»Am besten, wir teilen uns auf. Ich gehe mit Florian nach rechts und ihr zwei in die andere Richtung.« Julia zog die schwere Feuerschutztür auf und schlüpfte hindurch. Florian war dicht hinter ihr. Die erste Neonröhre leuchtete nicht, die nächste flackerte müde und brachte kaum Licht in den schmalen Gang. Zu beiden Seiten gingen Kellerabteile ab. Es waren im Grunde bloß einfache Holzverschläge, die mit Vorhängeschlössern gesichert waren.

»Wir hätten die Nachbarin fragen sollen, wo Burakows Kellerabteil liegt«, flüsterte Julia und sah gleichzeitig einen kleinen schwarzen Schatten über die Wand flitzen. Fehlten nur noch Ratten, dachte Julia und schüttelte sich.

»Wenn Burakow hier unten arbeitet, wird er sich nicht mit Holzlatten und einem Vorhängeschloss begnügen. Sieh mal, der letzte Verschlag ist komplett verkleidet«, sagte Florian leise und schritt an ihr vorbei.

»Es ist nicht abgeschlossen«, flüsterte er und zog die Tür vorsichtig auf.

Das Erste, was Julia wahrnahm, war ein gleichmäßiges Schnarchen. Dann sah sie einen kahlen Schädel, der halb unter einer schwarzen Decke hervorlugte. Daneben guckte ein Haarschopf heraus, der unnatürlich blond wirkte. Zuerst dachte Julia, es wäre Alina Petrowa, die da neben Burakow lag, doch auf den zweiten Blick erkannte sie, dass es sich um eine Sexpuppe handelte. Angewidert erkundete sie den Kellerraum. Die Betonwände waren mit dunkelroter Farbe angestrichen. Auf einem Regal lagerten unterschiedlichste Sex-Utensilien. Eine hochwertige Digitalkamera auf einem Stativ fing die Matratze ein, auf der

Burakow schnarchte. Auf dem Boden ringsherum verteilten sich leere Flaschen und Essensreste. Es sah ganz so aus, als hätte hier nur Stunden zuvor eine Party stattgefunden.

»Von wegen arbeiten. Der Kerl schläft«, zischte Florian und rüttelte kräftig an Burakows Schulter.

Der Glatzkopf blinzelte ein paarmal und fuhr dann ruckartig hoch.

»Bullen«, stieß er aus und starrte Florian feindselig an. »Verflucht, was machen Sie hier?«

»Wir hätten gerne gewusst, wo Sie sich in den letzten vierundzwanzig Stunden aufgehalten haben«, entgegnete Florian ruhig.

Burakow rappelte sich auf. Er trug nur Boxershorts, doch es schien ihn nicht zu stören.

»Ich habe gedreht«, antwortete er und zeigte auf die Kamera. »Können Sie ja überprüfen.«

Julia schaltete die Kamera ein und wischte so lange auf dem Display herum, bis sie die Liste mit den letzten Aufnahmen fand. Tatsächlich hatte Burakow in den vergangenen Stunden etliche Videos produziert. Sie schaute kurz eine Szene an. Burakow hatte sich selbst gefilmt und sich dabei mit einer unbekannten schwarzhaarigen Frau vergnügt. Julia drückte die Stopptaste und überprüfte die Aufnahmezeiten.

»Was haben Sie denn in den Pausen gemacht? Zum Beispiel vor acht Stunden. Wenn ich mir die Zeiten anschaue, ist die Kamera fast neunzig Minuten nicht gelaufen.«

Pavlo Burakow stöhnte genervt. »Ihretwegen ist Alina

abgehauen«, fluchte er und zog sich ein T-Shirt über den muskulösen Oberkörper. »Haben Sie eine Idee, was das für mein Geschäft bedeutet? Marina, mit der ich heute gedreht habe, ist viel teurer und außerdem bin ich total im Rückstand. Die Leute brauchen neuen Filmstoff.«

Julia schwieg. Sie hatte keine Ahnung, wie viel Burakow von dem Schließfach im Hauptbahnhof wusste, und wollte auf keinen Fall etwas Falsches ausplaudern.

»Nun, ich denke eher, dass Frau Petrowa keine Lust auf eine weitere Zusammenarbeit mit Ihnen hatte«, sagte Florian. »Ich benötige die Kontaktdaten von Ihrer neuen Partnerin Marina und jetzt beantworten Sie bitte die Frage. Was haben Sie während der Drehpausen getan?«

»Verflucht noch mal, rufen Sie meinen Anwalt an. Ich rede nicht ohne ihn. Das müsste Ihnen doch klar sein. Ich habe nichts verbrochen. Warum begreifen Sie das nicht endlich?«

»Dürfen wir die Kamera mitnehmen?«, fragte Julia und machte vorsichtshalber mit ihrem Handy ein Foto von der Anzeige auf dem Display.

»Nein«, knurrte Burakow. »Sie wollen mir bloß ein Ei ins Nest legen. Gehen Sie! Das ist mein Keller.«

»In Ordnung«, sagte Florian. »Dann führen wir unser Gespräch im Polizeirevier fort. Bringen Sie Ihren Anwalt mit, und legen Sie uns Beweise vor, die Sie entlasten. Ansonsten sieht es nämlich nicht gut für Sie aus.«

Vermutlich konnte nur Julia die Unsicherheit in Florians Stimme hören, denn Burakow riss entrüstet die Augen auf und verschränkte die Arme vor der Brust.

»Auf Wiedersehen!«, nuschelte er und wandte sich demonstrativ ab.

Julia trat hinaus in den Gang. Das Neonlicht an der Decke flackerte immer noch. Gleich neben Burakows Keller befand sich eine weitere Feuerschutztür, und sie fragte sich, was dahinter lag.

»Lass uns dort mal nachschauen«, flüsterte sie Florian zu und machte die Tür auf. Ein identischer Gang mit Kellern zu beiden Seiten erstreckte sich vor ihnen. Am Ende, nach vielleicht zwanzig Metern, schloss sich eine weitere Feuerschutztür an. Sie steuerte darauf zu und gelangte in den nächsten Gang, der genauso aufgebaut war. Allerdings mit einer Ausnahme: Der Gang endete mit einer Betonwand. Julia machte kehrt und fand den Treppenaufgang auf der rechten Seite. Sie stieg die Stufen hinauf und öffnete die Haustür. Der Wagen der Polizisten, die Burakow überwachten, stand ganz am Ende des riesigen Wohnblocks. Julia und Florian befanden sich gut siebzig Meter entfernt auf der anderen Seite. Lenja und Martin Saathoff warteten vor dem Dienstwagen. Niemand schaute in ihre Richtung.

Florian sprach aus, was Julia dachte: »Diesen Aufgang hatten die Kollegen garantiert nicht im Blick. Es gibt zwar keinen Hinterausgang, aber dafür verbundene Keller.« Er schüttelte den Kopf. »Verdammt! Burakow konnte die ganze Zeit unbeobachtet raus- und wieder reinspazieren.«

Julia zog Florian mit sich auf die Autos zu und klopfte an die Seitenscheibe der Zivilstreife. Die Polizistin ließ die Scheibe herunter.

»Haben Sie uns gesehen?«, fragte Julia.

»Wie meinen Sie das?«

»Wo sind wir gerade hergekommen?«

Die Frau zuckte mit der Schulter und blickte ihren Kollegen hilflos an.

»Verdammt«, fluchte Florian. »Sie haben die ganze Zeit nur den ersten Hausaufgang observiert. Die Keller sind miteinander verbunden. Wir sind vorne rein und dort hinten wieder raus.« Er deutete auf den Eingang, aus dem sie gekommen waren.

Die Beamtin wurde blass und stieg aus, um sich den Wohnblock genauer anzusehen.

»Haben Sie das vorher nicht überprüft?«

»Wir haben das Gebäude umrundet und uns versichert, dass es keinen Hinterausgang gibt. Aber wir sind nicht reingegangen«, gestand sie kleinlaut.

Florian seufzte leise. »Okay. Achten Sie ab sofort bitte auf alle Ausgänge.«

Die Beamtin nickte und setzte sich wieder in den Wagen. Julia schaute noch einmal zu dem Häuserblock. In der zweiten Etage des ersten Aufgangs ging das Licht an.

»Burakow scheint zurück in seiner Wohnung zu sein«, bemerkte Julia und nahm neben Lenja auf der Rücksitzbank von Florians Dienstwagen Platz.

»So etwas hätte nicht passieren dürfen«, schimpfte Florian und knallte die Fahrertür zu.

»Wir sollten Jörg Kannen ebenfalls überwachen lassen«, schlug Martin Saathoff vor. »Ich spreche nachher mit dem Chef. Wir treten immer noch auf der Stelle und dürfen keinen Verdächtigen ausschließen.«

»Einverstanden«, sagte Florian und fixierte Julia im

Rückspiegel. »Soll ich euch nach Hause fahren? Ich kann deinen Wagen in ein paar Stunden vorbeibringen und nehme dann die Bahn oder den Bus.«

Julia nickte und gähnte gleichzeitig. Sie fühlte sich vollkommen erledigt und wollte wenigstens noch für zwei, drei Stunden zurück in ihr Bett. Lenja ging es genauso. Sie saß mit geschlossenen Augen auf dem Rücksitz. Florian brachte den Wagen direkt vor Julias Haustür zum Stehen. Im Licht der Scheinwerfer tauchte kurz eine Gestalt auf.

»Wer ist denn das?«, fragte Martin Saathoff.

»Wo?«, wollte Florian wissen.

»Da steht ein Kerl vor dem Haus deiner Freundin. Wir sollten lieber nachschauen.« Saathoff sprang hinaus.

Julia folgte ihm. Sie hatte niemanden gesehen. Als Saathoff sich dem Haus näherte, ging die Beleuchtung über dem Eingang an.

»Marcel?«

Julia hatte nicht bemerkt, dass Lenja unmittelbar hinter ihr stand.

»Hast du etwa die ganze Nacht hier gewartet? Was willst du hier?«, fragte ihre Assistentin.

Der junge Mann löste sich von der Hauswand.

»Ich bin gerade erst wieder hergekommen. Können wir reden?« Er schritt auf Lenja zu, doch Martin Saathoff versperrte ihm den Weg.

»Ich will nicht reden«, erwiderte Lenja.

Martin Saathoff breitete die Arme aus, damit Marcel nicht an ihm vorbeikam.

»Du gehst jetzt mal schön nach Hause, und sobald

Lenja der Kopf danach steht, wird sie dich anrufen«, knurrte er und trat zur Seite, als Marcel nickte.

Der junge Mann warf Lenja einen glühenden Blick zu und zog ab.

»Der Kerl ist aber ziemlich aufdringlich«, stellte Florian fest und gab Julia einen Abschiedskuss.

»Schlaf noch ein bisschen«, sagte Julia und ging mit Lenja ins Haus.

29

Lenja wirkte im kalten Licht des Autopsiesaales so blass, als hätte sie gar nicht mehr geschlafen. Es war zwölf Uhr mittags und sie hatten gerade erst mit der Arbeit begonnen.

»Geht es einigermaßen?«, fragte Julia, die sich vorstellen konnte, wie sehr Marcels Verhalten Lenja geschockt haben musste. Es war absolut übergriffig, ja fast unheimlich, jemandem aufzulauern. Was ging bloß in dem Mann vor? Begriff er nicht, dass er sie damit endgültig vertrieb? Als ob das nicht schon genug wäre, stand plötzlich ihre Sekretärin in der Tür.

»Könnte ich Sie mal einen Augenblick sprechen?« Das leichte Beben in der Stimme und der ernste Blick ließen Julia sofort das Skalpell beiseitelegen.

»Kannst du kurz übernehmen?«

»Na klar«, erwiderte Lenja lächelnd. »Ich komme zurecht.«

Julia nahm aus dem Augenwinkel wahr, wie Kerstin Brandts Augenbrauen bei Lenjas Antwort zuckten.

Als sie mit ihrer Sekretärin durch den langen grauen Flur zum Büro ging und sie außer Hörweite von Lenja waren, fragte Julia: »Was ist los?«

Kerstin Brandt rollte mit den Augen und blieb abrupt stehen.

»Er ist hier«, erklärte sie.

»Wer?«, wollte Julia wissen und in derselben Sekunde erahnte sie die Antwort.

»Der Freund von Lenja, Herr Stöcker. Ich habe ihm gesagt, dass Sie keine Zeit hätten. Aber er lässt nicht locker. Ich wollte einen Aufstand vermeiden und dachte mir, vielleicht könnten Sie mit ihm reden und ihn loswerden.«

»Mist«, stieß Julia aus. Ein Gespräch mit Marcel war das Letzte, was ihr vorschwebte. Im Autopsiesaal lag die Leiche des dritten Opfers, und sie brannte darauf, den Toten zu obduzieren.

»Und er möchte mit mir und nicht mit Lenja sprechen?«, fragte sie vorsichtshalber nach und setzte sich wieder in Bewegung.

Ihre Sekretärin nickte und tappte neben ihr her.

»Der Kerl beunruhigt mich irgendwie. Werden Sie ihn bloß schnell los.«

»Keine Sorge«, erwiderte Julia, obwohl sie keine Ahnung hatte, wie sie das anstellen sollte. Sie verzichtete darauf, Kerstin Brandt zu erzählen, dass Marcel bereits am frühen Morgen vor ihrem Haus herumgelungert hatte. Das würde sie nur beunruhigen. Sie rauschte voraus ins Büro, wo Marcel am Besprechungstisch saß.

»Guten Morgen«, begrüßte sie ihn und nahm gegenüber Platz.

Marcel nuschelte einen Gruß und erklärte: »Ich wollte mit Ihnen reden, weil ich an Lenja nicht mehr herankomme. Ich habe einen riesengroßen Fehler gemacht, und ich hoffe, dass Sie mir helfen können.«

Julia neigte den Kopf. »Ich wüsste nicht, wie ich das anstellen sollte. Sie müssen Ihre privaten Dinge schon selbst mit Lenja regeln. Ich bin ihre Chefin und nicht ihre Mutter.«

Marcel senkte den Blick. »Ich weiß, es ist ungewöhnlich. Aber Sie sind auch ihre Freundin und vielleicht können Sie ihr wenigstens meine Erklärung zu dem Vorfall überbringen.«

»Warum sollte ich mich da einmischen? Soweit ich erfahren habe, sind Sie zweigleisig gefahren, und Lenja hat entschieden, sich von Ihnen zu trennen. Damit mussten Sie rechnen.«

Marcel vergrub das Gesicht in den Händen.

»Verflucht! Ja, das hätte mir klar sein müssen, aber ich war einfach zu blöd. Lenja hat ihren Stolz und ich hätte sie nicht so verletzen dürfen. Ich hatte nie vor, sie zu verlassen. Ich plane meine Zukunft mit ihr, und ich möchte alles tun, um den Vorfall wiedergutzumachen.«

»Das hat sich aus Lenjas Mund allerdings anders angehört.« Julia schaute ungeduldig auf die Uhr. Alle hatten sich in Marcel getäuscht, sie selbst eingeschlossen. Seine halbherzigen Erklärungsversuche brachten nichts. Das

Vertrauen war zerstört und ließ sich vermutlich nicht mehr retten. Aber das musste Lenja ganz allein für sich entscheiden.

»Juliette hat mich überrumpelt. Wir waren viele Jahre zusammen, dann ist sie nach Frankreich gegangen und ich habe Lenja kennengelernt. Ich hatte mich für kurze Zeit nicht im Griff. Da war ich nicht ich selbst. Könnten Sie bitte versuchen, Lenja davon zu überzeugen, dass ich sie liebe?«

Vor Julias innerem Auge erschien das verliebte Pärchen, das sie beim Italiener beobachtet hatte. Vielleicht war Marcel an diesem Abend und in den Tagen zuvor tatsächlich nicht er selbst gewesen. Er war es allerdings auch später nicht, als Lenja ihn zur Rede gestellt und er sich Bedenkzeit auserbeten hatte. Es roch nach Ausreden. Vermutlich hatte ihm diese Juliette ebenfalls den Laufpass gegeben und er wollte nun wenigstens eine Beziehung retten.

»Ehrlich gesagt hätten Sie sich vorher überlegen müssen, was Sie mit Ihrem Verhalten anrichten. Und Ihre Erklärungsversuche sind bei mir an der falschen Stelle. Sie sollten mit Lenja sprechen und nicht mit mir.«

»Sagen Sie ihr bitte, dass ich sie liebe und die Sache mit Juliette ein großer Fehler war. Bitte. Sie geht nicht ans Telefon, wenn ich anrufe, und meine Nachrichten liest sie vermutlich auch nicht.«

»Ich werde ihr erzählen, dass Sie hier waren«, entgegnete Julia und erhob sich. »Ich habe jetzt zu tun und muss Sie bitten, zu gehen.«

Marcel stand gehorsam auf.

»Danke«, sagte er und schlich mit gesenktem Kopf zur Tür hinaus.

Julia atmete auf, als er draußen war. Im Grunde verstand sie immer noch nicht, was er überhaupt von ihr wollte. Eine richtige Erklärung für sein Verhalten hatte er jedenfalls nicht vorweisen können. Sie fühlte sich auf unangenehme Weise an ihren Ex-Freund Valentin erinnert, der sie damals ebenfalls mit fadenscheinigen Begründungen an der Nase herumgeführt hatte. Julia marschierte aus dem Büro. Im Vorzimmer erwarteten sie die neugierigen Blicke ihrer Sekretärin.

»Ich hoffe, dass er so schnell nicht wiederkommt. Er braucht vermutlich Zeit, um zu begreifen, dass seine Beziehung mit Lenja gescheitert ist«, erklärte sie.

Kerstin Brandt nickte zufrieden. Julia stürmte hinaus in den Flur. Sie wollte endlich die Obduktion zu Ende führen. Doch bevor sie überhaupt drei Meter weit gekommen war, hörte sie jemanden ihren Namen rufen.

»Doktor Schwarz, warten Sie!« Oberstaatsanwalt Björn Kreitz hastete auf sie zu. »Ich wollte mich noch einmal persönlich bedanken.« Er reichte Julia die Hand. »Ich hoffe, mein kleines Dankeschön hat Sie erreicht?«

Julia wusste im ersten Moment gar nicht, wovon er sprach, aber dann fiel ihr die Schokolade wieder ein, die Lenja am Abend zuvor mitgebracht hatte.

»Vielen Dank. Ich habe mich sehr gefreut. Aber das wäre natürlich nicht nötig gewesen. Es ist selbstverständlich, dass ich helfe, wo ich kann.«

Der Oberstaatsanwalt seufzte. »Trotzdem, ohne Sie hätte die Polizei wahrscheinlich nicht oder viel zu spät nach diesem Kondom gesucht. Ihr Gespräch mit dem Opfer war wirklich Gold wert. Der Beschuldigte hat bis zu diesem handfesten Beweis alles abgestritten. Wer kann sich auch schon vorstellen, dass ein freundlich erscheinender Familienvater zu so etwas imstande sein könnte.«

»Da gebe ich Ihnen recht. Man kann den Menschen nur vor den Kopf schauen. Dahinter laufen manchmal die wunderlichsten Prozesse ab.« Julia schaute ungeduldig auf die Uhr.

»Ich halte Sie von der Arbeit ab«, erkannte Björn Kreitz sofort. »Entschuldigen Sie bitte. Ich habe auch gleich einen Termin mit Ihrem Kollegen Doktor Neumann, um noch einige Details für die Vorbereitung der Anklage zu klären. Wie gesagt, ich wollte Ihnen persönlich Danke sagen.« Er lächelte und wandte sich ab. »Auf Wiedersehen.«

Julia verabschiedete sich ebenfalls und steuerte zielstrebig auf den Obduktionssaal zu. Ein weiteres Mal wollte sie sich nicht aufhalten lassen. Sie stieß die schwere Tür auf und sah Lenja konzentriert mit dem Skalpell arbeiten. Sie hatte bereits die Bauchhöhle geöffnet. Als sie Julia bemerkte, begann sie zu strahlen.

»Schau mal auf dem Tisch nach. Ich habe etwas entdeckt.«

Julia ging zum Edelstahltisch an der Wand. Dort lag eine durchsichtige Plastiktüte. Julia hielt sie gegen das Licht.

»Ein Haar?«, fragte sie ungläubig.

»Ich habe es am Kragen des Bademantels gefunden. Es ist schwarz. Unser Opfer hat hellbraunes Haar.«

»Wow.« Julia betrachtete den Fund erfreut. »Weißt du was, ich schicke das gleich ins Labor. Die sollen schnellstmöglich die DNS-Analyse machen. Wenn das ein Haar vom Täter ist, könnte uns das sehr helfen.«

Lenja grinste. »Ich hoffe es!« Dann wurde ihr Gesicht plötzlich ernst.

»Marcel war bei dir, stimmt's? Ich habe es an den Blicken deiner Sekretärin erraten. Was wollte er?«, fragte sie.

Julia war überrascht, doch sie wollte Lenja keineswegs anlügen. Das Haar konnte ein paar Minuten warten.

»Ich soll dir ausrichten, dass er einen Fehler gemacht hat und dich liebt. Er wirkt tatsächlich ziemlich verzweifelt.«

»Mmh«, machte Lenja und schnitt mit geübter Hand den Magen heraus. »Das hörte sich zuletzt allerdings anders an.«

»Ich weiß«, stimmte Julia ihr zu. »Ich denke, er hat nicht damit gerechnet, dass du einen Schlussstrich ziehst. Ich will dir nicht reinreden. Du weißt ja, wie es mit meinem Ex gelaufen ist. Nach seinem Betrug hat es einfach nicht mehr funktioniert. Aber ich kann Marcel nicht gut einschätzen. Vielleicht meint er es ernst und hat eine zweite Chance verdient. Du musst diese Entscheidung selbst treffen, unabhängig davon, was andere denken. Nur weil ich eine Trennung für die richtige Lösung halte, gilt das längst nicht für dich.«

Lenja erwiderte nichts. Ihre Kieferknochen arbeiteten. Sie legte den Magen auf die Waage und ließ ihn dann in eine Nierenschale gleiten, um ihn aufzuschneiden und den Inhalt zu begutachten.

Julia zog sich Gummihandschuhe über und nahm sich die Füße vor. Zwischen den ersten beiden Zehen hatte sie die Einstiche entdeckt. Lenja hatte bereits ein wenig Gewebe für das Labor rundherum herausgeschabt.

»Hast du für den Insulintest schon Glaskörperflüssigkeit entnommen?«, fragte Julia.

Lenja nickte. Es erfüllte Julia mit Stolz, wie gut Lenja trotz ihrer seelischen Verfassung arbeitete.

»Gut gemacht«, lobte sie Lenja und half ihr, die Därme aus der Bauchhöhle zu heben. Als sie fertig waren, streifte sie die Handschuhe ab.

»Ich bringe jetzt erst einmal das Haar auf den Weg. Florian wird Luftsprünge machen. Stell dir nur mal vor, wir hätten einen Treffer in der Datenbank und stoßen so auf den Täter. Ich bin gleich zurück.« Julia griff nach dem Haar in der Asservatentüte und eilte in ihr Büro, wo sie es Kerstin Brandt übergab.

»Bitte rufen Sie den Laborleiter an und sagen Sie ihm, dass es sehr dringend ist«, bat sie ihre Sekretärin. »Wir brauchen die Ergebnisse so schnell wie möglich. Am besten schon morgen.«

Kerstin Brandt legte sofort los und versprach, das Haar persönlich ins Labor zu bringen. Julia ging zu ihrem Schreibtisch und wählte Florians Nummer, um ihn über ihren Fund zu informierten. Als er endlich abhob, hatte er ebenfalls eine gute Nachricht.

»Wir wissen, wer der Tote im Bademantel ist.«

30

Zwei Jahre zuvor

Anne hatte sich irgendwie in den Hausflur gerettet. Zusammen mit dem Paket. Sie hockte auf den Fliesen und starrte auf ihren Namen, der in Großbuchstaben darauf geschrieben war. Sollte sie das Paket öffnen oder lieber zuerst ihren Mann anrufen? Ihre Finger griffen automatisch zum Handy und wählten seine Nummer.

Er ging nicht ran.

Anne spürte, wie ihr Puls in die Höhe schoss. Sie rappelte sich auf und blickte durch den Spion in der Haustür. Frank Laganis war nicht zu sehen. Ein wenig ruhiger wandte sie sich dem Paket zu. Was da wohl drin war?

Geistesgegenwärtig streifte sie ein paar Lederhandschuhe über und durchtrennte mit einer Schere das

Klebeband. Sie öffnete den Karton ganz langsam, fast schon in Zeitlupe. Etwas Dunkles lag darin. Etwas aus Stoff, das so fein war wie Spitze.

Anne griff hinein und erstarrte. Der Mistkerl hatte ihr Unterwäsche geschickt. Sofort ließ sie die Sachen fallen. Sie zitterte und zwang sich trotzdem, den Karton weiter zu untersuchen. Tatsächlich entdeckte sie einen Zettel am Boden.

»*Es war schön mit dir!*«, stand darauf.

Anne musste den Satz mehrfach lesen, um ihn zu begreifen. Ihr Gehirn schien sich zu weigern, den Sinn der Worte aufzunehmen. Kam diese Nachricht wirklich von Frank Laganis? Sie drehte den Zettel um und sogleich überfiel sie eine Welle der Übelkeit.

F. L. war auf die Rückseite gekritzelt. Das konnte nur eines bedeuten: Das Monster hatte ihr die Unterwäsche geschickt. Kaum war er aus dem Gefängnis heraus, machte er ihr das Leben zur Hölle. Hektisch wählte sie Dr. Reuschers Nummer. Zum Glück hob er sofort ab.

»Er verfolgt mich und er hat mir Dessous gesendet«, brachte sie atemlos hervor.

»Bleiben Sie erst einmal ganz ruhig«, erwiderte Dr. Reuscher. »Wo sind Sie gerade?«

»Zu Hause. Im Flur.«

»Okay. Haben Sie sich umgesehen? Ist er in der Nähe?«

»Ich weiß es nicht«, weinte sie erstickt. »Durch den Spion habe ich ihn nicht gesehen, aber ich glaube, er ist irgendwo da draußen. Er will mich wieder vergewaltigen. Bitte helfen Sie mir. Ich halte das nicht mehr aus.«

»Rühren Sie sich nicht von der Stelle. Ich bin in zehn

Minuten bei Ihnen. Sie wissen, ich darf das eigentlich nicht. Doch ich denke, dies ist ein Notfall. Geben Sie bitte auch Ihrem Mann Bescheid.«

Dr. Reuscher legte auf, bevor Anne ihm sagen konnte, dass ihr Mann nicht ans Telefon ging. Vermutlich steckte er wie so oft in irgendeinem Meeting, während sie hier Todesängste ausstand. Anne steckte das Handy zurück in die Tasche und ließ sich neben dem Paket an die Wand sinken. Das Herz hämmerte schmerzhaft gegen ihre Rippen. Sie fragte sich, wie lange sie diesen Zustand noch aushielt und wie es wäre, tot zu sein. Einfach davonzuschweben. So leicht wie eine Feder. Dem Licht entgegen.

Die Klingel schreckte sie auf. Sie musste kurz eingenickt sein. Erschrocken sprang sie auf und blickte durch den Spion. Dr. Reuscher stand vor der Tür und hatte so viele Falten auf der Stirn wie nie zuvor.

»Anne, machen Sie auf!«, bat er und klopfte an die Tür. »Anne!«

Sie drückte die Klinke herunter und fiel ihrem Arzt schluchzend in die Arme.

»Danke, dass Sie gekommen sind. Ich habe solche Angst.«

»Ist ja schon gut«, murmelte Dr. Reuscher. Er stieß sie nicht weg, sondern erwiderte ihre Umarmung, zumindest für einen Moment. Dann löste er sich und schloss die Haustür, nicht ohne jedoch vorher einen prüfenden Blick nach draußen zu werfen.

»Ich habe die Polizei informiert«, erzählte er. »Sie werden das Paket spurentechnisch untersuchen. Sollte

Frank Laganis Ihnen tatsächlich Unterwäsche geschickt haben, steckt er in Schwierigkeiten.«

Anne horchte auf. »Muss er zurück ins Gefängnis?«

Dr. Reuscher zuckte mit den Schultern. »Das hängt vermutlich vom Richter ab.« Er musterte sie intensiv. »Anne, haben Sie Ihre Tabletten genommen?«

Sie senkte den Blick. »Ich bin nicht depressiv«, nuschelte sie. »Ich will es ohne Medikamente schaffen.« Sie hasste die Pillen, die er ihr aufgeschrieben hatte. Mit ihnen fühlte sie sich von der Welt abgeschnitten. Das konnte sie noch weniger ertragen als die Achterbahnfahrt, die sie ohne die Medizin erlebte.

»Tun Sie mir einen Gefallen und nehmen Sie Ihre Medikamente ein. Wenigstens für die nächsten Wochen, dann sehen wir weiter. Anne, wir müssen Sie emotional stabilisieren. Die kommenden Tage und vielleicht Wochen werden schwer für Sie werden, weil Frank Laganis entlassen wurde. Ich kann nachvollziehen, dass Sie das aus der Bahn wirft. Umso wichtiger ist es, dass wir etwas dagegen unternehmen.«

»Okay«, log sie, denn sie wusste, dass sie Dr. Reuscher nicht vom Gegenteil überzeugen konnte. Er würde ihr trotzdem helfen und sie aus ihrem Tief herausholen, da war Anne sicher. Sie mochte ihn.

»Wollen wir uns kurz unterhalten?«, bot er an und sah gleichzeitig auf die Uhr. »Ich muss zugeben, dass meine Zeit ein wenig knapp ist. In einer Stunde habe ich den nächsten Patienten.«

Sie setzten sich auf die Couch im Wohnzimmer und redeten. Annes Gedanken kreisten um Frank Laganis und die Leere, die er mit der Vergewaltigung in ihr hinterlassen hatte. Als Dr. Reuscher sich wenig später verabschiedete, fühlte sie sich besser. Sie schaffte es sogar, nicht aus dem Fenster zu sehen und nach Laganis Ausschau zu halten. Doch schon kurz darauf hatte sie erneut das Gefühl, in einen Abgrund zu stürzen. Sie kauerte sich auf dem Sofa zusammen und hoffte, dass sich die dunklen Wolken in ihrem Kopf rasch wieder verziehen würden.

31

»Olaf Seidel, siebenundzwanzig Jahre alt und seit zwei Tagen vermisst. Seine Mutter ist zur Polizei gegangen. Er wohnt noch zu Hause«, verkündete Florian und pochte auf das Whiteboard. »Seidel ist wegen sexueller Belästigung vorbestraft und kam knapp mit Bewährung davon. Er hat sich an einer Minderjährigen vergriffen. Zum Glück wurde er gestört, sodass er nicht zum Zug kam.«

»Gibt es eine Erklärung für den Aufzug in rosa Bademantel und Perücke?«, fragte Julia und nahm einen großen Schluck Kaffee. Florian hatte sie und Lenja am Abend zu einer Besprechung gebeten. Auch wenn sie alle hofften, dass das gefundene Haar von Pavlo Burakows schwarzem Bart stammte, durften sie jetzt nicht nachlassen und sich bloß auf diesen Beweis konzentrieren. Alina Petrowa gehörte ebenso zu den Verdächtigen wie Jörg Kannen, dessen Frau mittlerweile das Alibi für ihren Mann widerrufen hatte. Sie hatte gelogen, um ihn zu schützen.

Nachdem sie jedoch erfahren hatte, dass Kannen regelmäßig den Begleitservice buchte, war sie mit der Wahrheit herausgerückt. Eine Streife überwachte sein Haus, während von Petrowa nach wie vor jede Spur fehlte.

»Bisher nicht«, antwortete Florian, »wir haben mit Olaf Seidels Mutter gesprochen, aber sie hat keine Erklärung. Sie hat weder die Perücke noch den Bademantel jemals gesehen, und das, obwohl sie ständig seine Sachen gewaschen hat. Von der Spionagekamera wusste sie natürlich auch nichts. Ein IT-Experte untersucht gerade den Laptop des Opfers und die Kamera. Er müsste sich jeden Augenblick mit Ergebnissen melden.«

»Hat die Obduktion über das Haar hinaus etwas ergeben?«, wollte Hermann Meier wissen. »Ich muss gestehen, dass mir der Chef im Nacken sitzt. Er hat Angst, dass die Presse spitzbekommt, dass ein Serientäter in Köln wahllos Menschen tötet und ihnen Körperteile abschneidet.«

Dass der Leiter des Kriminalkommissariates sich um acht Uhr abends Zeit für diesen Fall nahm, sprach Bände. Der Druck auf ihn schien gewaltig zu sein. Seine silbergraue Haarmähne wirkte zerzaust und die Augen lagen müde und gerötet in den Höhlen. Es kam Julia so vor, als hätte sich die Anzahl der Fältchen in seinem Gesicht innerhalb der letzten Woche verdoppelt. Sie senkte den Blick und blätterte in ihren Unterlagen.

»Die Laborergebnisse stehen noch aus. Wie bereits gesagt denken wir, dass der Täter abermals eine tödliche Dosis Insulin verabreicht hat. Zumindest sprechen die Einstiche in den Zehenzwischenräumen dafür. Ansonsten handelte es sich bei dem Opfer um einen völlig gesunden

Mann ohne besondere Auffälligkeiten. Wir haben zwar ein paar Druckstellen an den Handgelenken gefunden, ich würde jedoch nicht so weit gehen, diese als Abwehrspuren zu bezeichnen. Der Körper wies keinerlei Verletzungen auf. Auch keine Würgemale wie bei Nils Deuss. Vermutlich wurde er ebenfalls ruhiggestellt, mit Insulin getötet und dann wurden ihm die Augen entfernt und durch neue ersetzt. Diese neuen Augen stammen übrigens mit Sicherheit aus dem Institut für Anatomie. Das heißt, dass von den zwanzig gestohlenen Präparaten immer noch sechzehn fehlen.«

Hermann Meier stöhnte. »Verdammt! So viele Körperteile und wir können den Kerl nicht festnageln.«

»Wir bräuchten dringend einen Durchsuchungsbefehl für Pavlo Burakows Wohnung und für die von Jörg Kannen am besten gleich mit.« Florian gestikulierte mit seinem Marker. »Ansonsten bleibt uns nur, auf die DNS-Analyse des Haares zu hoffen und noch einmal alle Fakten zu überprüfen.«

»Aber es muss doch einen Zusammenhang zwischen den drei Opfern geben«, stieß Hermann Meier ungeduldig aus.

»Wir haben wirklich jeden Stein umgedreht«, sagte Martin Saathoff, wobei er ein wenig beleidigt klang. »Jörg Kannen hatte zu Jana Petersmann und zu Nils Deuss Kontakt. Bei Pavlo Burakow stochern wir nach wie vor im Dunkeln. Allerdings soll er das Präparat in der Schließfachanlage des Hauptbahnhofs deponiert haben. Zumindest wenn man der Aussage von Alina Petrowa Glauben schenken will. Ich ...«

»Haben wir mittlerweile das Überwachungsvideo erhalten?«, unterbrach ihn Hermann Meier.

Saathoff schüttelte den Kopf. »Ich denke, wir bekommen es morgen, spätestens übermorgen. Die bürokratischen Mühlen der Bahn mahlen leider langsam.«

»Mit ein bisschen Glück identifizieren wir Burakow auf den Aufnahmen«, fügte Florian hoffnungsvoll hinzu.

»Gibt es denn eine Verbindung zwischen Burakow und Olaf Seidel?«, nahm Julia den Faden wieder auf. »Irgendwie muss der Täter seine Opfer schließlich auswählen.«

Florian rieb sich grübelnd das Kinn.

»Es ist, wie Martin gerade gesagt hat. Im Umfeld der Opfer haben wir alles recherchiert, was ging. Es existieren keine nennenswerten Übereinstimmungen. Die Wohnorte liegen so weit auseinander, dass sie sich vermutlich nie im Supermarkt oder beim Bäcker begegnet sind. Das Einzige, was sie gemeinsam haben, sind die abgetrennten Gliedmaßen. Das könnte eine Art Bestrafung sein. Sie haben also irgendetwas getan, was die Aufmerksamkeit des Täters erregt hat.« Florian blickte zum Whiteboard und tippte mit dem Marker auf den Namen des neuen Opfers. »Vielleicht sollten wir uns zuerst damit beschäftigen, was die herausgetrennten Augen bedeuten könnten. Hat Olaf Seidel etwas gesehen, was im Verborgenen bleiben sollte?«

»Klingt zwar komisch, aber möglicherweise wollte der Täter nicht, dass Olaf Seidel sich mit Perücke im rosafarbenen Bademantel sieht«, entgegnete Lenja. »Kann es sein, dass er homosexuell war?«

Martin Saathoff schüttelte den Kopf. »Laut seiner

Mutter nicht. Allerdings könnte der merkwürdige Aufzug natürlich schon etwas mit den herausgetrennten Augen zu tun haben.«

»Seine Mutter wusste bestimmt nichts davon. Er könnte ins Schwimmbad gegangen sein, weil er sich dort als Frau ausgeben wollte. Oder was meint ihr?«

Bevor jemand eine Antwort geben konnte, öffnete sich die Tür und ein schmächtiger Mann kam herein.

»Ich habe den Laptop von Olaf Seidel untersucht«, sagte er schüchtern, wobei sein Blick auf seine Schuhspitzen gerichtet war.

»Kommen Sie und setzen Sie sich.« Hermann Meier bot ihm seinen Platz an. »Ich muss nach Hause oder meine Frau macht mich einen Kopf kürzer. Wir sind zum Essen verabredet. Halten Sie mich bitte auf dem Laufenden.« Er verließ das Büro und schloss die Tür hinter sich.

Der Computerexperte glitt auf den freien Stuhl und klappte den Laptop auf.

»Ich habe einige sehr befremdliche Dateien entdeckt. Am besten, Sie schauen sich das selbst an.« Er blickte kurz auf und wartete, bis alle um ihn herumstanden. Dann startete er eine Aufnahme. »Ich gehe übrigens davon aus, dass er dieses Video mit der Spionagekamera aufgenommen hat.«

Zunächst sah Julia nur Weiß. Ein paar dunkle Linien kamen hinzu. Plötzlich wurde das Bild scharf und sie erkannte, dass die Kamera im schrägen Winkel von unten auf eine Toilette gerichtet war. Im Hintergrund ertönten Geräusche. Stimmengewirr und ein helles Lachen waren zu hören. Etwas schrammte über den Boden und dann waren die nackten Oberschenkel eines Mädchens zu sehen. Ein roter Slip wurde heruntergezogen und anschließend setzte sich der Teenager auf die Toilettenbrille.

»Der Kerl hat Frauen beim Urinieren aufgenommen?«, stieß Martin Saathoff fassungslos aus. »Das ist wirklich widerlich!«

Sie sahen mit an, wie die junge Frau ihr Geschäft verrichtete und spülte. Das Video endete. Der Computerexperte öffnete sofort die nächste Datei.

»Er hat zwei Kameras in der Kabine angebracht. Eine filmt von unten und die andere von oben.«

Sie erblickten dieselbe Frau, nur aus einer anderen Perspektive. Dieses Mal konnte Julia den blonden Haarschopf deutlich erkennen. Der Ablauf war genau derselbe, denn die Videos wurden zum selben Zeitpunkt aufgenommen.

»Olaf Seidel hat nicht bloß auf Toiletten heimlich gefilmt, sondern an allen möglichen Orten, beispielsweise in Damenumkleidekabinen oder in Fußgängerzonen, wo er die Kamera unter den Rock junger Mädchen gehalten hat. Auf seinem Computer finden sich Hunderte Filme und Accounts zu diversen Plattformen, auf denen er seine Videos geteilt hat.« Der Computerexperte rief ein Video auf, das bereits einige Monate alt war. Inmitten einer Menschenmenge zoomte die Kamera an eine Gruppe Teenager heran und verschwand unter dem Jeansrock einer vielleicht Sechzehnjährigen, die im Gewimmel offenbar nicht das Geringste von Olaf Seidels Aktion mitbekam. Die Kamera fing ein schwarzes Unterhöschen ein und glatt rasierte Schenkel. Die Aufnahme dauerte höchstens ein paar Sekunden, aber Julia konnte sich vorstellen, dass solche Bilder im Netz eine Schar von Abnehmern fanden.

»Im Grunde ist doch das Motiv des Täters jetzt klar«, sagte Julia und deutete auf den Laptop. »Dem Kerl wurden die Augen wegen dieser Aufnahmen herausgeschnitten. Da die Videos veröffentlicht sind, musste der Täter lediglich die IP-Adresse von Olaf Seidel herausfinden.«

»Du könntest recht haben. Auch das erste Opfer Jana Petersmann könnte der Täter über das Internet gefunden haben«, mutmaßte Florian.

»Und was ist mit Nils Deuss?«, fragte Martin Saathoff. »Der hat die Bilder von seiner misshandelten Frau nicht öffentlich gemacht. Das wäre ja ganz schön blöd von ihm gewesen, schließlich lagen mehrere Anzeigen wegen häuslicher Gewalt gegen ihn vor.«

Lenja meldete sich zu Wort. »Hat seine Ehefrau womöglich über ihr Schicksal gepostet? Sie könnte sich auch in einschlägigen Foren Hilfe gesucht haben.«

Julia sah Nicole Deuss vor sich. Sie hatte ziemlich unterwürfig gewirkt und außerdem nicht den Eindruck erweckt, als ob sie gegen ihren Mann vorgehen würde.

»Wir haben nichts dergleichen gefunden, aber vielleicht sollten wir die Sache mit den Foren aufgreifen.« Florian sah den Computerexperten an, der sofort nickte.

»Ich schaue mich dort einmal um«, versprach er und klappte den Laptop zu. »Ich habe das sichergestellte Material auf dem Laufwerk in der Akte gespeichert, falls Sie die anderen Videos noch prüfen möchten.«

Als er den Raum verlassen hatte, seufzte Florian und schrieb ein paar Worte auf das Whiteboard: Diebstahl, häusliche Gewalt und heimliches Filmen.

»Ich sage nur eines«, fügte er hinzu und tippte auf die Begriffe. »Unser Täter ist auf der Suche nach Verfehlungen.«

32

Die Sache mit Professor Palem war ein großer Fehler gewesen. Teresa hatte es im Grunde genommen schon in dem Augenblick geahnt, als sie die Zeugnisse gefälscht hatte. Andererseits hätte sie ohne diese Dokumente niemals als Ärztin arbeiten können. Vielleicht Pflegerin, aber selbst hierfür fehlte ihr die nötige Qualifikation. Alles, was sie konnte, hatte sie sich in jahrelanger Arbeit eigenständig beigebracht. Sie hatte so vielen Menschen geholfen, dass ihr wirklich nicht einleuchtete, warum ihr Verhalten falsch sein sollte. Doch Teresas Oberarzt hatte kurzen Prozess gemacht und sie auf der Stelle nach Hause geschickt.

»Bis auf Weiteres ...«, hatte er gesagt und dann mit einem juristischen Nachspiel gedroht, falls sie unangekündigt in der Klinik auftauchen würde. Sie konnte sich ausmalen, was als Nächstes geschah. Statt eines Dankschreibens würde bald eine fristlose Kündigung in ihrem Briefkasten liegen. Teresa fragte sich, wie ihr Oberarzt bei dem akuten Personalmangel, der im Krankenhaus herrschte, die Patientenversorgung aufrechterhalten wollte. Er brauchte sie und trotzdem rief er nicht an. Sie hätten die ganze Sache einfach unter den Tisch fallen lassen können. Letztendlich machte es keinen großen Unterschied, ob sie jemals Assistenzärztin bei Professor Palem gewesen war oder nicht. Es zählte doch nur, was sie heute konnte. Leider schien außer ihr niemand die Angelegenheit so zu betrachten. Die Welt um sie herum wurde von Bürokraten beherrscht, die ein dämliches Zeugnis für wichtiger hielten als ihre tatsächlichen Fähigkeiten.

Sie seufzte und ersetzte den Namen von Professor Palem durch den eines weniger bekannten leitenden Oberarztes in Süddeutschland. Sie hatte sich zu diesem Zweck extra eine spezielle Software gekauft, mit der sie auf ihrem Computer täuschend echte Urkunden erstellen konnte. Die neue Referenz bot zwar nicht dasselbe Renommee wie eine von Professor Palem. Aber sie würde ausreichen, um ihr zu einem neuen Job als Stationsärztin möglichst weit entfernt von Köln zu verhelfen. Teresa hatte bereits eine nette kleine Klinik im Saarland aufgetan, die händeringend Personal suchte und bestimmt nicht allzu genau hinschaute. Der Chefarzt wirkte auf dem Foto der Website sehr sympathisch. Viel freundlicher als ihr derzeitiger Oberarzt, von dem sie sowieso nichts Gutes mehr zu erwarten hatte. Eine Träne kullerte über ihre Wange. Teresa wischte sie nicht weg, sondern sah dabei zu, wie sie auf dem Schreibtisch landete. Sie würde die ganze Sache schon wieder geradebiegen. Sie fühlte sich wie eine Ärztin und sie war auch eine. Was konnte sie denn dafür, dass ein Studium damals für ihre alleinerziehende Mutter finanziell nicht möglich gewesen war?

Das Handy klingelte und riss sie aus ihren Gedanken. Es war das Krankenhaus. Nervös hob Teresa ab. Ihr Oberarzt meldete sich.

»Frau Buchholz, ich wollte die Angelegenheit doch noch einmal persönlich mit Ihnen klären. Es tut mir leid, dass wir uns das letzte Mal nicht abschließend austauschen konnten. Haben Sie gleich Zeit? Dann würde ich Sie gerne in meinem Büro willkommen heißen.«

In Teresas Kopf verquirlten sich die Worte des Oberarztes zu einem undurchsichtigen Wirrwarr. Sie hatte Mühe, ihren Sinn zu begreifen, und brauchte erst einige Sekunden, bevor sie antworten konnte.

»Ich bin in einer halben Stunde bei Ihnen«, erwiderte sie und legte auf. Ihr Herzschlag war völlig außer Kontrolle geraten. In ihrer Brust rumpelte es wie ein altersschwacher Motor. Teresa ließ das Handy sinken und überlegte, was sie ihrem Oberarzt erzählen könnte. Bisher wusste er nur, dass Professor Palem sich offenbar nicht an sie erinnern konnte. Womöglich gab es doch noch eine Chance, die Dinge zum Guten zu wenden. Während sich in ihrem Kopf eine Idee bildete, klingelte es an der Wohnungstür. Teresa öffnete gedankenverloren und nahm ein Päckchen entgegen. Den Boten registrierte sie kaum. Versunken in ihre eigene Welt stieß sie die Tür mit dem Fuß zu und marschierte in die Küche, wo sie das Klebeband des Pakets mit der Schere aufschnitt. Eine blaue Plastikbox kam zum Vorschein. Teresa betrachtete die Box und suchte dann im Karton nach einer Rechnung. Es lag jedoch keine drin. Sie konnte sich nicht erinnern, ob sie etwas bestellt hatte. Das Erste, was sie wahrnahm, als sie den Deckel der Box aufklappte, war der süßliche Gestank. Sie starrte auf den Inhalt und öffnete entsetzt den Mund. Ihr Schrei blieb aus. Stattdessen drang ein merkwürdiges Krächzen zwischen ihren Lippen hervor. Sie konnte den Blick überhaupt nicht abwenden. Wie paralysiert schaute sie die beiden Augäpfel an, von denen sie augenblicklich wusste, dass sie echt waren. Die stumpfen Pupillen hypnotisierten sie nahezu.

»Hallo, Teresa«, sagte plötzlich eine Stimme hinter ihr.

Sie fuhr herum und blickte in ein bekanntes Gesicht.

»Bitte nicht!«, schrie sie, als ihr das Tuch entgegenkam, doch es war zu spät. Der Geruch von Chloroform hüllte sie ein. Sie versuchte, den Mann mit den Armen abzuwehren, aber das Betäubungsmittel zwang sie in die Knie. Ihre Augenlider flatterten bereits. Trotzdem griff sie noch nach ihrem Handy und drückte auf ein paar Tasten, bevor die Dunkelheit sie in sich aufsog.

33

»Wach auf, bitte«, flüsterte Lenja, und Julia schreckte hoch. Sie blinzelte erschrocken und tastete hastig nach ihrer Brille, die irgendwo auf dem Nachttisch liegen musste.

»Was ist passiert?«, wollte sie wissen, setzte die Brille auf und schaute auf die Uhr. Es war kurz nach sechs.

»Marcel lauert vor dem Haus. Ich glaube, er dreht langsam echt durch«, erwiderte Lenja so leise, dass Julia sie kaum verstand.

»Bist du sicher?«, fragte sie und stieg aus dem Bett.

Lenja nickte. »Ich wollte schnell durchlüften und dabei habe ich ihn bemerkt.« Sie winkte Julia mit sich und tapste auf Zehenspitzen ins Wohnzimmer.

Julias Wohnung lag im Erdgeschoss. Trotzdem konnte sie sich nicht vorstellen, dass jemand sie hören konnte, nur weil er vor dem Haus stand. Sie schlich hinter Lenja her, die sich neben das Fenster stellte und mit einem Kopfnicken nach draußen deutete. Julia erblickte Marcel unter der Straßenlaterne. Es war noch dunkel, aber im Lichtkegel konnte sie ihn zweifelsfrei erkennen.

»Warum wartet er dort, wo ihn jeder sehen kann?«

Lenja zuckte ein wenig hilflos mit den Schultern. »Ich glaube, er will, dass ich rauskomme.«

»Scheint so. Wahrscheinlich will er dir beweisen, wie ernst es ihm ist, und deshalb harrt er schon morgens in der Kälte aus.«

»Ich weiß nicht.«

Julia trat vom Fenster zurück. »Ich denke, er will dich vor der Arbeit abfangen. Du solltest ein letztes klärendes Gespräch mit ihm führen. Ihm muss klar werden, dass er keine Chance mehr bei dir hat. Sonst geht das ewig so weiter.« Julia dachte an Florian und seine Miene, als sie ihm in der Nacht zuvor verkündet hatte, dass sie mit Lenja in ihrer Wohnung bleibt. Er hatte enttäuscht ausgesehen, aber keinen Ton gesagt. Das schlechte Gewissen nagte seitdem an ihr. Sie wusste, dass er ihre Nähe brauchte. Doch Lenja benötigte ihre Unterstützung im Moment viel dringender.

»Ich kann im Augenblick nicht mit ihm sprechen«, erklärte Lenja und zog sich ihre Jeans an. »Ich befürchte, ich bin noch nicht so weit. Am Ende gebe ich nach, obwohl ich es eigentlich nicht will.«

»Okay. Ich rede mit ihm.« Julia reichte es. Sie hatte keine Lust, sich von Marcel in ihrem Alltag einengen zu lassen. Sie öffnete das Fenster.

»Marcel Stöcker?«, rief sie und winkte ihn heran. Marcel kam näher.

»Sie müssen jetzt gehen. Sie können nicht vor meinem Haus stehen und auf Lenja warten. Sie meldet sich bei Ihnen, wenn sie so weit ist. Geben Sie ihr Zeit.«

Marcel starrte sie an. Die Enttäuschung in seiner Miene schien echt.

»Ruft sie mich wirklich an?«, fragte er misstrauisch.

»Es kann dauern. Aber ja, sie wird es tun. Fahren Sie nach Hause!« Julia wartete, bis Marcel sich umgedreht hatte und mit gesenktem Kopf verschwand. Dann schloss sie das Fenster und atmete aus. Hinter ihrer Stirn pochte es. Sie brauchte dringend einen Kaffee.

»Danke, dass du ihn weggeschickt hast«, krächzte Lenja und rieb sich die Augen. »Ich weiß, dass ich mit ihm reden muss. Vielleicht rufe ich ihn heute Abend an.«

Julia schob die eigene Anspannung für den Moment beiseite. Sie ging auf Lenja zu und nahm sie in den Arm.

»Lass dir Zeit«, flüsterte sie. »Es geht dir bald wieder besser. Versprochen.«

Lenja brachte ein schwaches Nicken zustande. Julia kannte ihre Situation nur zu gut. Der Verstand hatte längst begriffen, wenn eine Beziehung vorbei war. Aber das Herz gab die Hoffnung nicht so schnell auf. Es spielte im Sekundentakt alle möglichen Konstellationen durch, unter denen es ein Happy End geben könnte. Die quälende Hoffnung und der nüchterne Verstand verursachten den Liebeskummer, der Lenja noch eine Weile beschäftigen würde. Erst mit der Zeit, wenn die Emotionen abebbten, würde sie spüren, dass ein Neuanfang vermutlich die einzig sinnvolle Lösung war.

»Was ist mit diesem Jörg Kannen?«, fragte Lenja und

löste sich von Julia. »Soll der heute nicht noch einmal verhört werden? Seine Frau hat doch das Alibi für ihn widerrufen.«

Julia schaute auf die Uhr. Florian hatte sie gebeten hinzuzukommen. Sie wollten herausfinden, ob Jörg Kannen sich mehr Insulin beschafft hatte, als er für die Behandlung seiner Diabetes-Erkrankung benötigte.

»Es müsste in einer Stunde losgehen«, sagte sie.

Lenjas Miene erhellte sich. »Darf ich dabei sein? Die Arbeit im Institut hole ich selbstverständlich nach.«

Julia zögerte zuerst. Da die Befragung jedoch höchstens eine Stunde dauern würde, beschloss sie, Lenja mitzunehmen.

»In Ordnung, wir müssen uns aber beeilen«, sagte Julia und verschwand im Badezimmer, um sich fertig zu machen.

Vierzig Minuten später saßen sie in Florians Büro und blickten auf das Whiteboard, auf dem sich am Morgen etliche rote und blaue Linien hinzugesellt hatten.

»Wir haben das Zimmer von Olaf Seidel in der Wohnung seiner Mutter durchsucht und uns seinen Computer angeschaut. Bisher scheint es absolut keine Verbindung zu den ersten beiden Opfern und zum Täter zu geben. Falls der Täter über das Internet Kontakt zu ihm aufgenommen hat, sind jedenfalls alle Spuren beseitigt worden. Und was mich am meisten irritiert, ist, dass die abgetrennten Hände von Nils Deuss immer noch nicht aufgetaucht sind. Ich hatte vermutet, dass der Täter sie ihm zusendet. So wie die Ohren von Jana Petersmann an Nils Deuss geschickt wurden. Aber da war nichts und auch seine Mutter hat kein Paket mit solchem Inhalt zugestellt bekommen.« Florian kritzelte in seinem Notizblock herum und blickte dabei finster drein.

Martin Saathoff erhob sich und deutete auf den Namen von Pavlo Burakow.

»Haben wir schon die DNS des Haares?«

Julia schüttelte den Kopf. »Es ist noch zu früh, ich rechne im Laufe des Tages damit.«

Saathoff seufzte und sah auf die Uhr. »Jörg Kannen wird gleich eintreffen. Wir sollten uns auf den Weg machen. Die Befragung findet im Verhörraum fünf statt.«

Julia und Lenja folgten Florian und Saathoff. Sie nahmen in dem kleinen Nebenraum Platz und schauten durch das Glas. Jörg Kannen spazierte mit gesenktem Kopf zum Tisch und setzte sich gegenüber von Florian und Martin Saathoff, sodass Julia sein Gesicht sah. Er wirkte blass und nervös. Seine Augen wanderten ruhelos durch den Raum und blieben schließlich am Spiegel kleben. Julia hatte für einen Moment das unangenehme Gefühl, dass er sie durch das Glas hindurch sehen konnte. Doch das war nur eine Täuschung. Jörg Kannen wandte den Blick ab, sobald Florian mit der Befragung begann. Er starrte auf die Tischplatte und setzte eine Miene auf, aus der Julia nicht das Geringste lesen konnte.

Florian legte ihm einen Kalender hin und kreuzte die Todeszeitpunkte von Jana Petersmann und Nils Deuss an. Dann markierte er ein drittes Datum. »Ihre Frau hat uns gesagt, dass sie nicht mehr sicher weiß, ob Sie in den markierten Nächten wirklich die ganze Zeit im Bett lagen.

Sie glaubt sogar, sie wäre ein- oder zweimal aufgewacht und Sie waren nicht da.«

»Ich habe zu Hause im Bett gelegen und geschlafen.« Jörg Kannen schüttelte den Kopf. »Hören Sie, meine Frau ist sauer auf mich, weil ich bei diesem Begleitservice war. Sie ist sehr eifersüchtig. Das alles hier ist eine reine Racheaktion.«

Florian tippte auf den Tag, an dem Olaf Seidel ermordet wurde.

»Wo waren Sie in dieser Nacht?«

Jörg Kannen rollte mit den Augen. »Ich hatte Nachtdienst im Krankenhaus.«

Julia überlegte, ob hinter den Augenbewegungen eine Lüge stecken könnte. Währenddessen schob Florian ein Dokument zu Kannen über den Tisch.

»Wir haben bei Ihrem Arbeitgeber nachgefragt. Sie arbeiten im Krankenhaus als Pfleger auf der Station für Inneres, richtig?«

Jörg Kannen nickte und überflog die Zeilen auf dem Papier.

»Laut Dienstplan waren Sie am betreffenden Abend überhaupt nicht eingeteilt.«

Kannen wurde noch eine Spur blasser. Er lehnte sich über den Tisch. »Ich hatte keine Ahnung, dass Sie das so schnell überprüfen würden. Ich gebe es zu. Ich war bei Nicole Deuss und wehe, Sie verraten es meiner Frau.«

»Nicole Deuss?«, fragte Martin Saathoff nach. »Was wollten Sie von ihr?«

»Ich habe sie besucht. Ihr ging es nicht gut. Sie ist immer noch im Krankenhaus. Außerdem wollte ich wissen, ob sie wenigstens einen Teil der Schulden ihres Mannes übernehmen könnte.«

»Soweit ich weiß, sind mitten in der Nacht keine Besucher im Krankenhaus zugelassen. Ihre Aussage erscheint mir offen gestanden nicht besonders glaubwürdig.«

Jörg Kannen griff sich an die Stirn. »Nicole liegt im selben Krankenhaus, in dem ich tätig bin. Ich hatte bloß keinen Dienst. Fragen Sie meine Kollegin, die hat mich gesehen.«

Florian ließ sich die Kontaktdaten geben und fuhr fort: »Unsere Überprüfung hat ergeben, dass Sie Diabetiker sind. Ist das zutreffend?«

Jörg Kannen stöhnte. »Ja, und was soll das jetzt mit den Morden zu tun haben?«

»Wir benötigen genaue Angaben zu Ihren Medikamenten. Idealerweise die letzten Rezepte, die Ihnen Ihr Arzt ausgestellt hat.«

Kannen schüttelte den Kopf. »Ich verstehe den Sinn nicht, aber von mir aus suche ich Ihnen die Sachen raus.«

Noch bevor Florian ihn weiter zu seiner Medikation befragen konnte, wurde plötzlich die Tür zum Verhörraum aufgerissen. Eine Beamtin mit hochrotem Kopf schaute herein.

»Herr Kessler, könnten Sie bitte einmal kurz kommen? Wir haben neue Erkenntnisse.«

Florian sprang auf und ging hinaus. Unterdessen trommelte Jörg Kannen unruhig mit den Fingern auf die Tischplatte. Martin Saathoff saß still da und wartete.

»Ich sehe mal nach, was da los ist«, sagte Julia zu Lenja

und verließ den kleinen Nebenraum. Als Florian sie erblickte, lief er sofort auf zu sie zu.

»Könntest du in das Schwimmbad fahren? Die Spurensicherung hat sich gerade gemeldet. Sie haben in der Frauentoilette eine blaue Plastikbox mit zwei abgetrennten Händen entdeckt.«

34

Zwei Jahre zuvor

»Es tut mir leid, aber so funktioniert das nicht!«, sagte ihr Mann und auf der Stelle übermannte Anne die Verzweiflung.

»Ich verstehe das nicht«, schluchzte sie. »Frank Laganis hat mich vergewaltigt. Es ist schon schlimm genug, dass dieser Mann vorzeitig aus dem Gefängnis entlassen wurde. Doch dass es jetzt niemanden interessiert, wenn er mir Dessous schickt, das begreife ich nicht.«

Ihr Mann seufzte, als ob sie ein Kind wäre, das seine Erklärungen nicht begriff.

»Hör zu, Anne. Ich bin mehr als erbost darüber, dass dieser Verbrecher wieder frei ist. Ich halte diese Entscheidung für einen Fehler. Aber wir wissen nicht, ob er dir diese Unterwäsche geschickt hat. Das Paket wurde von der Polizei auf Spuren untersucht, doch sie konnten weder Fingerabdrücke noch DNS von Frank Laganis nachweisen. Eine bloße Vermutung reicht nicht aus, um ihn zurück ins Gefängnis zu schicken.«

Anne hatte endgültig genug. »Was soll denn noch passieren? Muss er mich erst ein weiteres Mal vergewaltigen, bis man ihn wegsperren kann? Das darf einfach nicht wahr sein. Es ist offensichtlich, dass er nichts Gutes im Schilde führt. Er ist eine Gefahr für jede Frau hier im Umkreis und bekanntermaßen bin ich ja auch nicht sein einziges Opfer.«

Ihr Mann schwieg. Er starrte auf den Boden und hob schließlich die Hände.

»Wir leben in einem Rechtsstaat, Anne. Menschen werden erst ins Gefängnis gesperrt, wenn sie etwas verbrochen haben, und nicht, weil man ihnen grundsätzlich ein Verbrechen zutraut. Das wäre genauso wenig richtig. Aber ich verstehe natürlich deine Angst, und ich werde alles tun, um dich zu beschützen. Es wird stündlich eine Streife am Haus vorbeifahren, und sobald du dich unsicher fühlst, rufst du mich an.«

Dieses Mal war Anne es, die schwieg. Ihr Mann begriff den Ernst der Lage offenbar nicht. Was nützte ihr eine Streife, die ab und zu vorbeifuhr? Sie klingelten ja noch nicht einmal. Was, wenn ihr hinter verschlossenen Türen und in den eigenen vier Wänden etwas geschah? Würden sie es überhaupt merken? Würde ihr Mann es mitbekommen?

»Hast du deine Tabletten genommen?«, fragte er und betrachtete sie mit seinem üblichen sorgenvollen Blick.

»Hab ich«, log sie und wandte sich von ihm ab. »Du musst los, nehme ich an. Ich gehe ein wenig joggen. Doktor Reuscher hat mir empfohlen, mich regelmäßig an der frischen Luft zu bewegen, damit sich meine Gefühlslage stabilisiert.« Sie blickte ihren Mann an. Er nickte zufrieden, und Anne spürte, wie fremd sie einander inzwischen waren. Sie fühlte sich so schrecklich verloren und unverstanden, dass sie einfach keine Worte dafür hatte.

Ihr Mann nahm seine Aktentasche und das Handy. Er drückte ihr einen Kuss auf die Wange und verschwand aus ihrem wunderschönen Haus, in dem sie die meiste Zeit allein verbrachte. Er schien ihre Verzweiflung nicht zu bemerken. Wo war bloß der Mann geblieben, in den sie sich verliebt hatte? In ihren Frust mischte sich Angst vor Laganis und Dunkelheit. Sie schaute aus dem Fenster. Ihr Mann fuhr mit dem Wagen los. Sobald er außer Sichtweite war, begann ihr Puls zu rasen. Sie stieg die Treppe ins Obergeschoss hinauf. Von dort hatte sie einen besseren Blick auf die Straße. Sie inspizierte die Häuser und jede Nische auf der Suche nach Frank Laganis. Zur Sicherheit überprüfte sie alles doppelt, und erst dann gestattete sie sich, ein wenig aufzuatmen.

Sie ging hinunter in die Küche und machte sich eine heiße Schokolade. Von zu viel Kaffee hatte Dr. Reuscher ihr abgeraten, weil der ihre Nervosität verstärkte. Sie hielt sich – sofern man von dem Antidepressivum einmal absah – an seine Ratschläge und versuchte, sie umzusetzen. Nur in diesem Wattebausch wollte sie nicht mehr existieren.

Sie würde unter den Medikamenten nicht mitbekommen, wenn Frank Laganis sie verfolgte, und sie würde außerdem bloß noch wie eine leere Hülle herumlaufen. Die Schokolade tat ihr gut. Sie setzte sich auf die Couch, die Hände um den warmen Becher gelegt, und schloss die Augen. Aus weiter Ferne nahm sie ein Geräusch wahr.

Ein Kratzen.

Anne schreckte hoch, als ihr klar wurde, dass es von der Haustür kam. Sie sprang auf, stellte den Becher ab und stolperte fast über ihre eigenen Füße, weil es genau in diesem Moment klingelte. Der vertraute Gong hörte sich anders an als sonst. Sofort griff der Abgrund nach ihr. Die Dunkelheit wollte sie in sich aufsaugen. Anne widerstand dem Drang, ins Schlafzimmer zu laufen und sich unter der Bettdecke einzurollen. Sie bildete sich das nur ein. Dennoch lag in dem Ton der Klingel ein böses Flüstern. Ein gehässiges lang gezogenes Wispern. In ihrem Unterleib zuckte es schmerzhaft. Anne stieß die Erinnerung weg und marschierte entschlossen zur Tür. Sie durfte jetzt nicht durchdrehen. Dr. Reuscher hatte heute keine Zeit für sie und ihren Mann wollte sie nicht schon wieder mit ihren Ängsten belästigen. Vielleicht klingelte die Streife oder ein Postbote. Es gab sicherlich eine harmlose Erklärung.

Sie hielt vor der Haustür an und starrte durch den Spion. Sie blinzelte, weil sie nichts sehen konnte. Das kleine Loch war vollkommen schwarz. Sie schaute zur Seite und dann erneut hindurch. Nichts änderte sich. Jemand musste draußen stehen und das Guckloch verdecken. Panisch griff sie nach ihrem Handy und öffnete die

App, mit der sie die Außenkamera in Echtzeit steuern konnte. Ihr Puls raste so schnell, dass sie ein leichter Schwindel erfasste. Es dauerte eine schiere Ewigkeit, bis sich endlich das Bild von der Haustür aufbaute. Aber dort stand niemand. Anne atmete auf und zoomte näher an die Tür heran. Warum verdammt konnte sie nicht durch den Spion sehen? Eine breiige Masse verdeckte die Stelle, an der sich das Guckloch befand.

»Atmen!«, befahl sie sich und ahmte im Stillen Dr. Reuschers Stimme nach.

Es funktionierte. Sie tippte sich an die Stirn, weil es ihr gleich hätte einfallen können. Da klebte Kaugummi! Kein Grund zur Panik. Irgendein freches Kind oder ein Teenager hatte sich einen Scherz erlaubt. Anne atmete auf und öffnete die Tür. Niemand lauerte auf sie. Alles war gut. Trotzdem überschlugen sich die bösen Klänge in ihrem Inneren. Sie sah an sich hinab und sogleich überfiel sie eine neue Panikwelle.

Auf der Türschwelle lag wieder ein Paket. Ein grauer Karton mit ihrem Namen darauf. Sie kannte diese Schrift. Frank Laganis war hier gewesen. Er hatte den Kaugummi auf den Spion geklebt und geklingelt. Er wollte sie fertigmachen. Aber vielleicht waren dieses Mal Fingerabdrücke von ihm auf oder in dem Paket. Zitternd griff Anne es und schlug die Tür zu. Sie ließ sich gegen die Wand sinken und starrte das Paket in ihren Händen an. Zuerst wollte sie es von sich stoßen. Die Polizei konnte sich darum kümmern. Doch dann riss sie es auf. Ein schwarzer Seidenschal kam zum Vorschein und ein Zettel.

»Benutze mich!«, las sie leise vor.

Was bildete sich dieses Monster bloß ein? Glaubte Laganis wirklich, sie hätte die Vergewaltigung genossen und würde jetzt in Reizwäsche und mit verbundenen Augen auf ihn warten? Sie erhob sich und rannte, immer noch den Seidenschal in der Hand, hinauf ins Schlafzimmer. Dort verkroch sie sich unter der Bettdecke. Sie lag eine Weile still da und konnte sich nicht mehr rühren. Die Dunkelheit um sie herum schien sie zu erdrücken. Eine riesige Last drückte auf ihren Brustkorb und nahm ihr die Luft zum Atmen. Sie griff nach dem Seidenschal und spürte das weiche, kühle Material.

Benutze mich!

Plötzlich war Frank Laganis' Stimme mitten in ihrem Kopf. Er wiederholte die Worte ohne Pause. Anne verkroch sich noch tiefer unter die Decke, doch die Stimme hörte nicht auf. Sie hielt sich die Ohren zu und alles um sie herum begann sich zu drehen. Verzweifelt sprang sie wieder aus dem Bett. Sie konnte nicht mehr. Diese ständigen Hirngespinste, die ihr ununterbrochen Angst machten, ertrug sie keine Sekunde länger. Sie lief ruhelos vor dem Bett auf und ab und versuchte, sich zu beruhigen. Aber es half nichts. Der schwarze Abgrund kam immer näher. Er zog sie zu sich. Anne schloss die Augen.

Benutze mich!

Plötzlich wusste sie, was zu tun war. Sie würde Ruhe finden. Anne nahm den Seidenschal und legte ihn sich um den Hals. Sie machte einen Knoten und zog ihn zu. Sie griff das andere Ende und befestigte es am Geländer vor dem Schlafzimmerfenster. Sie kletterte hinaus. Immer noch flüsterte die Stimme in ihrem Kopf. Sie blickte hinunter auf den Garten, der so schön aussah. Sie sah hinauf in den Himmel und wünschte sich, sie könnte fliegen.

»Ich möchte Frieden«, hauchte sie. Dann breitete sie die Arme aus und ließ sich fallen.

35

Das Schwimmbad war gleich am Morgen nach dem Auffinden von Olaf Seidels Leiche vollständig abgesperrt worden. Seitdem durchforstete die Spurensicherung jeden Zentimeter des Geländes. Julia zeigte dem Polizisten ihren Ausweis und wurde mit Lenja durchgewunken.

»Sie müssen zur Damentoilette geradeaus und am Ende des Ganges nach links«, informierte der Beamte sie und hob das Absperrband für sie hoch.

Julia und Lenja betraten das Gebäude und zogen sich Überschuhe aus Plastik an. Sofort schlug ihnen der typische Geruch von Chlor entgegen. Der Eingangsbereich wirkte hell und freundlich. Offenbar war hier vor nicht allzu langer Zeit renoviert worden. Julia folgte einem Mitarbeiter der Spurensicherung, der vollkommen in Weiß gekleidet war und zielgerichtet den Gang hinunterlief. Vor der Damentoilette stand Anna Schubert, die Leiterin der Spurensicherung.

»Frau Schwarz, wie schön, dass Sie so schnell kommen konnten!« Sie reichte zuerst Julia und dann ihrer Assistentin die Hand.

»Wir haben gestern angefangen, den Wagen des Opfers und die Räumlichkeiten des Schwimmbades zu durchsuchen. Heute Morgen haben wir uns die Mülltonnen vorgenommen und dabei sind wir auf eine blaue Plastikbox gestoßen. Da es sich um dasselbe Fabrikat handelt, das wir auch in Nils Deuss' Wohnung vorgefunden haben, ahnten wir sofort, was da drin sein würde.« Sie übergab Julia die Box. »Es ist kein schöner Anblick.«

Julia hob den Deckel an. Ein unangenehmer Verwesungsgeruch schlug ihr entgegen. Sie sah zwei abgetrennte Hände, die von der Größe her definitiv zu einem Mann passten. Die Fingernägel waren größtenteils abgekaut. Sie nahm eine Hand heraus und betrachtete die ungleichmäßige Schnittfläche. Der Täter hatte mehrere Anläufe gebraucht, um die Sehnen und Gelenke zu durchtrennen. Julia würde erst nach der DNS-Analyse mit Sicherheit sagen können, ob die Hände zum zweiten Opfer, Nils Deuss, gehörten. Sie hegte jedoch kaum Zweifel daran.

Anna Schubert holte eine Plastiktüte aus der Box, in der die Beweismittel gesammelt wurden, und hielt sie hoch. »In der Damentoilette haben wir unterhalb des Toilettenbeckens außerdem rosafarbene Baumwollfusseln gefunden. Wir prüfen schnellstmöglich, ob sie vom Bademantel des Opfers stammen. Das würde beweisen, dass sich Olaf Seidel auf dieser Damentoilette aufgehalten hat. Kommen Sie, ich zeige Ihnen die Kabine.«

Anna Schubert öffnete die Tür und sie gingen hinein.

Drei Toilettenkabinen befanden sich auf der linken Seite und gegenüber hingen die Waschbecken. Die erste Kabine war offen. Davor stand eine gelbe Markierung mit der Nummer fünf darauf.

»Unter dem Toilettenbecken?«, wiederholte Julia nachdenklich und ging davor in die Hocke.

»Ja, leicht seitlich«, bestätigte Anna Schubert und deutete auf die Markierung. »Keine Ahnung, was er dort getrieben hat.« »Olaf Seidel hat doch heimlich in Damentoiletten gefilmt. Vielleicht auch in dieser«, sagte Lenja und sank ebenfalls in die Knie. »Er hat sich vermutlich hingekniet, um die Spionagekamera zu entfernen, und dabei ist er mit dem Bademantel an die Toilette gekommen. So könnten die Fasern hängen geblieben sein.«

»Möglich«, erwiderte Julia und erhob sich. »Ich frage mich, wie die Box überhaupt in den Mülltonnen gelandet ist.«

»Ich schätze, der Reinigungsdienst wird sie irgendwo entdeckt und entsorgt haben. Vermutlich ohne hineinzuschauen«, sagte Anna Schubert.

»Haben Sie die Nachbarkabine auch spurentechnisch untersucht?«, fragte Julia.

»Wir haben die Nachbarkabine auf Spuren untersucht. Leider weiß ich nicht, ob wir davon etwas zuordnen können. Je nach Besucheranzahl benutzen an die hundert Menschen jeden Tag die Toiletten. Aber wir werden es versuchen.«

»Ich frage mich nur, wann der Täter Olaf Seidel geschnappt hat«, murmelte Julia nachdenklich. »Lenja könnte recht haben. Vielleicht ist Olaf Seidel vom Täter überrascht worden, als er seine Spionagekameras demontieren wollte. Eine Kamera steckte noch in seiner Bademanteltasche.«

»Sie meinen hier? Im Schwimmbad? Ich bin eigentlich davon ausgegangen, dass der Täter ihn draußen auf dem Parkplatz, womöglich sogar an seinem Auto in seine Gewalt gebracht hat.«

Julia nickte. Bisher wussten sie nicht, wie der Täter Olaf Seidel überwältigt hatte. Fest stand nur, dass er von seinem Schwimmbadbesuch nicht mehr heimgekehrt war. Aber die Fasern lieferten eine mögliche Erklärung.

Anna Schubert blickte nachdenklich drein. »Das Schwimmbad hat am Eingang eine eigene Überwachungskamera installiert. Jedoch haben wir auf den Aufnahmen bisher keinen Hinweis auf eine Entführung entdeckt. Ausschließen lässt sich das allerdings nicht, denn es gibt einen zweiten Ausgang an der Rückseite des Schwimmbades, der nicht videoüberwacht ist.«

»Es war jedenfalls eine sehr riskante Aktion für den Täter. Er muss sich hier verdammt gut auskennen«, stellte Julia fest.

»Leider werden Besucher des Schwimmbades nur registriert, wenn sie eine Dauerkarte besitzen. Ich habe Florian Kessler und Martin Saathoff die Liste zugeschickt. Alle anderen Gäste bezahlen bar oder mit Karte. Letzteres können wir ebenfalls noch überprüfen. Wobei ich mir nicht vorstellen kann, dass der Täter mit Karte bezahlt hat.«

»Dieser Fall ist wirklich äußerst kompliziert. Ich hoffe,

die DNS-Analyse des Haares bringt uns weiter«, entgegnete Julia.

Wie auf Kommando klingelte ihr Handy. Es war das Labor.

»Julia Schwarz«, meldete sie sich angespannt.

»Wir haben das schwarze Haar, das auf dem Leichnam von Olaf Seidel gefunden wurde, analysiert und einen Treffer in der Datenbank.« Der Labormitarbeiter machte eine kurze Pause und Julia holte gespannt Luft. »Die DNS gehört mit mehr als neunzig Prozent Wahrscheinlichkeit zu Pavlo Burakow.«

36

Zwei Jahre zuvor

Piep, piep, piep. Der gleichmäßige Ton hallte irgendwo in der Ferne. Dunkelheit schloss sie ein. Jemand redete, doch Anne verstand kein Wort. Sie begriff gar nichts, nicht einmal, wo sie sich befand. Etwas kitzelte in ihrem Gesicht. Sie versuchte sich zu kratzen, aber ihre Hände reagierten nicht. Sie probierte es ein weiteres Mal. Ihre Muskeln schienen gelähmt zu sein. Sie wackelte mit den Zehen, doch auch die wollten sich nicht rühren. Sie öffnete den Mund und stellte fest, dass er ganz taub war. Ebenso ihre Zunge. Panisch blinzelte sie und immerhin nahm sie jetzt einen Lichtschimmer wahr. Anne konnte sich absolut nicht erinnern, was passiert war. Langsam tauchten ein paar Bilder in ihrem Kopf auf.

Frank Laganis, der Seidenschal und das Geländer vor dem Schlafzimmerfenster.

War sie gestorben?

Fühlte sich so der Tod an? Vollständige Bewegungslosigkeit und ein Dauerpiepton, der sich in ihr Gehirn bohrte wie ein lästiger Parasit?

»Sie hat die Lippen bewegt«, sagte plötzlich jemand dicht neben ihr. Sie kannte diese Stimme. Es war die ihres Mannes.

»Hilf mir«, wollte sie sagen. Ihre Zunge jedoch versagte den Dienst. Sie lag wie ein dicker, trockener Klumpen in ihrem Mund.

»Das sind höchstwahrscheinlich nur Reflexe. Wir wissen derzeit nicht genau, ob Ihre Frau im Wachkoma liegt oder vielleicht noch ein minimales Bewusstsein vorhanden ist. Vermutlich kann sie uns nicht hören oder sehen.« Die Stimme kam von einer Frau.

Anne blinzelte. Der Lichtschimmer nahm konkrete Formen an. Die Frau, die eben gesprochen hatte, trug einen weißen Kittel. Ihr ernstes Gesicht jagte Anne einen Schauer über den Rücken.

»Wie gesagt können wir nicht viel zum Zustand Ihrer Frau sagen. Wir müssen noch verschiedene Untersuchungen durchführen. Es gibt Patienten, die sind nach ein paar Tagen wieder zu sich gekommen, und in anderen Fällen dauert es leider Jahre oder sie kommen überhaupt nicht mehr zu Bewusstsein.«

Anne blinzelte erneut. Die Ärztin schien es nicht zu bemerken und auch nicht ihr Mann, der mit besorgter Miene auf ihrem Bett saß.

»Ihre Frau hatte Glück, dass Sie sie gleich gefunden haben. Kurz nachdem es passiert ist. Ihr Gehirn hatte nur wenige Minuten keine Sauerstoffversorgung, aber wie groß die Schädigung tatsächlich ist, werden die nächsten Tage zeigen.«

Anne blinzelte verzweifelt und riss die Augen auf.

»Sie bewegt die Augen«, stieß ihr Mann aus. Die Ärztin beugte sich über Anne und leuchtete ihr mit einer grellen Stablampe in die Pupillen.

»Wir werden noch eine weitere EEG-Analyse und eine Kernspintomografie durchführen. So können wir feststellen, ob noch ein Bewusstsein vorhanden ist. Sie müssen Geduld haben. Nur aus den Augenbewegungen können wir leider nichts schließen.« Die Ärztin verabschiedete sich und sie hörte eine Tür klappen.

Ihr Mann ergriff ihre Hand.

»Du wirst wieder gesund«, flüsterte er und sah ihr in die Augen.

Anne blinzelte so kräftig, wie sie konnte. Dieses Mal reagierte er jedoch nicht.

»Warum wolltest du dir das Leben nehmen?«, fragte er stattdessen leise. Er blickte sie immer noch direkt an. »Ich dachte, wir könnten von vorne anfangen und alles vergessen.«

Anne wollte antworten und ihm sagen, dass sie sich ebenfalls einen Neuanfang wünschte. Dass sie nicht sterben wollte, sondern die Angst vor Frank Laganis einfach nicht länger ausgehalten hatte.

»Hilf mir«, versuchte sie zu flüstern und spürte zugleich, dass kein einziges Wort aus ihrem Mund kam.

Sie war gefangen in ihrem Körper, der sich weigerte zu funktionieren. Sie sah den hilflosen Blick ihres Mannes und dann einen Funken, der kurz darin aufblitzte.

»Ich werde die Sache regeln«, sagte er plötzlich und drückte ihre Hand ganz fest. Er erhob sich und machte einen Schritt. Dann drehte er sich noch einmal um.

»Ich regle das«, wiederholte er und verschwand.

Die Tür fiel zu, und Anne blieb allein zurück, mit ihrem Körper, der nicht mehr funktionierte. Sie starrte an die weiße Zimmerdecke und lauschte dem nervigen Piepton, der einfach nicht aufhörte und sich mit jeder Sekunde tiefer in ihr Hirn bohrte.

37

Julia war mit Lenja zurück zum Polizeirevier geeilt. Die Erkenntnis, dass das fremde Haar auf Olaf Seidels Leichnam vom Hauptverdächtigen Pavlo Burakow stammte, hatte einen Großalarm ausgelöst. Endlich hatten sie einen entscheidenden Beweis in den Händen. Sie lehnte mit Lenja an ihrem alten Golf und sah, wie Burakow in Handschellen aus einem Polizeiauto stieg und von drei Beamten zum Gebäude geführt wurde. Florian und Martin Saathoff übernahmen Pavlo Burakow am Eingang mit grimmigen Gesichtern. Sie verschwanden mit dem Verdächtigen in der Dienststelle.

»Wir gehen hinterher«, sagte Julia und winkte Lenja mit sich. »Das Geständnis will ich mir auf keinen Fall entgehen lassen.«

Sie folgten Florian und Saathoff, die Burakow in den hinteren Teil des Reviers in einen Verhörraum brachten und dort allein ließen.

»Das war wirklich gute Arbeit von Ihnen, Doktor

Schwarz und Frau Nielsen«, ertönte die kräftige Stimme von Hermann Meier in ihrem Rücken.

Julia fuhr herum und grüßte den Leiter des Kriminalkommissariates, der zuerst ihr und anschließend Lenja die Hand reichte.

»Das war nicht allein unser Verdienst, sondern Teamarbeit«, ergänzte sie lächelnd.

»Mit diesem Ergebnis hätte ich nicht gerechnet.« Hermann Meier strahlte über das ganze Gesicht. »Wir haben endlich mal einen handfesten Beweis in der Hand.« Er machte einen Schritt an Julia vorbei und klopfte Florian auf die Schulter.

»Gute Arbeit«, wiederholte er und nickte auch Martin Saathoff zu.

»Wer von Ihnen befragt ihn?«, wollte er wissen.

»Wir lassen Burakow erst mal eine Weile schmoren. Außerdem müssen wir die Vernehmung noch gut vorbereiten«, erklärte Florian und verursachte damit eine tiefe Falte auf Hermann Meiers Stirn.

»Es gibt doch keine Zweifel?«, fragte Meier überrascht. »Mehr als einen eindeutigen DNS-Beweis werden Sie nicht bekommen.«

»Ich weiß.« Florian hob beschwichtigend die Hände. »Wir möchten bloß keine Fehler machen. Der Kerl hat einen guten Anwalt, und ich will auf keinen Fall, dass er durch eine Unachtsamkeit wieder auf freien Fuß kommt.«

»Hervorragend«, erwiderte Hermann Meier zufrieden. »Lassen Sie mir das Protokoll des Verhörs zukommen. Ich berufe dann eine Pressekonferenz ein.« Er machte auf dem

Absatz kehrt und verschwand in die Richtung, aus der er gekommen war.

Florian schaute auf die Uhr.

»Ich denke, wir sollten ihn erst einmal zwei Stunden warten lassen. Ich hoffe, dass er anschließend gleich zu einem Geständnis bereit ist. Bisher hat er leider alles abgestritten.«

»Tatsächlich?«, fragte Julia und folgte Florian, der sich auf den Weg ins Büro machte.

»Der Kerl ist nicht blöd, und sein Anwalt hat ihm vermutlich geraten, die Klappe zu halten.«

»Gegen das Haar kann er allerdings nicht viel ausrichten«, warf Lenja ein, die hinter Julia herlief.

»Es gibt leider viele Erklärungen, wie das Haar auf die Leiche gelangt sein könnte. Das fängt bei einem Fehler in der Rechtsmedizin an und hört bei einer Verunreinigung im Labor auf. Außerdem könnten sich die beiden im Schwimmbad einfach nur über den Weg gelaufen sein«, erklärte Saathoff, der sich neben Lenja gestellt hatte.

Florian nickte. »Das Problem ist, dass wir nachweisen müssen, wie das Haar an die Leiche gekommen ist. Wir müssen Burakows Schuld beweisen, während er umgekehrt nicht beweisen muss, dass er unschuldig ist. Ich kenne diese Anwälte. Martin hat völlig recht, genau mit solchen Argumenten werden wir uns in der Befragung konfrontiert sehen. Deshalb möchte ich, dass unsere Argumente hieb- und stichfest sind. So wird Burakow sich am ehesten zu einem Geständnis bewegen lassen. Auch sein Anwalt weiß, dass sich kooperatives Verhalten begünstigend auf das spätere Strafmaß auswirkt. Gestehen wird

Burakow allerdings nur, wenn er keinen Ausweg mehr sieht, und das müssen wir ihm klarmachen.«

Im Büro angekommen setzten sie sich im Halbkreis vor das Whiteboard. Florian schrieb noch einmal die Verfehlungen darauf, die der Täter vermutlich seinen Opfern zuschrieb. Währenddessen analysierte Julia die Punkte, die unter dem Namen Pavlo Burakow notiert waren. Er hatte das erste Opfer Jana Petersmann gefunden. Er hatte nach Aussage von Alina Petrowa eines der gestohlenen Präparate in einem Schließfach am Hauptbahnhof versteckt. Er hatte keine Alibis zu den jeweiligen Tatzeitpunkten und ein Haar von ihm hatte sich auf Opfer Nummer drei befunden. Es gab nur zwei Lücken in der Beweiskette. Pavlo Burakow schien keine Verbindung zu Nils Deuss zu haben und auf dem Behälter mit dem Präparat fehlten seine Fingerabdrücke.

»Verfehlung Nummer eins war Diebstahl. Zur Strafe hat der Täter Jana Petersmann die Ohren abgeschnitten. Verfehlung Nummer zwei lautet häusliche Gewalt, deshalb die amputierten Hände und Verfehlung Nummer drei ist heimliches Filmen und Belästigung. Aus diesem Grund wurden die Augen herausgetrennt«, zählte Florian auf. »Burakow liebt offenbar ausgefallene Orte und Dinge. Die Pornoaufnahmen auf seiner Website sprechen da Bände ...« Florian drehte den Kopf, weil die Bürotür aufging. Eine dünne Frau mit kurzen blonden Haaren stand im Türrahmen.

»Der Anwalt von Pavlo Burakow ist eingetroffen. Er ist ziemlich aufgebracht und möchte unverzüglich mit Ihnen reden.«

Florian seufzte. »Also schön. Bringen Sie ihn zu Burakow in den Verhörraum. Wir kommen sofort.«

Er wandte sich zu Martin Saathoff um. »Wir sollten die Sache mit dem Haar jedenfalls nicht gleich preisgeben. Versuchen wir erst, ihn auszuquetschen. Er weiß, dass er überwacht wird. Vielleicht gibt er zu, dass er nicht die ganze Zeit in seiner Wohnung war.«

»Das übernimmst du, Partner«, erwiderte Saathoff und erhob sich.

Sie verließen das Büro und marschierten schnurstracks in Richtung des Verhörraumes. Florian ging voraus, gefolgt von Saathoff und Lenja. Julia bildete das Schlusslicht, weil sie immer noch über die Beweiskette nachdachte. Als sie den Verhörraum erreichten, kam ihnen der IT-Experte entgegen.

»Herr Kessler, ich habe endlich das Überwachungsvideo aus dem Hauptbahnhof auftreiben können«, rief er schon von Weitem und hielt eine DVD in die Höhe.

»Ist Pavlo Burakow darauf?«, fragte Florian und nahm dem IT-Experten die Aufnahme ab.

»Ich habe es zweimal überprüft. Leider nein.«

»Schade«, murmelte Florian.

»Das Video liegt übrigens auch auf dem Laufwerk. Die DVD ist nur eine Kopie, falls Sie sich die Aufnahme offline anschauen wollen.«

Florian nickte abwesend. Vermutlich kreisten seine Gedanken bereits wieder um das bevorstehende Verhör. Er drückte die DVD Julia in die Hand.

»Kannst du das für mich aufbewahren? Wir können es

uns später ansehen.« Dann öffnete er die Tür des Verhörraumes und trat gefolgt von Martin Saathoff ein.

Julia und Lenja setzten sich in den Nebenraum und blickten durch die verspiegelte Glasscheibe. Die Konstellation war dieselbe wie beim letzten Gespräch. Burakow und sein Anwalt saßen ihnen zugewandt, während sie Florian und Saathoff nur von hinten sahen. Burakow wirkte angespannt. Auf seiner Stirn hatten sich etliche Schweißperlen gebildet. Sein Anwalt hatte sich nach vorn gebeugt und schaute Florian aus eisigen blauen Augen an.

»Ich denke, Sie schulden mir zuallererst eine Erklärung für die Festnahme meines Mandanten«, begann er und richtete sich kerzengerade auf.

»Wir haben eine neue Beweislage, die darauf hindeutet, dass Ihr Mandant sich in drei Fällen des Mordes schuldig gemacht hat.« Florian klang ruhig und viel freundlicher, als seine Worte es vermuten ließen.

»Ich habe niemanden ermordet!«, fauchte Burakow. Sein Anwalt bedeutete ihm zu schweigen, doch Burakow beachtete ihn nicht. »Wie oft soll ich noch sagen, dass ich es nicht war? Erzählen Sie mir lieber, wo Alina ist! Die hat mir die ganze Suppe eingebrockt. Was hat sie Ihnen erzählt?« Burakow sprang auf und streckte den Zeigefinger in Richtung Spiegel. »Glauben Sie, ich wüsste nicht, dass das Miststück dahintersteckt und mich immer weiter in die Sache reinreitet?«

Lenja zuckte zusammen und Julia machte sich unwillkürlich einen Kopf kleiner. Sie wollte Burakow beim besten Willen nicht im Dunkeln begegnen. Der Mann verhielt sich höchst aggressiv.

»Er kann uns nicht sehen. Das stimmt doch?«, flüsterte Lenja erschrocken.

»Richtig. Aber er weiß, dass er beobachtet wird.« Julia schob die Brille den Nasenrücken hinauf und atmete durch. »Ich befürchte, dass er kein Geständnis ablegen wird.«

Lenja nickte. Im Verhörraum fragten Florian und Martin Saathoff den Verdächtigen erneut, wo er sich zu den jeweiligen Todeszeitpunkten aufgehalten hatte. Es war eine zähe Unterhaltung, die ein ums andere Mal von Burakows Anwalt unterbrochen wurde.

»Ich möchte Einblick in die Ermittlungsakten haben«, beharrte er immer wieder, wurde von Florian jedoch geblockt. Nach über zwei Stunden wirkten die Beteiligten ausgelaugt und völlig entnervt. Die Befragung drehte sich im Kreis. Es schien nichts Sinnvolles mehr herauszukommen. Julia rutschte unruhig auf ihrem Stuhl herum. Im Institut blieb die Arbeit liegen, während sie hier herumsaß und vergeblich auf ein Geständnis hoffte. Nach wie vor hatte Florian das Haar auf dem dritten Opfer nicht erwähnt. Langsam fragte sie sich, wann er die Bombe endlich platzen lassen würde. Doch er tat es nicht. Stattdessen stand er irgendwann auf.

»Ich denke, mit Blick auf die Uhr machen wir morgen weiter.«

»Sie können meinen Mandanten nicht einfach hierbehalten«, beschwerte sich Burakows Anwalt.

»Wir beschaffen rechtzeitig einen Haftbefehl«, entgegnete Florian.

»Das möchte ich Ihnen auch raten«, sagte der Anwalt.

»Dann erfahren wir vielleicht endlich, was konkret gegen meinen Mandanten vorliegt. Sie haben noch ein paar Stunden, danach stehe ich vor der Tür und hole Herrn Burakow ab, sofern Sie keinen Haftbefehl vorlegen können.« Er erhob sich ebenfalls und strich sein dunkelblaues Jackett glatt.

Martin Saathoff bewegte sich bereits auf den Ausgang zu, als Pavlo Burakow aufstand und quer über den Tisch nach Florians Arm griff.

»Hören Sie, checken Sie Alinas E-Mails. Sie versucht, mich reinzulegen.« Er redete plötzlich leiser und so schnell, dass Julia ihn kaum verstand. Burakow nannte eine E-Mail-Adresse und ein Passwort für seinen Laptop. Doch Florian zeigte kein Interesse an seinen Worten. Er löste sich aus Burakows Umklammerung.

»Ich möchte ein Geständnis, Herr Burakow. Schlafen Sie eine Nacht darüber und morgen früh sprechen wir uns wieder.«

38

Julia wälzte sich unruhig in ihrem Bett. Florians enttäuschter Blick verfolgte sie bis in ihre Träume. Nicht nur das Verhör war erfolglos verlaufen, sondern Julia hatte abermals Lenja bei sich übernachten lassen. Florian hatte zwar kein Wort gesagt, aber Julia wusste, dass er lieber bei ihr gewesen wäre. Das schlechte Gewissen nagte an ihr. Andererseits konnte sie sich nicht zweiteilen. Auch sie vermisste Florian schrecklich, doch sie fühlte sich für Lenja verantwortlich. Julia schlug die Augen auf. Plötzlich war sie hellwach. Sie knipste das Licht an, nahm die Brille und griff nach ihrem Handy.

»Es ist toll, wie du dich um Lenja kümmerst. Sei mir nicht böse, dass ich trotzdem enttäuscht bin«, hatte er irgendwann kurz vor Mitternacht geschrieben. Doch Julia hatte nicht geantwortet. Sie wusste selbst nicht, warum, denn eigentlich hatte sie sich über seine Nachricht gefreut. Sie schickte ihm ein Herzchen zurück und stieg aus dem

Bett, um ein Glas Wasser zu trinken. Langsam schlich sie durch den Flur und blieb einen Moment vor dem Wohnzimmer stehen. Lenja atmete ruhig und tief. Wenigstens schlief sie. Julia hatte vor dem Einschlafen mitbekommen, dass sie geweint hatte. Aber sie war nicht zu Lenja hinübergegangen, weil sie ihr Zeit geben wollte. Lenja musste ihren Liebeskummer verarbeiten. Wenn sie Julia brauchte, würde sie von selbst zu ihr kommen.

Sie tapste in die Küche und schaltete das Licht ein. Es war erst vier Uhr morgens. Julia gähnte und trank müde ein Glas Wasser. Anschließend schlich sie im Dunkeln zurück und stieß im Flur gegen ihre Handtasche. Die DVD mit den Überwachungsaufnahmen vom Hauptbahnhof rutschte heraus. Sie hatte gar nicht mehr daran gedacht. Auf Zehenspitzen ging Julia ins Wohnzimmer und holte ihren Laptop. Dann machte sie es sich auf ihrem Bett bequem und legte die DVD ein. Zwar hatte der IT-Experte berichtet, dass Burakow nicht auf dem Video war, aber ein zweiter Blick konnte nicht schaden. Die Aufnahmen stammten vom Haupteingang des Bahnhofs und umfassten den kompletten Tag, an dem das Präparat in der Schließfachanlage deponiert wurde. Julia hatte ein Foto von der Schlüsselkarte gemacht. Demnach war das Präparat um vierzehn Uhr fünfundvierzig eingelagert worden. Sie spulte das Video, das um Mitternacht begann, bis vierzehn Uhr vor und suchte nach einem glatzköpfigen Mann. Der Bahnhof war um diese Uhrzeit gut besucht. Hunderte von Menschen passierten innerhalb weniger Minuten den Eingang. Julia konzentrierte sich zuerst auf die rechte Seite. Als sie Burakow nicht entdeckte, legte sie noch einmal von vorn los und musterte die Besucher, die den mittleren Bereich des Eingangs nutzten. Auch dieses Mal konnte sie Burakow nicht ausmachen. Sie wiederholte die Prozedur mit dem linken Bereich, ohne Erfolg. Julia seufzte. Vermutlich verschwendete sie ihre Zeit. Trotzdem fragte sie sich, ob Burakow länger als eine Dreiviertelstunde im Bahnhof verbracht hatte. Sie beschloss, sicherheitshalber eine Stunde früher zu beginnen. Langsam fingen ihre Augen an zu brennen. Seit über einer Stunde starrte sie auf den Bildschirm. Doch Aufgeben kam nicht infrage. Sollte sie Burakow doch noch mit dem Präparat entdecken, hätten sie auch ohne seine Fingerabdrücke den Beweis, dass er hinter den Taten steckte. Dann könnte Burakow seine Tatbeteiligung zwar weiter leugnen, aber glauben würde ihm in diesem Fall selbst ein Richter nicht mehr. Julia studierte erneut die Aufnahmen und machte eine Pause, als sie wieder keinen Besucher entdeckt hatte, der Burakow mindestens im Ansatz ähnelte. Sie tapste ein wenig benommen in die Küche und kochte sich einen Kaffee. Mittlerweile war es fast sechs Uhr und ihr Kopf brummte. Julia änderte ihre Vorgehensweise und versuchte Alina Petrowa auszumachen. Niemand konnte ausschließen, dass die Russin sie angelogen hatte. Außerdem musste sie einen triftigen Grund für ihr Verschwinden haben. Allerdings blieben Julias Bemühungen weiterhin erfolglos. Müde stürzte sie den inzwischen kalt gewordenen Kaffee hinunter und konzentrierte sich noch einmal auf die zwanzig Minuten vor Abgabe des Präparates. Wer auch immer das Schließfach benutzt hatte, war bestimmt schnell in den Bahnhof gelaufen, weil er nicht gesehen werden wollte. Sie beschloss, sich von nun an auf die dunkelgrüne Sporttasche zu konzentrieren, in der das Glas mit dem Präparat transportiert worden war. Julia schwirrte bereits nach kurzer Zeit der Kopf. Große Taschen, kleine Taschen, mit Rollen oder ohne, Koffer in jeder Farbe und Form. Nie in ihrem Leben hatte sie innerhalb weniger Minuten so viele Gepäckstücke betrachtet. Sie dachte kurz darüber nach, den IT-Experten zu bitten, die grünen Taschen irgendwie herauszufiltern. Doch genau um vierzehn Uhr dreißig eilte ein großer, schlanker Mann auf den Eingang zu. In der rechten Hand hielt er eine dunkelgrüne Tasche. Julia drückte sofort auf die Stopptaste und zoomte die Tasche heran. Mit klopfendem Herzen musterte sie die Reißverschlüsse und die weiße Aufschrift. Es gab kaum Zweifel. Der Mann trug die Tasche mit dem Präparat. Julia ließ das Video weiterlaufen und sah ungläubig, wie der Täter den Bahnhof betrat. Sie spulte zurück und betrachtete die Szene erneut. Sie kannte diesen Mann. Nur war er nicht derjenige, den sie erwartet hatte. Julia sprang auf, zog sich an und hastete aus der Wohnung.

39

Florian konnte kein Auge zutun. Alle paar Minuten sah er auf sein Handy, aber Julia antwortete nicht. Die Sehnsucht nach ihr brachte ihn fast um. Der Stress der letzten Tage hatte ihn ausgelaugt. Er wollte nichts weiter, als sich in Julias Armen zu versenken, ihren Duft und ihre Nähe spüren. Er brauchte sie mehr, als er sich selbst zugestehen wollte. Sie nicht wie sonst jede Nacht um sich zu haben, trieb ihn schier in den Wahnsinn. Er liebte es, aufzuwachen und Julias tiefe, gleichmäßige Atemzüge zu hören. Er vermisste den Anblick ihrer hellen, fast durchsichtigen Haut, die so verletzlich wirkte. Er hatte sich eindeutig zu schnell an ihre Nähe gewöhnt und sie für selbstverständlich genommen. In den letzten Tagen hatte er gemerkt, wie zerbrechlich ihre Bindung immer noch schien. Natürlich verstand er Julia und ihr Bedürfnis, Lenja zu helfen. Er wusste selbst nicht, weshalb er nicht einfach gelassen darauf reagierte. Vielleicht lag es daran, dass er nie zuvor eine Frau inniger geliebt hatte. Eine Frau, die ihren eigenen Kopf hatte und die ihr Leben locker ohne ihn bestritt. An Tagen wie diesen kam er sich so überflüssig vor, dass es ihn schmerzte. Die Tatsache, dass sie sauer auf ihn war, verstärkte dieses Gefühl bis ins Unerträgliche.

Gegen zwei Uhr morgens beschloss er, ins Revier zu fahren. Normalerweise wäre er laufen gegangen. Er wohnte an einem Sportplatz, auf dem er regelmäßig trainierte, und hatte dort schon in mancher schlaflosen Nacht wieder einen klaren Kopf bekommen. Aber die Mordfälle ließen ihm keine Ruhe, und seit Burakows Verhör hatte sich in ihm der Eindruck verfestigt, dass sie womöglich doch einer falschen Fährte folgten. Pavlo Burakow war alles andere als ein netter Kerl, aber Florian neigte dazu, seinen Unschuldsbekundungen zu glauben.

Florian betrat das dunkle und fast vollständig verwaiste Dienstgebäude durch die Tiefgarage und beeilte sich, ins Büro zu kommen. Er fuhr seinen Computer hoch und betrachtete unterdessen das Whiteboard, als ob er dort die Lösung des Falles einfach ablesen könnte. Plötzlich fielen ihm Burakows letzte Worte wieder ein. Er hatte von Alina Petrowa gefaselt und davon, dass sie ihn reinlegen wollte. Ähnliches hörte er sehr oft in Befragungen. Nur allzu gut erinnerte er sich an Jörg Kannen, der ebenfalls von einem Rachefeldzug seiner Ehefrau gegen ihn gesprochen hatte. Trotzdem mussten sie jedem Hinweis nachgehen. Er blätterte in seinem Notizbuch, wo er sich die E-Mail und das Passwort von Alina Petrowas Account notiert hatte. Sein Computer erwachte allmählich zum Leben und auf seinem Bildschirm poppten die ersten

Nachrichten auf. Er hatte zehn neue E-Mails und am kommenden Tag erwarteten ihn drei Termine. Florian überflog die ersten Zeilen und klickte neugierig auf einen Link. In den letzten vierundzwanzig Stunden hatte es einige neue Vermisstenanzeigen gegeben und er wollte sich einen Überblick verschaffen. Burakow war zwar in Gewahrsam, aber niemand wusste, ob Alina Petrowa am Ende nicht seine Komplizin war und sie bereits ein weiteres Opfer ins Visier genommen hatten. Florian arbeitete sich durch die Anzeigen. Ein achtzigjähriger verwirrter Mann war am Vortag von einem Spaziergang nicht in seine betreute Wohneinheit zurückgekehrt. Ein Teenager wurde nach einer Party vermisst. Eine Fünfzehnjährige war mit ihrem nicht sorgeberechtigten Vater verschwunden. Florian gähnte, während er die Zeilen überflog. Eine junge Ärztin war nicht zu einem dienstlichen Termin im Krankenhaus erschienen und ein vierzigjähriger Mann nicht wie vereinbart aus dem Urlaub heimgekommen. Sein Blick ging zurück zu der jungen Ärztin. Ihr Oberarzt hatte sie als vermisst gemeldet. In der Anzeige wurde außerdem erwähnt, dass es Schwierigkeiten mit ihren Zeugnissen gegeben hatte. Florian rieb sich müde die Augen und wollte schon weiterklicken, als ihm die Verfehlungen einfielen, die er am Tag zuvor auf dem Whiteboard notiert hatte. Umgehend gab er den Namen der Ärztin in die Datenbank ein und staunte nicht schlecht, als er tatsächlich einen Treffer landete.

Teresa Buchholz hieß die junge Frau, die vor zwei Jahren wegen Urkundenfälschung zu einer Bewährungsstrafe verurteilt worden war. Besonders viel konnte Florian aus der Akte nicht entnehmen, aber er wunderte sich, wie eine vorbestrafte Frau als Ärztin tätig sein konnte. Die Frau war noch keine achtundvierzig Stunden verschwunden. Florians Handy brummte und er schreckte hoch. Es war vier Uhr. Verwirrt zog er es aus der Tasche und lächelte, als er die Nachricht sah. Julia hatte ihm ein Herz geschickt. Er konnte gar nicht beschreiben, wie erlöst er sich plötzlich fühlte. Sie war ihm nicht böse. Vermutlich hatte sie die halbe Nacht mit Lenja gequatscht und war jetzt todmüde ins Bett gefallen. Er wollte sie nicht am Einschlafen hindern und antwortete deshalb nicht. Morgen würde er ihr Blumen besorgen. Sie sollte wissen, wie viel sie ihm bedeutete. Immer noch lächelnd wandte er sich wieder dem Computer zu. Er war wegen Alina Petrowas E-Mail-Account hergekommen. Also wechselte er das Programm und rief die Website ihres Providers auf. Dort tippte er die Adresse und das Passwort ein. Es dauerte eine Weile, bis sich das Postfach öffnete. Es schien sich tatsächlich um den Account von Alina Petrowa zu handeln. Erstaunlicherweise hatte sie sich seit ihrem Verschwinden nicht mehr eingeloggt. Sollte er sich Sorgen um die Russin machen? Insbesondere der Absender einer E-Mail stach ihm ins Auge. Ein wohlbekannter Name prangte ihm entgegen. Er klickte die Nachricht an und schluckte. Verdammt! Er hatte recht, sie waren die ganze Zeit auf der falschen Fährte gewesen.

40

Julia klopfte an die schwere Holztür und wartete ein paar Sekunden.

»Herein«, rief eine tiefe Männerstimme, und Julia triumphierte innerlich. Sie hatte gehofft, dass das Büro zu so früher Stunde bereits besetzt war. Sie drückte die Klinke herunter und ging hinein.

»Doktor Schwarz, ich freue mich, Sie zu sehen. Wie kann ich Ihnen behilflich sein?«

Julia machte eine ernste Miene. »Kann ich Sie im Vertrauen sprechen?«

Der Oberstaatsanwalt nickte erstaunt. »Natürlich. Bitte nehmen Sie doch Platz. Worum geht es denn?«

»Ich habe eine Entdeckung gemacht. Eine ziemlich wichtige, und ich wollte mich zuerst absichern, bevor ich falsche Anschuldigungen in die Welt setze.« Julia holte die DVD aus ihrer Tasche hervor und übergab sie Björn Kreitz. »Starten Sie das Video bitte ab vierzehn Uhr vierunddreißig und sagen Sie mir, was Sie davon halten.«

»In Ordnung«, sagte der Oberstaatsanwalt und legte die DVD in das Laufwerk seines Computers. Er runzelte die Stirn, während er mit seiner Maus die Aufnahme zum vorgegebenen Zeitpunkt startete.

»Achten Sie auf den Mann mit der grünen Sporttasche, der gleich auf der linken Seite des Eingangs zu sehen ist«, bat Julia und wartete gespannt, bis der Gesuchte ins Bild trat. Sie hielt den Atem an und beobachtete die Reaktion des Oberstaatsanwaltes.

»Das ist mein Mitarbeiter Christian Möller«, stellte Björn Kreitz fest. »Hat er etwas verbrochen?«

Julia beugte sich vor und drückte auf die Stopptaste. »Ich befürchte schon. Sind Sie sich ganz sicher, dass es sich bei dem Mann mit der Tasche um Christian Möller handelt?« Julia wollte jeden Zweifel ausräumen. Sie konnte nach wie vor nicht glauben, dass sie ausgerechnet den jungen Staatsanwalt mit dem Präparat entdeckt hatte. Allerdings setzten sich inzwischen die Puzzleteile zusammen. Florian hatte noch am Tag zuvor die Verfehlungen der einzelnen Opfer aufgelistet. Die ganze Zeit hatten sie gerätselt, wie der Täter seine Opfer auswählte, und jetzt erschien es ihr sonnenklar. Ein Staatsanwalt hatte Zugriff zu sämtlichen Akten und Datenbanken. Für Christian Möller war es überhaupt kein Problem, sich die Daten zu beschaffen. Es war ein Leichtes für ihn, Alina Petrowa, die illegal in Deutschland lebte, in Angst und Schrecken zu versetzen und die Polizei mit ihrer Hilfe auf eine falsche Fährte zu locken. Und wer sich darüber hinaus mit Polizeiarbeit auskannte, wusste ebenfalls, wie er am besten ein

Haar auf einer Leiche platzierte, um jeglichen Verdacht von sich abzulenken. Er konnte sich nahezu unbehelligt in der Rechtsmedizin bewegen. Niemand würde ihn fragen, ob er wirklich einen Termin hätte. Sowohl Julia als auch Lenja hatten ihn in den letzten Tagen mehrfach im rechtsmedizinischen Institut gesehen. Möller hatte nur einen Fehler begangen, er hatte die Überwachungskameras des Hauptbahnhofes nicht im Blick gehabt.

»Ihr Mitarbeiter trägt ein gestohlenes Präparat, um es in einem Schließfach des Hauptbahnhofs zu deponieren. Wir arbeiten an mehreren Mordfällen, in denen den Opfern genau diese Präparate angenäht wurden.« Julia klärte den Oberstaatsanwalt über die Fälle auf. Björn Kreitz wurde zusehends blasser und schüttelte entsetzt den Kopf.

»Als Staatsanwalt steht man auf der Seite des Gesetzes. Ich kann mir wirklich nicht vorstellen, dass Christian Möller so etwas tun würde«, sagte der Oberstaatsanwalt aufgebracht.

Julia zuckte mit der Schulter und deutete auf den Monitor. »Ich konnte es auch nicht glauben. Deswegen bin ich sofort zu Ihnen gekommen.«

Der Oberstaatsanwalt starrte auf den Bildschirm und rieb sich die Schläfen.

»Ich verstehe das nicht«, murmelte er. »Ich hatte immer einen sehr guten Eindruck von Christian Möller. Es wäre das erste Mal in meinem Leben, dass ich mich in jemandem derartig getäuscht hätte.«

Plötzlich poppte ein Fenster auf dem Computer hoch.

Es war eine Terminerinnerung für ein Gespräch mit einem Richter.

»Verdammt«, fluchte Björn Kreitz. »Das hatte ich ganz vergessen. Meine Notizen liegen bei mir zu Hause.« Er sprang auf und griff seinen Autoschlüssel. »Tut mir leid, aber ich brauche die Unterlagen dringend. Ich gehöre noch zur alten Schule und habe sie handschriftlich gemacht.« Er hastete zur Tür und blieb dort stehen.

»Wissen Sie was? Kommen Sie doch schnell mit und erklären Sie mir auf der Fahrt noch einmal genau die Einzelheiten. Wir können dann auch gleich besprechen, wie wir am besten vorgehen. Wäre das in Ordnung für Sie?«

Julia zögerte einen Moment. Sie hatte eigentlich vorgehabt, Florian zu informieren. Aber sie musste dem Oberstaatsanwalt sicherlich recht geben. Sie brauchten eine wohlüberlegte Vorgehensweise, damit am Ende nichts schiefging.

»Ich komme mit«, sagte sie und folgte ihm über den Flur hinaus zu seinem Wagen.

»Hatte Christian Möller an dem Tag denn Urlaub?«, fragte sie, während der Oberstaatsanwalt den Wagen durch den dichten Kölner Verkehr steuerte. Sie steckten mitten im beginnenden Berufsverkehr.

»Er hat sich in letzter Zeit häufiger mal für ein paar Stunden freigenommen. Ich glaube, er hat familiäre Probleme. Ich habe aber nicht nachgefragt. Wir sind gleich da. Ich kann von zu Hause aus auf den Dienstplan zugreifen, dann können wir nachsehen.«

»Das wäre gut«, sagte Julia und hoffte, dass sie nicht

allzu lange unterwegs sein würden. Sie empfand das Verkehrschaos als Zeitverschwendung. Außerdem konnte sie es gar nicht abwarten, Florian die Neuigkeiten mitzuteilen.

»Jetzt erklären Sie mir bitte im Detail, was es mit diesen Präparaten auf sich hat. Bitte ganz von vorne.«

Julia begann zu erzählen. Sie führte alle bisherigen Opfer samt ihren Verfehlungen auf. Sie erklärte das Motiv des Täters, das Bestrafen durch die Amputation von Körperteilen und das Ersetzen durch die Präparate. Björn Kreitz hörte aufmerksam zu, während er den Wagen fuhr, und stellte ab und an eine Zwischenfrage. Als sie endlich an einem schicken Einfamilienhaus ankamen, hatte Julia die Mordfälle in allen Details geschildert. Der Oberstaatsanwalt parkte auf der Einfahrt und sie eilten ins Haus.

»Mein Computer steht im Wohnzimmer.« Er führte sie in einen hellen freundlichen Raum hinter einer deckenhohen Bücherwand und tippte das Passwort ein.

»Ich besorge nur gerade die Akte ... wo habe ich sie nur gelassen ... ach, ich glaube in der Küche. Sehen Sie doch schon mal im Dienstplan nach, wann Christian Möller Dienst hatte und wann nicht.«

Julia setzte sich und suchte in den geöffneten Fenstern nach dem Dienstplan. Sie fand jedoch nur den privaten Kalender.

»Ich kann den Plan nicht finden«, rief sie, ohne den Blick vom Monitor zu nehmen.

»Kleinen Augenblick, ich komme«, sagte Björn Kreitz und war schon bei ihr.

Julia nahm einen bekannten Geruch wahr. Sie drehte

den Kopf, doch noch bevor ihr klar wurde, was ihr in die Nase drang, legte er ihr ein feuchtes Tuch über Mund und Nase. Sie war so überrascht, dass sie zu Boden ging, ohne sich zu wehren. Als ihr Gehirn endlich umschaltete, war es längst zu spät.

41

»Sind Sie sicher, dass Teresa Buchholz nicht einfach nur die Flucht ergriffen hat?«, fragte Florian den Oberarzt.

»Ganz sicher. Sie wollte sich gleich auf den Weg zu mir machen. Ich habe sie zu einem klärenden Gespräch gebeten. Mir war zu diesem Zeitpunkt ja gar nicht klar, dass sie vorbestraft ist und schon einmal Zeugnisse gefälscht hat. Ich bin zuvor von einem Missverständnis ausgegangen. Teresa ist eine sehr zuverlässige Kollegin, natürlich hat sie hie und da Fehler gemacht. In letzter Zeit sogar ein paar mehr. Trotzdem, ihr muss etwas zugestoßen sein. Auch wenn sie gelogen hat, so hat sie sich sehr für unsere Patienten eingesetzt. Menschlich betrachtet mochte ich sie wirklich. Deshalb mache ich mir auch Sorgen und habe ihr Verschwinden sofort gemeldet. Sie hat keine Familie und ich fühle mich verantwortlich.«

»Ich danke Ihnen«, sagte Florian und legte auf. In seinem Bauch rumorte es. Pavlo Burakow war nicht der

Täter. Er wusste es, seit er die E-Mail eines gewissen Georg Findel in dem Postfach von Alina Petrowa gelesen hatte. Wer auch immer sich hinter Georg Findel verbarg, war der letzte Kunde von Jana Petersmann gewesen. Sein Profil auf der Dating-Plattform war unmittelbar danach gelöscht worden. Florian hatte den IT-Experten gebeten, die E-Mail zurückzuverfolgen. Vielleicht konnten sie herausfinden, wer hinter dem Namen steckte. In der Nachricht wurde Alina Petrowa dazu aufgefordert, Julia die Zugangskarte für das Schließfach zu übergeben.

»Wie du es anstellst, ist mir egal. Aber bringe glaubwürdig rüber, dass Burakow dahintersteckt. Führe sie in die Irre, fahre mit Doktor Schwarz durch halb Köln und schüttele auf alle Fälle die Polizei ab. Tu so, als hättest du fürchterliche Angst vor Burakow. Wenn du das nicht hinbekommst, wirst du deine Heimat nie wiedersehen. Dann hat dein letztes Stündlein geschlagen!«

Florian wurde heiß und kalt gleichzeitig, als er die Zeilen las. Burakow hatte recht gehabt. Der Mörder lief weiterhin frei herum. Alina Petrowa sollte ihm offenbar die Morde anhängen. Vermutlich hatte auch sie das Haar auf dem dritten Opfer platziert, um Burakow endgültig als Täter erscheinen zu lassen. Doch wen verdammt deckte sie? Und damit nicht genug. Florian war sich sicher, dass die Ärztin Teresa Buchholz in der Gewalt des Täters war. Alles passte zusammen. Sie war eine Betrügerin. Und bestimmt hatte sie vor Kurzem die herausgeschnittenen Augen von Olaf Seidel zugesandt bekommen. Florian konnte nur hoffen, dass sie noch lebte. Aber wie sollte er sie finden? Der Computer-Experte benötigte mehrere

Stunden, um die E-Mail-Adresse von Georg Findel zurückzuverfolgen. In der Zeit konnte sie längst tot sein. Verzweifelt starrte Florian auf das Whiteboard. Schließlich seufzte er und wählte Julias Nummer. Merkwürdigerweise sprang sofort die Mailbox an. Er stutzte und versuchte es erneut. Wieder die Mailbox. Er probierte es über die Festnetznummer. Es klingelte ganze zehn Mal, bis endlich jemand abhob.

»Nielsen«, meldete sich Lenja verschlafen.

»Hi, Lenja, tut mir leid, dass ich dich geweckt habe. Ich wollte Julia erreichen, aber sie geht nicht ans Handy. Genauer gesagt ist es ausgeschaltet.«

»Ich sehe mal im Schlafzimmer nach.«

Es herrschte einen Augenblick Schweigen in der Leitung. Florian nutzte die Zeit, um die Adresse von Teresa Buchholz ausfindig zu machen. Zuerst würde er in ihrer Wohnung nach Hinweisen suchen. Vielleicht konnten sie dort eine Spur zum Täter entdecken.

»Sie ist nicht da«, sagte Lenja plötzlich durch das Telefon.

»Bestimmt ist sie schon im Institut. Das macht sie manchmal.«

»Warte kurz. Ich frage nach.« Lenjas Stimme klang mit einem Mal überhaupt nicht mehr verschlafen.

Wieder musste Florian ausharren. Er starrte den Punkt auf dem Stadtplan an, der Teresa Buchholz' Adresse kennzeichnete. Die Wohnung lag höchstens zwanzig Minuten von seiner entfernt.

»Sie ist nicht in der Rechtsmedizin. Der Pförtner hat nach ihrem Wagen geschaut. Der ist auch nicht da.«

Florian brach der Schweiß aus. Irgendetwas stimmte nicht. Julia verschwand nicht einfach und schaltete dazu noch ihr Handy aus.

»Und sie hat nichts zu dir gesagt?«, fragte er ungläubig.

»Nein. Wirklich nicht. Das ist gar nicht ihre Art. Aber ihre Handtasche ist weg und auch der Mantel und ihre Schuhe. Der Wohnungsschlüssel steckt noch. Sieht so aus, als würde sie gleich zurückkommen und klingeln. Ich muss wohl tief und fest geschlafen haben, als sie die Wohnung verlassen hat.«

Florian dachte nach. Dann hatte er eine Idee.

»Sieh bitte in ihrem Zimmer nach. Was hat sie zuletzt gemacht? Vielleicht war sie am Computer oder hat irgendetwas notiert.«

Erneut musste Florian quälende Sekunden warten. Er wippte unruhig mit den Füßen auf und ab, während er hörte, wie Lenja durch die Wohnung ging. Endlich war sie wieder in der Leitung.

»Sie hat am Laptop gearbeitet. Er liegt aufgeklappt auf ihrem Bett. Ich konnte die zuletzt verwendete Datei leider nicht öffnen. Sie heißt irgendetwas mit *Hauptbahnhof*.«

»Verdammt!«, stieß Florian aus und sprang auf. »Ich bin sofort bei Ihnen!«

42

Julia wachte mit stechenden Kopfschmerzen auf. Orientierungslos öffnete sie die Augen. Es war dunkel. Durch ein paar Ritzen schien Licht und eine kleine rote LED-Lampe leuchtete über ihr wie ein einäugiger Teufel. Ruckartig kehrte die Erinnerung zurück. Sie fuhr hoch. Oberstaatsanwalt Björn Kreitz hatte ihr ein in Chloroform getränktes Tuch vor Mund und Nase gehalten und sie betäubt. Verflucht. Wo war sie bloß?

Hektisch tastete sie die Umgebung ab. Offenbar lag sie auf einem Bett. Sie war nicht gefesselt. Vorsichtig ließ sie die Beine über die Bettkante gleiten und erhob sich trotz des fürchterlichen Stechens hinter der Stirn. Sie machte einen Schritt und stieß gegen etwas, vermutlich einen Tisch. Ihre Finger bekamen eine Schnur zu fassen, vielleicht einen Lichtschalter. Julia zog und musste in derselben Sekunde die Augen schließen. Grelles Licht schoss durch ihre Nervenbahnen. Schwindel erfasste sie.

Sie wartete kurz ab und öffnete die Lider erneut. Tatsächlich befand sie sich in einem fremden Schlafzimmer. Sofort tastete Julia ihre Hosentaschen nach ihrem Handy ab, aber es war nicht mehr da. Sie schaute sich um. Die Rollläden waren heruntergelassen. Julia betätigte den Schalter an der Seite des Fensters, doch sie fuhren nicht hoch. Ob sie noch im Haus des Oberstaatsanwaltes war? Mit weichen Knien ging sie zur Tür und lauschte zuerst ausgiebig, bevor sie die Klinke herunterdrückte. Die Tür war offen. Sie schaute vorsichtig hinaus auf den Flur. Es schien niemand da zu sein. Mit donnerndem Herzen schlich sie über den schummrigen Gang bis zum nächsten Zimmer und erblickte ein Bad. Gegenüber lag ein Raum, der offenbar als Arbeitszimmer diente. Gleich daneben befand sich eine Ankleide mit einer Fülle dunkler Anzüge, die genauso aussahen wie die von Oberstaatsanwalt Kreitz. Sie lief leise zurück ins Bad und durchsuchte ein paar Schubladen, in denen sie einige Ampullen Insulin, einen Pen und ein Rezept fand. Offenbar war Kreitz Diabetiker. Schließlich steckte sie eine Schere ein. Kampflos würde sie nicht aufgeben. Sie stieg lautlos die Treppe hinab. Das Wohnzimmer lag im Dunkeln. Sämtliche Rollläden waren heruntergelassen. Sie lauschte abermals und schaltete das Licht ein. Am Computer, wo Björn Kreitz sie überwältigt hatte, saß niemand. Auch in der Küche und in der angrenzenden Vorratskammer konnte sie keine Menschenseele entdecken. Unglücklicherweise war die Haustür abgeschlossen und ein Festnetztelefon konnte sie nirgends finden. Julia versuchte, die Terrassentür zu öffnen, doch sie war ebenfalls verschlossen. Das Gleiche galt für die

Fenster. Sie hatten abschließbare Griffe und nirgendwo steckte ein Schlüssel. Dieses verdammte Haus glich einer Festung. Sie würde eine Scheibe einschlagen müssen und versuchen, die Rollläden anzuheben, um hinauszukommen.

Plötzlich nahm sie ein Geräusch wahr und fuhr herum. In ihrem Kopf hämmerte es nach wie vor so stark, dass sie es nicht richtig deuten konnte. Sie beschloss, sofort das Fenster einzuschlagen. Dann hörte sie es wieder. Dieses Mal deutlicher.

»Hilfe!«

Der Ruf war nicht viel mehr als ein heiseres Flüstern.

Verdammt. Das war eine Frauenstimme und sie kam irgendwo aus diesem Haus. Julia lauschte und folgte den gedämpften Rufen hinunter in den Keller. Jemand ruckelte an einer Tür.

»Lassen Sie mich raus. Bitte ... Hilfe!«

Julia drückte die Klinke herunter, doch die Tür war abgeschlossen.

»Warten Sie, ich versuche den Schlüssel zu finden«, rief Julia.

»Wer sind Sie?«, wollte die Frau wissen. »Sind Sie von der Polizei?«

»Nicht ganz«, erwiderte Julia. »Ich bin Rechtsmedizinerin. Was machen Sie hier?«

»Der Staatsanwalt hat mich entführt und eingesperrt. Ich glaube, er will mich umbringen. Bitte holen Sie mich hier raus, bevor er zurückkommt.«

Julia sah sich nach dem Schlüssel um. Vergebens. Sie rüttelte an der Klinke, bewirkte jedoch nicht das

Geringste. Schließlich warf sie sich mit aller Kraft dagegen. Immerhin knackte das Holz ein wenig.

»Gehen Sie von der Tür weg. Ich werde sie jetzt eintreten.«

Julia nahm Anlauf und rammte das Türblatt mit ausgestrecktem Bein. Wieder knirschte es. Julia probierte es noch einmal und tatsächlich flog die Tür mit einem großen Krach auf.

Eine junge Frau hockte ängstlich in dem Kellerraum und blickte sie aus weit aufgerissenen Augen an. Über ihr baumelte eine flackernde Glühbirne. Auf dem Boden lag eine Matratze. Daneben standen zwei große Wasserflaschen, auf einem Teller lag ein bisschen Brot.

»Wie heißen Sie?«, fragte Julia und wunderte sich im selben Augenblick, wie einfach es gewesen war, die Tür aufzutreten. Auch war die Frau nicht gefesselt.

»Ich bin Teresa Buchholz, und Sie?«

»Julia Schwarz. Wie lange werden Sie hier schon festgehalten?«

»Ich weiß nicht. Vielleicht zwei Tage.«

»Kommen Sie, wir müssen hier raus.« Sie nahm die Frau an der Hand und zog sie mit sich die Treppe hinauf. Erst jetzt fielen ihr die vielen Fotografien ins Auge, die im Treppenhaus hingen. Der Oberstaatsanwalt und eine Frau waren auf ihnen zu sehen. Die Fotos schmückten das ganze Haus. Vermutlich handelte es sich um seine Ehefrau. Soviel Julia wusste, war Kreitz verheiratet. Als sie mit Teresa Buchholz im Wohnzimmer stand und sie nach einem Gegenstand zum Einschlagen der Terrassentür suchten, sah Julia auch hier etliche Fotos von Kreitz'

Ehefrau. Teresa ergriff eine kupferne Schale und warf sie gegen die Scheibe.

»Verdammt. Das ist Sicherheitsglas«, fluchte sie.

Das Glas zeigte nur einen kleinen Riss. Julia schaute sich nach einem schwereren Gegenstand um. Ihr Blick blieb an einem Briefumschlag auf dem Couchtisch hängen, auf dem ihr Name stand.

»Was ist das denn?«, murmelte sie und nahm den Umschlag in die Hand. Sie holte einen Briefbogen heraus und überflog die Zeilen, die Kreitz an sie gerichtet hatte.

»Sehr geehrte Frau Doktor Schwarz, nichts läge mir ferner, als Ihnen wehzutun. Ich entschuldige mich für den Überfall und für den Schrecken, den Sie meinetwegen ertragen mussten. Mir blieb leider keine andere Wahl. Ihr Verstand ist sehr scharf, und Sie sind mir viel schneller auf die Spur gekommen, als ich es geplant hatte. Wie Sie sicherlich wissen, warten noch einige Präparate auf ihre Verwendung. Diese Behandlung ist ausschließlich für Menschen gedacht, die sich schuldig gemacht haben und die nicht mehr auf den Weg der Tugend zurückfinden. Ich schaffe sie beiseite, damit sie kein weiteres Unheil mehr anrichten können. Allzu oft landen sie einfach wieder auf freiem Fuß. Ich bedaure die Umstände, die Sie in mein Haus geführt haben, und hoffe, dass Sie meine aufrichtige Entschuldigung annehmen. Wir werden uns wohl nicht wiedersehen, denn ich plane, die Ewigkeit mit meiner geliebten Frau, die seit zwei Jahren im Koma liegt, zu beginnen. Eine letzte Sache noch: Christian Möller hat das Präparat in meinem Auftrag ins Schließfach gelegt. Er dachte, er hilft bei einer verdeckten Aktion zur Ergreifung eines Drogendealers. Der Mann ist also vollkommen unschuldig und im Übrigen ein ausgezeichneter Staatsanwalt. Ihr ergebener Oberstaatsanwalt, Björn Kreitz.«

Julia ließ den Brief sinken. Ihr Blick schweifte abermals über die Wände. Auf einem offenbar neueren Foto ruhte Kreitz' Ehefrau in einem Krankenbett und wurde anscheinend künstlich beatmet. Ihr Gesicht wirkte aufgedunsen und blass. In den halb offenen Augen lag nichts als Trostlosigkeit. Trotzdem durfte Björn Kreitz diesen Zustand nicht einfach beenden. Er hatte kein Recht, eine Entscheidung über Leben und Tod zu treffen.

»Wir müssen sofort hier raus«, sagte Julia und griff nach einem schweren Hocker vor dem Wohnzimmertisch. Sie wuchtete ihn hoch und schmetterte ihn mit aller Kraft gegen die Scheibe. Das Glas zerbarst in unzählige kleine Teile, brach jedoch nicht aus dem Rahmen. Teresa löste ein paar Scherben mit ihrem Schuh heraus.

»Wenn die Rollläden einbruchssicher sind, lassen sie sich nicht einfach hochschieben. Dann werden wir hier nie rauskommen!«, schrie sie voller Panik.

43

Florian spürte, dass Julia in Schwierigkeiten steckte. Er fühlte es mit jeder Faser seines Körpers. Sie hatte sich die Überwachungsaufnahmen des Kölner Hauptbahnhofs angesehen und etwas entdeckt. Doch was? Er fluchte und tippte wild auf Julias Laptop herum. Die verdammte Datei ließ sich nicht rekonstruieren. Kein Wunder, die Aufnahmen waren auf einer DVD gespeichert und die war mit Julia verschwunden.

»Und Sie haben wirklich keine Ahnung, wo sie hingefahren sein könnte?« Florian versuchte nicht mehr, seine Verzweiflung zu verbergen. Es war auch gar nicht nötig, denn Lenja fühlte offenbar das Gleiche.

»Wenn ich es wüsste, ich würde Himmel und Hölle in Bewegung setzen, um dorthin zu kommen. Normalerweise schlafe ich nicht so tief. Ich hätte mitbekommen müssen, dass sie die Wohnung verlässt.«

Florian hob beschwichtigend die Hände. »Nun machen Sie sich mal bloß keine Vorwürfe. Julia hat ihren eigenen Kopf. Sie hätten sie ohne ihr Einverständnis nicht mal aufhalten können.«

Lenja lächelte verkrampft. »Was machen wir denn jetzt? Sollen wir Martin Saathoff anrufen? Vielleicht ist sie zu ihm?«

Das konnte sich Florian beim besten Willen nicht vorstellen. Aber er wollte nichts unversucht lassen und wählte deshalb die Nummer seines Partners. Martin meldete sich nach dem dritten Klingeln. Seine verschlafene Stimme war Antwort genug. Trotzdem fragte Florian, ob Julia sich bei ihm gemeldet hatte.

»Sie ist weg?« Martins Stimme überschlug sich beinahe.

»Verflucht, ja. Sie ist verschwunden und ich habe keine Ahnung, wohin. Vermutlich müssen wir die Aufnahmen vom Hauptbahnhof durchsehen, damit wir sie finden. Und als wenn das noch nicht genug wäre, bin ich höchstwahrscheinlich auf ein weiteres Opfer gestoßen.« Florian berichtete Martin von der Ärztin mit den gefälschten Zeugnissen, die vermisst wurde.

»Ich fahre ins Büro und sehe mir die Überwachungsaufnahmen an«, erklärte Martin schließlich und legte auf.

Florian lief wie ein Tiger in Julias Schlafzimmer auf und ab. Warum hatte sie sich nicht bei ihm gemeldet? Normalerweise war er ihr erster Ansprechpartner. Wieso dieses Mal nicht? Er grübelte und grübelte, aber er kam nicht drauf.

»Ich brauche einen Kaffee«, sagte er und ging in die Küche. Als er an der Kaffeemaschine hantierte, nahm er eine Bewegung vor dem Haus wahr. Sofort ließ er von der

Maschine ab und stürmte ohne ein Wort an Lenja vorbei nach draußen.

»He. Bleib stehen!«, brüllte er und war mit einem einzigen Satz bei dem Mann, der unter der Straßenlaterne stand. Er packte Marcel Stöcker am Kragen und hielt ihn am ausgestreckten Arm vor sich.

»Was haben Sie vor dem Haus meiner Freundin zu suchen?«, bellte Florian außer sich.

Stöcker wand sich unter seinem Griff. »Ich wollte bloß mit ihr reden. Lenja reagiert nicht auf mich, und ich dachte, Julia Schwarz könnte mir helfen. Ich meine es wirklich ernst mit Lenja. Ich will sie nicht verlieren.«

Florian ließ den Kragen des Mannes los. Das Gejammer hatte ihm gerade noch gefehlt.

»Julia ist nicht zu Hause. Sie brauchen hier nicht weiter herumzulungern«, zischte er.

»Das weiß ich doch. Ich bin ihr vorhin gefolgt, aber sie ist beschäftigt. Deshalb wollte ich mein Glück noch einmal bei Lenja versuchen. Aber dann habe ich Sie am Fenster gesehen und abgewartet.«

Florian fuhr herum. »Wissen Sie, wo Julia ist?«

Marcel nickte, und ehe er mehr erklären konnte, zerrte Florian ihn bereits zu seinem Wagen.

44

Das rhythmische Rauschen des Beatmungsgerätes beruhigte sie. Anne hatte einen guten Tag. Die Ärzte hatten ihre Medikamente so ausbalanciert, dass ihr die quälenden Rückenschmerzen erspart blieben. Die Sonne schien zum Fenster herein, und sie genoss das Glitzern und die wärmenden Strahlen, die ihre Hand berührten. Wie gerne wäre sie draußen an der frischen Luft. Doch so schnell würde sie wohl kein normales Leben führen können. Trotzdem wollte sie die Hoffnung nicht aufgeben. Sie hatte ein kleines Geheimnis, eines, das sie erst vor ein paar Tagen bemerkt hatte. Sie konnte die Finger wieder bewusst steuern, zumindest ein bisschen. Zuerst hatte sie es selbst für einen Trugschluss gehalten. Die Ärzte sprachen ständig von Reflexen. Aber dann war ihr aufgefallen, dass es keine unwillkürlichen Bewegungen waren. Ihre Finger bewegten sich, wenn sie es wollte. Es ging bergauf. Sie konnte es spüren.

Die Tür zu ihrem Zimmer öffnete sich und ihr Mann trat ein. Er wirkte irgendwie völlig verändert. Er gab ihr nur einen flüchtigen Kuss auf die Stirn. Bevor er sich zu ihr aufs Bett setzte und ein Diktiergerät einschaltete. Anne konnte nicht fragen, was er vorhatte. Sie versuchte mehrfach zu blinzeln, doch er achtete nicht auf sie.

Er begann zu sprechen: »Ich habe dir vor einiger Zeit gestanden, dass ich Frank Laganis aus der Welt geschafft habe. Ich hatte gehofft, dein Zustand würde sich daraufhin bessern. Ich dachte, wenn du keine Angst mehr haben musst, kommst du zu mir zurück. Aber du konntest es nicht.« Er nahm ihre Hand und drückte sie. »Ich habe inzwischen eingesehen, dass unser Rechtssystem die Täter zu stark in Schutz nimmt. Das hat ganz bestimmt gute Seiten. Allerdings beschützt es auch Menschen, die nicht mehr zu retten sind und die immer wieder betrügen, belügen, schlagen oder sogar töten.«

Dann flüsterte er: »Anne, ich bin heute hier, um einen Schlussstrich zu ziehen. Ich habe versucht, für Gerechtigkeit zu sorgen, aber ich bin schneller aufgeflogen, als ich geplant hatte. Keine Angst. Ich werde dich nicht allein lassen.«

Er redete und redete, und je länger er sprach, desto kälter wurde Anne ums Herz. Björn hatte eine Diebin getötet, die niemals mit dem Stehlen aufhören würde. Sie hatte bereits einige Zeit im Gefängnis verbracht, doch ihre Seele war so schwarz, dass nur der Tod sie stoppen konnte. Außerdem hatte er einen Mann umgebracht, der seit Jahren seine Frau misshandelte. Björn wusste, dass er sie eines Tages totschlagen würde, und das wollte er nicht zulassen. Der Rechtsstaat schien keine Handhabe gegen diesen Mann zu haben. Es war wie bei Frank Laganis. Jemand konnte erst bestraft werden, nachdem er eine Tat begangen hatte. Die Polizei konnte ihn jedoch nicht im Vorfeld davon abhalten, diese Straftat überhaupt zu begehen. Er hatte einen weiteren Mann ermordet, der Frauen auflauerte und sie heimlich filmte. Aus seiner Sicht war es nur eine Frage der Zeit, bis etwas Schlimmeres passierte. Und er hatte eine Ärztin in seinem Keller eingesperrt, die gar keine war. Sie hatte ihre Zeugnisse gefälscht, und in der letzten Klinik, in der sie arbeitete, war es zu einem mysteriösen Todesfall gekommen. Ein Behandlungsfehler aus Unkenntnis. Auch in diesem Fall würden früher oder später Unschuldige ihr Leben lassen. Er hatte ihr jedoch offenbar bisher kein Haar gekrümmt. Eine Rechtsmedizinerin namens Julia Schwarz hatte ihn zu schnell enttarnt. Björn hatte außerdem noch einen Vergewaltiger im Visier, den er unbedingt stoppen wollte, und einen Mörder, der nach fünfzehn Jahren wieder auf freien Fuß gesetzt worden war. Er zählte eine ganze Reihe an weiteren Verbrechern auf, die er aus dem Verkehr hatte ziehen wollen.

»Aber mir bleibt leider nicht mehr die Zeit«, beendete er seinen Monolog und rieb sich verzweifelt über die Augen. »Ich wollte die Welt zu einer besseren machen. Und um das auch allen deutlich zu zeigen, habe ich diesen Verbrechern etwas Schlechtes herausgeschnitten und durch etwas Unbescholtenes ersetzt. Was wäre hierfür geeigneter als die Präparate von Menschen, die sich uneigennützig nach ihrem Tod der Wissenschaft zur Verfügung gestellt haben? Doch ich habe versagt. Jetzt bleibt mir nur noch, mit dir zu gehen und dich aus diesem Körper zu befreien.« Tränen liefen Björn übers Gesicht. Er stoppte die Aufnahme und legte das kleine schwarze Gerät mitten aufs Bett. Dann schaute er sie an und drückte abermals ihre Hand.

»Ich liebe dich, Anne«, hauchte er und schob sich eine Kapsel zwischen die Zähne.

Anne versuchte, den Kopf zu schütteln. Sie wollte nicht sterben. Sie nahm ihre ganze Kraft zusammen und bewegte ihre Finger immer wieder. Björn schien es nicht zu bemerken. Vielleicht wollte er es auch nicht sehen. Offenbar stand er auf und fummelte an der Beatmungsmaschine herum.

»Nein!«, schrie sie, aber es drang kein Ton aus ihrer Kehle.

Wieder hob sie die Finger alle zugleich und dieses Mal registrierte Björn es.

»Bleib ruhig«, sagte er zu ihr und umfasste ihre Hand. »Gleich ist es vorbei.«

»Nein, nein, nein!«, rief sie stumm.

Das Rauschen des Beatmungsgerätes wurde leiser. Ihr Herzschlag begann zu stottern. Björn sackte vor ihr auf dem Bett zusammen. Er starrte sie aus glasigen Augen an. Sie japste nach Luft. Das Blut rauschte schmerzvoll durch ihre Adern und ihr Blickfeld verwandelte sich in einen Tunnel. Rundherum wurde es schwarz. Anne erinnerte sich an den Seidenschal, den sie sich selbst um den Hals gelegt hatte. Sie wollte nicht noch einmal sterben. Doch sie konnte nichts tun. Björn starb und er nahm sie mit. Sie spürte, wie das Leben mit jedem wackligen Atemzug aus ihr herausglitt. Sie hörte auf, dagegen anzukämpfen. Es hatte keinen Sinn mehr. Sie lag da und schloss die Augen.

45

Kurz zuvor

»Wir kommen hier nicht raus und ein Festnetztelefon gibt es auch nicht«, fluchte Julia und ruckelte an dem verdammten Rollladen, der sich keinen Millimeter anheben ließ. Sie hatten alles versucht, jedoch vergeblich.

»Wir müssen Hilfe holen, bevor dieser Verrückte seine Frau umbringt oder womöglich zurückkommt.« Julia hörte auf, den Rollladen zu malträtieren, und dachte nach. Vielleicht schafften sie es über das Dach ins Freie. Im Keller hatten sie bereits alles abgesucht, genauso wie im Obergeschoss. Durch die schrägen Dachfenster könnten sie möglicherweise entkommen. Teresa stürmte die Treppe hinauf. Julia folgte ihr, blieb jedoch abrupt stehen. An der Haustür klingelte es.

»Hallo?«, rief sie und rannte wieder nach unten. »Wer ist da?«

»Julia? Verdammt, mach auf!« Florian klang außer sich.

»Florian, wir sind eingesperrt, ich kann nicht aufmachen. Du musst ins Krankenhaus fahren. Björn Kreitz hat einen Abschiedsbrief geschrieben. Er ist auf dem Weg dorthin und will seine Frau umbringen.«

»Geh von der Tür weg. Ich schieße sie auf!«

Julia hetzte die Treppe erneut hinauf und wartete auf dem obersten Absatz. Mehrere Schüsse hallten durch die Luft. Schließlich schwang die Tür mit einem gewaltigen Knall auf und Florian stand im Flur. Er blickte sie zornig an.

»Verdammt noch mal, Julia, warum hast du nichts gesagt? Du kannst doch nicht einfach auf eigene Faust losziehen!« Er hielt inne, als er Teresa bemerkte.

»Geht es Ihnen gut?«

Teresa nickte. Julia wollte keine Sekunde länger warten. Sie wusste, dass Kreitz' Ehefrau in höchster Gefahr schwebte. Sie hastete die Treppe hinunter und holte den Abschiedsbrief aus dem Wohnzimmer.

»Der Oberstaatsanwalt ist der Täter. Ich habe Christian Möller auf dem Überwachungsvideo gesehen. Kreitz hat ihn dazu gebracht, die Sporttasche mit dem Präparat ins Schließfach zu legen. Er hat mich betäubt. Erst als ich wieder zu mir kam, wurde mir klar, dass er uns die ganze Zeit an der Nase herumgeführt hat.« Julia drückte Florian den Brief in die Hand und rannte hinaus, an Lenja und Martin Saathoff vorbei zum Auto.

»Los, wir haben keine Zeit zu verlieren!«

Sie rasten mit Blaulicht durch die Stadt und setzten von unterwegs einen Notruf ab. Sie erreichten das Krankenhaus innerhalb weniger Minuten. Julia hatte im Haus des Oberstaatsanwaltes Unterlagen gefunden, aus denen Anne Kreitz' Zimmernummer hervorging. Das Patientenzimmer befand sich in einem abgelegenen Teil des Krankenhauses, der extra für Wachkomapatienten eingerichtet war. Sie hasteten wortlos an Ärzten und Pflegern vorüber, während Florian zur Legitimation seinen Dienstausweis hochhielt. Endlich hatten sie das Zimmer erreicht. Teresa drängte sich an ihnen vorbei und stürmte zuerst hinein. Offenbar war der Notruf hier noch nicht angekommen. Zwei reglose Personen lagen auf dem Bett. Teresa rannte zu einer Apparatur und schaltete sie ein. Dann fühlte sie den Puls bei Björn Kreitz. Sie schüttelte den Kopf.

»Er scheint tot zu sein.«

Inzwischen kam Bewegung in die Station. Zwei Ärzte flogen herbei und hoben den leblosen Körper auf eine Trage. Einer von ihnen kümmerte sich um Kreitz, während der andere Teresa bei den Wiederbelebungsmaßnahmen von Anne Kreitz half. Das Beatmungsgerät hatte die Arbeit wieder aufgenommen, doch niemand wusste, wann Kreitz es abgeschaltet hatte.

»Lassen Sie uns alleine«, bat einer der Ärzte und schaffte sie auf den Flur hinaus. Julia griff noch schnell nach dem Diktiergerät, das neben Kreitz auf der Bettdecke gelegen hatte. Als sie draußen vor dem Zimmer warteten, schaltete sie es ein.

»Mein Name ist Oberstaatsanwalt Björn Kreitz«, begann die Aufnahme und brachte alle Anwesenden sofort zum Schweigen. Gebannt lauschten sie Kreitz' Geständnis, in welchem er detailliert seine Morde und sein Streben nach Gerechtigkeit darlegte. Sogar die Zyankalikapsel, mit der er sich offenbar soeben das Leben genommen hatte, erwähnte er.

»Ich liebe dich, Anne«, waren seine letzten Worte und sie schnürten Julia die Kehle zu. Sie hatte den Oberstaatsanwalt immer als überkorrekt und streng empfunden. Niemals im Leben wäre sie darauf gekommen, dass er derartige kriminelle Energie besaß und zu solch bestialischen Morden fähig war. Andererseits hatte sie nicht gewusst, was mit seiner Frau passiert war. Kreitz hatte ihr Leid über viele Jahre mit ansehen müssen. Er hatte es nicht geschafft, sie zu beschützen. Hilflos hatte er miterlebt, wie Frank Laganis seine Frau nach der Entlassung aus dem Gefängnis endgültig zerstörte. Der frustrierende Alltag eines Staatsanwaltes tat sein Übriges dazu. Diese Erfahrungen und vor allem der Verlust seiner Frau hatten den Glauben an die Gerechtigkeit in Björn Kreitz aufgefressen und ihn dazu getrieben, Selbstjustiz zu begehen. Julia und die Polizei waren ihm auf den Leim gegangen, weil er die Ermittlungsarbeit durch seine Einflussmöglichkeiten immer wieder torpediert hatte.

»Dieser verfluchte Mistkerl!«, schimpfte Martin Saathoff, als Julia das Gerät ausschaltete.

Florian blickte unschlüssig drein. »Ich hätte nie gedacht, dass ein Oberstaatsanwalt die Seiten wechseln könnte«, sagte er nachdenklich und in seiner Stimme schwang fast so etwas wie Mitleid. Dann hellte sich seine

Miene ein wenig auf. »Wenigstens ist dieser Ärztin nichts passiert. Das war verdammt knapp.«

In diesem Moment kam Teresa Buchholz aus dem Krankenzimmer und schüttelte den Kopf.

»Wir wissen noch nicht, ob sie es schaffen wird.«

EPILOG

Drei Wochen später

Im Krankenzimmer herrschte Stille. Teresa Buchholz stand vor dem Bett von Anne Kreitz. Über ihnen kreisten bunte Punkte, die von einer Lampe an die Zimmerdecke projiziert wurden. Anne Kreitz verfolgte sie mit den Augen.

»Wie geht es Ihnen?«, fragte Julia und reichte Teresa Buchholz die Hand zum Gruß.

»Bestens. Ich bin froh, dass die Sache überstanden ist.« Teresa Buchholz lächelte. »Die Schwester hat mich gebeten, die Lampe einzuschalten. Es ist eine Übung, die jeden Tag ein wenig ausgedehnt wird. Sehen Sie, wie Anne Kreitz die Punkte mit den Augen verfolgt? Das ist toll, nicht wahr?« Teresa Buchholz hielt einen Moment inne. »Ich hatte wirklich Angst, wir würden aus diesem Haus nicht mehr lebend herauskommen. Ich wusste in dem Augenblick, als Björn Kreitz in meiner Wohnung stand, dass er mich umbringen wollte.«

»Wir hatten Glück. Ich bin auch heilfroh, dass uns nichts passiert ist«, erwiderte Julia.

Teresa Buchholz schüttelte den Kopf. »Normalerweise achte ich immer darauf, die Wohnungstür richtig zu verschließen. Nur dieses eine Mal war ich völlig in Gedanken versunken.« Sie seufzte. »Ich werde den Anblick der beiden Augen in der blauen Box wohl nie wieder vergessen.«

Julia nickte und trat näher an das Bett. Sie beugte sich zu der blassen Frau hinunter.

»Wie geht es Ihnen, Anne?«, fragte sie sanft.

Anne Kreitz blinzelte. Um ihre Mundwinkel glaubte Julia ein Zucken wahrzunehmen. Sie griff die zierliche Hand der Patientin.

»Sie schaffen das. Ich schaue von nun an regelmäßig nach Ihnen und Teresa Buchholz wird Sie auch besuchen.«

Erneut glaubte Julia, eine Bewegung um Anne Kreitz' Lippen zu erkennen. Es sah gut für sie aus. Die Neurologen hatten festgestellt, dass sie die Finger und die Zehen bewusst ansteuern konnte. Niemand vermochte zu sagen, ob Anne Kreitz je wieder würde laufen können, aber ihr Zustand hatte sich definitiv verbessert, und das war alles, was zählte. Teresa Buchholz hatte sich freiwillig dazu bereit erklärt, ab und an nach der Witwe des Oberstaatsanwaltes zu sehen. Auch wenn sie keine richtige Ärztin war und noch mit erheblichen Konsequenzen für ihren schweren Betrug rechnen musste, so merkte Julia ihr doch an, dass sie Menschen aus tiefstem Herzen helfen wollte. Sie war leider irgendwann in jungen Jahren auf die schiefe Bahn geraten. Ein Klassenkamerad hatte ihr ein gefälschtes Abiturzeugnis besorgt und damit den Startschuss für die folgenden Urkundenfälschungen gelegt. Teresa Buchholz durfte nie wieder als Ärztin arbeiten. Selbst wenn sie die erforderliche Ausbildung nachholte, erwartete sie mit ziemlicher Sicherheit ein lebenslanges Berufsverbot. Es gab allerdings Alternativen, in denen sie ihre Fähigkeiten einbringen konnte. Im Pflegebereich wurde beispielsweise dringend Personal gesucht, und Julia war sich sicher, dass Teresa ihren Weg finden würde. Ihrem Einsatz hatte Anne Kreitz es zu verdanken, dass sie am Leben war. Sie waren gerade noch rechtzeitig gekommen. Das Beatmungsgerät hatte knapp drei Minuten stillgestanden. Julia lächelte und wandte sich Teresa zu.

»Ich muss jetzt los, aber wenn Sie etwas brauchen, dann rufen Sie mich an.«

Teresa nickte. »Das mache ich«, versprach sie.

Julia verließ das Krankenhaus und steuerte auf den Parkplatz zu. Florian und Lenja warteten dort auf sie.

»Ich habe einen Riesenhunger«, sagte Julia und nahm neben Florian auf dem Beifahrersitz Platz. »Lasst uns essen gehen.«

»Aber gerne doch«, erwiderte Florian und grinste Julia frech an. »Ich fürchte nur, dass du mit mir alleine vorliebnehmen musst. Lenja hat nämlich schon etwas anderes vor.«

»Was?« Julia drehte sich zur Rücksitzbank herum und

musterte Lenja, auf deren Wangen sich sofort ein zartes Rot abzeichnete.

»Jetzt spann mich nicht auf die Folter«, bat Julia fröhlich, denn sie hatte da so eine Idee.

»Lass mich raten: Da bekommt jemand eine zweite Chance.«

Lenjas Lächeln sprach Bände. Julia freute sich für sie und hoffte, dass Marcel aus seinem Fehltritt gelernt hatte. Sie zog eine Postkarte aus ihrer Tasche und reichte sie Florian.

»Sieh mal, die kam heute bei mir an.«

Florian runzelte die Stirn. »Das gibt es doch nicht. Alina Petrowa hat dir geschrieben?«

Julia nickte. Es war nur ein kurzer Gruß, der zeigte, dass es ihr gut ging. Die Russin hatte sich längst nach Moskau abgesetzt und würde so schnell nicht wieder nach Deutschland zurückkehren. Pavlo Burakow hatte Petrowas Lage jahrelang ausgenutzt und sie zum Sex vor der Kamera genötigt. Der Oberstaatsanwalt hatte ihr einen Ausweg aus dieser Situation versprochen. Dafür musste sie Julia und die Polizei auf eine falsche Fährte locken. Sie hatte Burakow zu dem Container mit der Leiche von Jana Petersmann geführt. Außerdem hatte sie das Barthaar beschafft, das Björn Kreitz auf dem toten Olaf Seidel platziert hatte. Björn Kreitz hatte Alina Petrowa nach der Irrfahrt durch Köln einen Flug besorgt und eine Wohnung in Moskau angemietet. Er gab ihr ausreichend Geld für einen Neuanfang in ihrer alten Heimat. Der Oberstaatsanwalt hatte die Ermittlungen perfekt manipuliert und Pavlo Burakow zum potenziellen Mörder gemacht. In der Kühltruhe seines Hauses hatten sie inzwischen auch den Leichnam von Frank Laganis entdeckt, dem Vergewaltiger von Björn Kreitz' Ehefrau. Mit diesem Mord hatte alles begonnen. Julia war jedenfalls froh, dass mit dem Selbstmord des Oberstaatsanwaltes die schreckliche Mordserie ein Ende gefunden hatte.

Julia steckte die Postkarte zurück in ihre Handtasche und ergriff Florians Hand.

»Wollen wir zu unserem Lieblingsitaliener und anschließend zu dir?«

»Nichts lieber als das«, erwiderte Florian. Er zog sie an sich und gab ihr einen langen Kuss.

ENDE

NACHWORT DER AUTORIN

Liebe Leserin, lieber Leser,

ich möchte mich ganz herzlich dafür bedanken, dass Sie meinen Roman gelesen haben. Ich hoffe, Ihnen hat die Lektüre gefallen und Sie hatten ein spannendes Leseerlebnis.

Die Figuren in meinem Buch sind übrigens frei erfunden. Ich möchte nicht ausschließen, dass der eine oder andere Charakterzug Ähnlichkeiten mit denen heute lebender Personen haben könnte, dies ist jedoch keinesfalls beabsichtigt.

Wenn Sie an Neuigkeiten über anstehende Buchprojekte, Veranstaltungen und Gewinnspielen interessiert sind, dann tragen Sie sich in meinen klassischen E-Mail-Newsletter oder auf meiner WhatsApp-Liste ein:

- **Newsletter: www.catherine-shepherd.com**

- **WhatsApp: 0152 0580 0860** (bitte das Wort *Start* an diese Nummer senden)

Sie können mir auch gerne bei Facebook, Instagram und Twitter folgen:

- **www.facebook.com/Puzzlemoerder**
- **www.twitter.com/shepherd_tweets**
- **Instagram: autorin_catherine_shepherd**

Natürlich freue ich mich ebenso über Ihr Feedback zum Buch an meine E-Mail-Adresse:

kontakt@catherine-shepherd.com

Zum Abschluss habe ich noch eine persönliche Bitte an Sie. Wenn Ihnen dieses Buch gefallen hat, würde ich mich über eine kurze Rezension freuen. Keine Sorge, Sie brauchen hier keine »Romane« zu schreiben. Einige wenige Sätze reichen völlig aus.

Sollten Sie bei *Leserkanone*, *LovelyBooks* oder *Goodreads* aktiv sein, ist natürlich auch dort ein kleines Feedback sehr willkommen. Ich bedanke mich recht herzlich und hoffe, dass Sie auch meine anderen Romane lesen werden.

Ihre Catherine Shepherd

WEITERE TITEL VON CATHERINE SHEPHERD

Zons-Thriller Band 1 bis 4

Zons-Thriller Band 5 bis 8

Zons-Thriller Band 9 bis 11

Laura Kern-Thriller Band 1 bis 4

Laura Kern-Thriller Band 5 und 6

Julia Schwarz-Thriller Band 1 bis 4

Julia Schwarz-Thriller Band 5

ÜBER DIE AUTORIN

Die Autorin Catherine Shepherd (Künstlername) lebt mit ihrer Familie in Zons und wurde 1972 geboren. Nach Abschluss des Abiturs begann sie ein wirtschaftswissenschaftliches Studium und im Anschluss hieran arbeitete sie jahrelang bei einer großen deutschen Bank. Bereits in der Grundschule fing sie an, eigene Texte zu verfassen, und hat sich nun wieder auf ihre Leidenschaft besonnen.

Ihren ersten Bestseller-Thriller veröffentlichte sie im April 2012. Als E-Book erreichte »Der Puzzlemörder von Zons« schon nach kurzer Zeit die Nr. 1 der deutschen Amazon-Bestsellerliste. Es folgten weitere Kriminalromane, die alle Top-Platzierungen erzielten. Ihr drittes Buch mit dem Titel »Kalter Zwilling« gewann sogar Platz Nr. 2 des Indie-Autoren-Preises 2014 auf der Leipziger Buchmesse.

Seitdem hat Catherine Shepherd die Zons-Thriller-Reihe fortgesetzt und zudem zwei weitere Reihen veröffentlicht.

Im November 2015 begann sie mit dem Titel »Krähenmutter« eine neue Reihe um die Berliner Spezialermittlerin Laura Kern (mittlerweile Piper Verlag) und ein Jahr später veröffentlichte sie »Mooresschwärze«, der Auftakt zur dritten Thriller-Reihe mit der Rechtsmedizinerin Julia Schwarz.

Mehr Informationen über Catherine Shepherd und ihre Romane finden sich auf ihrer Website:

www.catherine-shepherd.com

Made in the USA
Coppell, TX
13 October 2022